チャイナウオッチ 矢吹晋著作選集 1

文化大革命

未知谷
Publisher Michitani

発刊の辞

矢吹晋

新年号を令和と定めた政府は『万葉集』の「梅花の歌」序が典拠だと説明した。即座に『文選《もんぜん》』と野次が飛んだ。『紫式部日記』を読むと、一条天皇后彰子に漢籍の個人教授を務めた事実が記録されている。『源氏物語』は「長恨歌」などを換骨奪胎したもので、漢籍という骨格を抜くと、日本が世界に誇るこの物語は成立しない。ここに和魂漢才を駆使した先人たちの努力の成果を読み取れる。隣の大国と一衣帯水の島国日本が二〇〇〇年にわたって独立を堅持しえた秘密はこの巧みな和魂漢才術に隠されていよう。天安門事件当時、日本政府は欧米諸国の対中制裁論を排して、日中関係の発展拡大のために知恵を絞った。日本にとって、隣国の政治・経済的安定こそが国益なのだ、と説いて経済協力を継続した。これは中国経済が市場経済へ飛躍する大きな踏み台となった。今年は不幸な日中戦争に終止符を打って国交を回復して五十年となるが、両国関係は冷え冷えしたものに一変している。一部の中国崩壊論者の願いにもかかわらず、中国はますます豊かになり国防力も増大している。ここに崩壊論に代わって脅威論が登場し、今や空前の賑わいぶりだ。私は田中角栄訪中の前後からチャイナウオッチを自らの仕事としてきたが、〈変わる中国・変わらざる中国〉を複眼で観察し直すために、旧稿を再読してみた。中国という巨龍は、観察者の思惑を遥かに超え宇宙まで飛翔する。そのとき、日本は糸の切れた凧の運命を避けるために何を選ぶべきであろうか？

チャイナウオッチ
矢吹晋著作選集 1

文化大革命

目次

チャイナウオッチ
矢吹晋著作選集　1

文化大革命

凡例

・原載における誤植、誤字・脱字などは訂正した。
・表記は基本的に原載どおりとしたが、一部の語句は漢字表記を仮名表記に、仮名表記を漢字表記に改めた。なお一部については記述を改めた箇所がある。
・全巻の体裁を整えるため大小を問わず見出しは改めた箇所がある。
・常用漢字以外の略字は、表外漢字字体表に基づいて改めた。
・送り仮名は基本的に「送り仮名の付け方」（内閣告示、１９７３年）に基づいた。
・引用文中の省略の示し方は〔中略〕に揃えた。
・数字表記、また記号類については一部改めた箇所がある。
・著作名・組織名・人名などの表記は基本的に全巻揃えるようにした。
・中国・香港・台湾発行の書籍名および論文名は原書どおりとするよう揃えた（ただし簡体字・繁体字は表外漢字字体表に基づいて改めた）。なお初出時に邦訳名のみ記されているものは邦訳ままとしたものがある。
・慣用されていない中国語句は基本的に日本語句に差し替えた。
・原載の脚注以外に編者による注を付加した。なお編者による注は山括弧〈　〉を用いて示した。
・各著作冒頭の前文は編者による。

過渡期の中国とプロレタリア民主主義——大躍進・文化大革命に関する試論

一九四九年一〇月の中華人民共和国建国後、さらなる階級闘争の徹底を主張する毛沢東は、五七年後半から反右派闘争、社会主義教育運動を押し進め、さらに五八年から六〇年にかけて、農業と工業の大増産政策「大躍進」を目論む。しかし、この急進的政策は失敗し（自然災害も重なって多数の餓死者が出たことが明るみに出るのは文革終了後のこと）、毛は国家主席を退任する。その後、劉少奇・鄧小平らは調整政策を主導するが、毛は「資本主義の道を歩む実権派」と指弾し、危機感をつのらせる。社会主義建設の第一歩を踏み出した過渡期の中国にとって何が問題だったのか。文革への基本的な視座を論じる。

一　「整党運動」としての文化大革命

中国のプロレタリア文化大革命についてさまざまの議論が行なわれている。ある論者はこれこそ革命であるといい、他の論者はこれを反革命と規定する。あるいはまた、一方では特殊中国的なものにすぎぬといい、他方では世界史的普遍性をもつという。

文化大革命をどう理解するかは、われわれにとって理論的にも実践的にも喫緊の課題である。だが文化大革命は現在進行中の巨大な大衆運動であり、その全体像はもう少し時間が経ち、まだ明らかにされていない事実が報道されないと描けないであろう。そればかりではなく、文化大革命はこれを中国革命の歴史のなかで正しく位置づける必要があるのみならず、[*1]国際関係（とりわけ対ソ連社会主義との関係）における位置づけも不可欠である。

ここでは文化大革命を理解するための基本的な視角を設定することに課題を限定しなければならない。基本的な視角というのは、文化大革命を何よりもまず「整党運動」としてとらえることである。[*2]『人民日報』『紅旗』『解放軍報』は一九六八年元旦の社説のなかで「プロレタリア文化大革命は偉大な整党運動である」と述べているが、これは文化大革命の当初からの一貫した規定である。たとえば、中共中央の「プロレタリア文化大革命に関する決定」（十六カ条、一九六六年八月八日採択）は、多面的な内容を含んでいるが、そのなかに「今回の運動の重点は、党内の資本主義の道を歩む実権派の奴らに向けられる」（這次運動的重点，是整党内那些走資本主義道路的当権派）という一文がある。われわれはこの規定を重視する。つまり、「資本主義の道を歩む実権派」とは何か、その理論と政策を検討することを通じて文化大革命を正しくとらえることができると考える。実権派の理論と政策を明らかにすることによって、実権派を党中央のみならずあらゆるレベルの指導部から排除しつつある毛沢東思想の理論と政策を解明する手がかりが得られるものと考える。[*3]

この二つの理論、理論から導かれる政策路線を中国はいま「資本主義の道」と「社会主義の道」との二つの道の闘争ととらえている。われわれはこれを「資本主義の道か」、「社会主義の道か」という次元でとらえることはできないと考える。さしあたり、社会主義建設をめぐる「毛沢東思想」と「修正主義」との闘争と理解しておきたい。ここで「修正主義」というのは、「毛沢東思想に対する修正主義」の意であり、「マルクス主義に対する修正主義」の意ではない。毛沢東思想とマルクス主義を等置できるとすれば（このような想定自体実は無意味だが）、この修正主義はマルクス主義に対する修正主義となるのであるが、その議論を行なうためには、毛沢東思想のマルクス主義における位置づけを行なう必要があり、いまその用意はない。

以上の理由で、文化大革命を「毛沢東思想」と（毛沢東思想に対する）「修正主義」の闘争を基軸に理解しようと試みるわけである。[*4] いいかえれば、ここで問われているのは「資本主義か社会主義か」ではなく、社会主義の「質」の問題である。[*5／6]

さて、毛沢東思想と修正主義との二つの道の闘争は、中国側の主張するように、中国革命の歴史とともにある。[*7]しかし、対立一般を問題にしたのでは、なぜ文化大革命のなかで決定的に対立するに至ったのか、あるいは対立を克服するために文化大革命が展開されるに至ったのかを説明できないであろう。ここでは、むしろ文化大革命のなかで決定的な対立に至る過程に焦点をしぼらなければならない。しかも、毛沢東思想と修正主義の内容について、あるいはその闘争の展開過程について詳しい検討を加える用意はなく、二つのイデオロギーを生産力・生産関係の視点から検討するだけである。しかし、これこそ毛沢東思想と修正主義とを区別する最も根本的な相違点の一つであるにちがいない。

二　大躍進期前夜の二つのテーゼ

一九五六年九月の中国共産党第8回大会は、一九四五年四月の第7回大会から一一年ぶりに開かれた。第8回大会が解決しなければならなかった最大の問題は、生産手段の所有制が基本的に私有制から共有制に変革された段階で、社会主義建設にとって次の課題は何かを明らかにすることであった。第8回大会の結論は、生産手段の所有制の変革によって、階級矛盾は基本的に終わりを告げ、あとは生産力の向上と建設が主要な問題になる、というものであった。劉少奇は党中央を代表して行なった政治報告で次のように述べている。よく引用される有名な個所だが、念のために掲げることにする。

「農業、手工業、資本主義的工商業に対する社会主義的改造の過程で、われわれの活動には、欠点や誤りがなかったわけではない。われわれの政策は、初めから成熟していたとはいえないし、政策を実行するうえでも、局部的な偏向が現われたことがある。それにもかかわらず、生産手段の私有制を社会主義的共有制に変えるという、極めて複雑で困難な歴史的任務は、わが国でいますでに基本的になしとげられたのである。わが国における社会主義と資本主義の間の誰が、誰にうち勝つかと言う問題は、すでに解決されたのである」[*8]。

この点について、同報告に対する大会決議は、より明確に次のように述べている。

「いまやわが国のおもな矛盾は、進んだ工業国を建設しようとする人民の要求と、遅れた農業国であるという現実との間の矛盾であり、経済、文化の急速な発展に対する人民の要求と、いまだに経済、文化が人民の要求を満たすことができないという現状の間の矛盾である。この矛盾の本質は、わが国ですでに社会主義制度がうち建てられたという事情のもとでは、とりもなおさず、進んだ社会主義制度と遅れた社会の生産力との間の矛盾である。党と全国人民の当面のおもな任務は、力を集中してこの矛盾を解決し、できるだけ早く、わが国を遅れた農業国から進んだ工業国に変えていくことである」[*9]。

生産手段の所有制の変革によって社会主義は勝利した。したがって、その後の問題は進んだ社会主義制度（生産関係）と遅れた社会の生産力（生産力）との間の矛盾を解決することである――このテーゼをかりに「生産力論」と名づけることにしよう[*10]。

この「生産力論」は次のような特徴をもっている。第1に、本来不可分であるはずの生産力と生産関係を機械的に切り離して理解している。生産力は一定の生産関係のもとでの社会的生産力としてとらえられねばならぬにもかかわらず、である。第2に、この理論は生産力が発展すれば、社会主義は自動的に成立するという展望のうえに成立する。ここで想定される社会主義は、単に社会的生産に適合した社会的所有だけの問題になっており、生産関係自身が商品形態をもって処理されていることから生ずる資本主義の真の矛盾の解決という点がきわめてあいまいであり、その社会主義イメージは著しく貧困である。第3に、第2の論理的帰結として、生産力の増大のみが絶対化される傾向をもつ。

この「生産力論」は、当時の中国共産党の独創ではなく、農業集団化のあと一九三六年にスターリンが憲法草案でうち出した有名な理論と同じものである。この意味で「生産力論」こそ従来のいわゆるマルクス主義の伝統的理論にほかならない。第八回大会の結論が「生産力論」であったという事実は、この時期の中国共産党がいかにソ連の社会主義建設を模倣しようと努力していたか、スターリン理論のワクのなかで問題を解決しようとしていたかを端的に示すものといってよい。[*11] 中国革命を通じて事実上スターリン理論を克服してきた中国共産党が、この段階で再びスターリン理論に屈服せざるをえなかったのは、スターリン理論の克服がまさに事実上であって、明確な論理化にまで至っていなかったからにほかならない。

ところで、中国共産党がこのテーゼを採択してから半年も経っていない一九五七年二月、毛沢東は「人民内部の矛盾を正しく処理する問題について」と題して演説し、「階級闘争はまだ終わっていない」として第8回大会の決論とはくい違うテーゼを提起した。六月になって公表されたものによると、毛沢東は次のように述べている。

「わが国では、社会主義的改造が、所有制の面では基本的になしとげられ、革命の時期における大規模の、あらしのような大衆的階級闘争は基本的に終わりを告げたが、くつがえされた地主・買弁階級の残存分子はまだ存在しており、ブルジョアジーもまだ存在しており、小ブルジョアジーはやっと改造されはじめたばかりである。階級闘争はまだ終わってはいない。プロレタリアートとブルジョアジーとの間の階級闘争、各政治勢力の間の階級闘争、プロレタリアートとブルジョアジーとの間のイデオロギー面での階級闘争は、なお長期にわたる、曲折したたたかいであり、ときにはひじょうに激しいものでさえある。プロレタリアートは自己の世界観に基づいて世界を改造しようとするし、ブルジョアジーも自己の世界観に基づいて世界を改造しようとする。この面では、社会主義と資本主義との間の、どちらが勝ち、どちらが負けるかという問題は、まだほんとうには解決されていない[*12]」。

毛沢東はさらに一九五七年三月の「中国共産党全国宣伝工作会議における講話」のなかでもこれと同じ趣旨のことを述べている。

第八回大会のテーゼと毛沢東テーゼとのくい違いの意味するものは何か。ここではさしあたり、この間に中国国内では局部的とはいえ農業集団化の動揺があり、国際的にはハンガリー事件など一九五六年二月のスターリン批判に誘発される衝撃的な事件が起こっていることを指摘するにとどめておく[*13]。われわれは毛沢東がここで第八回大会のテーゼを克服しつつあったこと、しかしそれは中国共産党の指導部全体の理論にはなりえていなかったことを確認しておけばよい。こうした状況のなかで大躍進を迎え、二つのテーゼが交錯することになる。

三　大躍進をめぐる二つの理解

1　経過

大躍進は一九五七年後半からの反右派闘争（および全国的な農村社会主義教育運動）の高まりのなかで、一九五七年冬から一九五八年春へかけて展開された大規模な水利建設運動として出発した。一九五八年五月の中国共産党第8回大会第2回会議で「両足で歩く」方針（重工業を優先的に発展させることを前提として、工業と農業を同時に発展させること、集中的指導、全面的計画、分業と協業を前提として、中央の工業と地方の工業を同時に発展させ、大型企業と中・小型企業を同時に発展させること）[*14/15]が提起され、工業においては、基本建設の拡大[*16]、「おびただしい数にのぼる中・小型の炭鉱、発電所、製油工場、製鉄所、金属鉱山、化学肥料工場、セメント工場、機械工場、農畜産品加工工場など」の建設が行なわれた[*17]。

また農業においては、水利工事[*18]、堆肥作り[*19]、土地の改良や整地、造林[*20]、農具の改良[*21]などが行なわれた。八月にはいってから人民公社化運動が展開されたことも周知のとおりである。農村における運動の展開にともない、工業においても企業管理の改革が試みられた。

以上で大躍進の初期の状況を簡単にみたわけだが、われわれの関心は、この巨大な大衆運動を貫く理念の追求であり、大躍進の全体像を明らかにすることではないから、これ以上立ち入ることはしない。

2　大躍進に対する「生産力論」的理解

劉少奇は第8回大会第2回会議で、社会主義建設の総路線に関する報告を行ない、次のように述べた。「整風運動と反右派闘争は、わが国における思想戦線と政治戦線での社会主義革命である。これは、社会主義か資本主義かの二つの道についての決定的な意義をもつ闘争であった。この闘争の勝利によって、最も広範な人民大衆の間に、共産主義的思想大解放が行なわれ、これによってわが国における階級間の力の対比が大きく改められたのである[*22]」。

劉少奇は所有制の面での社会主義的改造が基本的に完成した後にもなお残る、イデオロギー面の階級闘争の存在（＝毛沢東テーゼ）を認めながらも、それがすでにこの段階で決定的な勝利を収めたとして、次のように生産力の発展を強調する。

「建設の速度の問題は、社会主義革命の勝利の後、われわれの前におかれた最も重要な問題である。われわれの革命は、とりもなおさず社会的生産力を最も急速に発展させるためのものである[*23]」。

この劉少奇報告は、表面的には一九五六年の「生産力論」と一九五七年の毛沢東テーゼが同居した形となっているが、その基調は「生産力論」で貫かれているといっていい。さて、「生産力論」的視点にたつとき、大躍進はどのようにとらえられるであろうか。

まず「両足で歩く」方針であるが、これが第1次5カ年計画の重工業偏重、中央工業偏重、大型工業偏重[*24]に対する反省のうえに提起されたことはいうまでもないとして、この「両足で歩く」方針は、単に労働力や物資、資金の配分の問題としてのみとらえられる。労働力を含むあらゆる潜在資源の活用は、重工業・中央工業・大型企業による発展という従来の政策を補うものとして、生産を量的に拡大するものとしてのみ評価される。ここでは人民は「生産のための労働力」としてとらえられ、人民の解放という視点は背後に押しやられる。大躍進の本質ともいうべき大衆路線は、ここでは大衆動員に矮小化される。

いままでわれわれがみてきた劉少奇報告は、すべて中共中央を代表した公的なものである。そのなかにわれわれは「生産力論」を見出してきたのであるが、文化大革命のなかで暴露された劉少奇個人の発言をみると、より明確に「生産力論」が浮かび上がってくる。たとえば、一九五八年六月三十日、劉少奇は北京日報社を訪れ、『北京日報』が組織した「共産党員は個人の志望をもつべきか否か」という討論を総括し、「共産党員はおとなしい道具となれ」と語り、「おとなしい道具」論は七月二十九日の『北京日報』社説になって、全国に毒素を流したという。[*25]

奪権〈本書一四七頁八行参照〉後の『北京日報』社説は、これを「愚民政策」、「奴隷主義」、「ファシスト的党組織原則」と批判している。社会主義を単に計画経済と理解し、生産力の増大のみが絶対化されると、たしかにナチス経済と異ならない体制になりかねないのであって、この意味で「ファシスト的」というのは決してオーバーではないと思われる。こうして「主観的能動性」の発揮の名において、上級に対する成績主義、大衆に対する命令主義、大衆のひきまわしが生ずる。一九五八年の生産計画目標の相次ぐ引上げは、生産至上主義の結果にほかならない。[*26]

る。

3　大躍進の毛沢東的理解

毛沢東にとって克服すべき対象が生産力論である以上、毛沢東理論は生産力論の批判のうえに築かれる。

第1に、「進んだ生産関係」に「遅れた生産力」を追いつかせる、というように生産関係と生産力とを機械的に分離してはいない。毛沢東はいう。

「社会主義の生産関係はすでに確立されて、生産力の発展とは照応し合っているが、それはまだ非常に不完全であり、これらの不完全な面と生産力の発展とは、これまた矛盾し合っている。生産関係と生産力の発展とのこうした照応しながらも矛盾し合っている状況のほかに、なお上部構造と経済的土台との照応しながらも矛盾し合っている状況がある[*27]」。

生産力と生産関係とを機械的に分離するのではなく、このように真の意味で弁証法的にとらえていることにまず注目する必要がある。このような認識は、農業集団化の経験を総括するなかで得られたものであり、またこれこそ合作化から人民公社化への発展を基礎づける基本的な論理であった[*28]。

生産力・生産関係に関する毛沢東の見解について、「生産力ぬきの生産関係主義」とか「生産関係の一面的重視」とかいった批判が浴びせられている。これは土地改革後あまり時間をおかず毛沢東が農業集団化を提起した事実に端を発したものだが、この議論は根本的な誤りを含んでいる。半植民地・半封建社会の中国においては、「農民的土地所有の成立はすでに歴史的に不能」であったのであり、「農業、農民問題は土地改革＝農民的土地所有の創出では解決されず、集団化＝社会化によって解決[*29]」されるほかなかったのである。ここで人民公社化運動について詳しく論ずる用意はないが、公社化も集団化の発展形態にすぎず、要するにその本質は「生産関係の変革」を通じて「生産力の解放」が追求されたものといっていいであろう。ここで「生産関係の変革」というのは、所有権の単なる移動ではなく、大規模な水利工事が公社化への直接的契機となった事実が象徴するように、あらゆる積極的な要素を動員して自然改造を行ない、生産力の社会的再編成を実現することであった。この意味で、毛沢東は決して「生産力ぬきの生産関係主義」者ではなかった。

　ここで生産力・生産関係について一般的な考察を加える用意はないが、さしあたり次の点だけは指摘しておかねばならない。

　第1は、いわゆる唯物史観の公式についてである。マルクスは『経済学批判』の序文で次のように述べている。「社会の物質的生産諸力は、その発展がある段階にたっすると、いままでそれがそのなかで動いてきた既存の生産諸関係、あるいはその法的表現にすぎない所有諸関係と矛盾するようになる。これらの諸関係は、生産諸力の発展形態からその桎梏へと一変する。このとき社会革命の時期がはじまるのである」[*30]。

　中国革命なり、中国における農業の集団化を、この公式で直接説明することが広く行なわれているが、これは二重の意味で誤っている。鶏を割くに牛刀を用いることはできない。牛刀によっては鶏を料理できないだけではなく、牛刀の使い方自身をも理解していない、という意味で二重の誤りなのである。この公式は「「社会革命の時期」のように特定の生産関係から他の特定の生産関係への変革のような、歴史的に特殊な個別性をもって展開される過程を直ちに解明するものとして[*31]」あるのではない。この公式の誤解の論理的帰結は中国革命の全否定であり、ひいてはアジア・アフリカ・ラテンアメリカにおける革命の全否定に陥らざるをえないであろう。

第2はマルクスの協業・分業論とスミスの分業論との差異についてである。マルクスは協業（＝多数の分散し、相互に独立している個別的労働過程を、一つの結合された社会的労働過程に転化すること、単純な協業のみならず分業に基づく協業を含む）を一面では、労働過程にかかわる技術的ないしは労働組織的な意味での生産方法の発展としてとらえ、他面では、それによる生産力の増進を資本は自らの生産力として包摂することを明確に区別して論じている。つまり、協業から生まれる生産力は、労働の社会的生産力または社会的労働の生産力であり、それは資本の生産力として現われるのである[*32]。

一方スミスはいう。「分業の結果として、同一人数の人々がなしうる仕事の量がこのように大増加するのは、三つの異なる事情、すなわち第1に、あらゆる個々の職人の技巧の増進、第2に、ある種の仕事からもう一つの仕事へ移るばあいふつうには失われる時間の節約、そして最後に、労働を促進し、また短縮し、しかも1人で多人数の仕事をなしうるようにするところの、多数の機械の発明、に由来するのである[*33]」。

マルクスをスミスから区別する決定的な相違点が「生産関係視点」にあることはいうまでもないが、生産力の概念自体も異なっている。スミスにおいては「各個人は自分自身の特別の部門についていっそうの専門家になり、それによって全体としていっそう多くの仕事がなしとげられる[*34]」というように「全体」の生産力はいくつかの「特別の部門」の生産力のいわば単純な総和にすぎなかった。だが、分業による生産力の上昇は、単純総和以上のものである。マルクスは協業の効果として次の5点をあげている。(1)結合労働を必要とする作業が可能となる、(2)労働者の競争によって生産力が増大する、(3)労働過程の分割によって、労働時間が節約される。(4)限られた期間内に一定の成果をあげねばならぬ作業（たとえば穀物の刈入れ）に応じうる、(5)労働の空間範囲を拡大し、灌漑などが可能となる。[*35]この例をみただけでも、協業から生まれる「労働の社会的生産力」または「社会的労働の生産力」が、各部門の生産力の単純な総和以上のものであることが明らかであろう。

ところで劉少奇らの「生産力論」に対して、毛沢東の見解は一般に「生産関係の強調あるいは重視」として理解されているが、これは前にも述べたように誤りであろう。両者の相違点は「生産力」と「生産関係」のいずれを強調するか、といった観点にあるのではなく、生産力概念そのものが相違しているとみるべきであろう。

この点をたとえば農業に即してみると次のごとくである。中国の農業集団化は「家族的小経営から集体的大経営への転換」によって、「比較的大規模な土地面積を統一的に経営」し、「社員農民の体力、技術水準その他に応じる分業、協業」を行ない、「労働力編成の合理化と農業生産過程の合理化」を展開するものであった。「作物の適地適作、作物分布と輪作・間作形態の改善、肥料の増設、品種の改良など、いずれも分業による協業を原則とする労働編制によってはじめて有効に実現しうるものである」[*36]。農業集団化による労働力編成の合理的展開は、それ自体、新たな生産力を生むが、これによる生産力の増大は生産力の増大としてのみ意義があるのではない。集団化、社会主義的改造は「貧農、下層中農を中核として推進され、しだいに大規模経営に発展し」、ここで「農業生産発展の主体の交替」[*37]が行なわれつつあったことが重要であろう。

生産手段の私有制の廃棄は社会主義建設にとっての第一歩であるにすぎない。より重要であり、困難なのは社会主義建設において、その労働・生産過程自体を社会主義的に組織していくことである。労働・生産過程における人と人との関係、特に指導と被指導との関係が支配・被支配、抑圧・被抑圧の関係に転化することを防ぐためには、徹底した経済的、社会的平等化がたえず追求されなければならないが、このような平等化は、単なる均分化によって達成されるものではなく、集団化＝社会化によってのみ保証される。

以上に述べたような、農業の集団化＝社会化によって生産力増大をはかろうとする見解――いうまでもなくこれこそ毛沢東の発想だが――を、「生産力論」に対して、かりに「社会的労働の生産力」論と名づけておこう。生産力概念をめぐる二つの理解は次の2点で対立する。第1に、「生産力論」においては、「社会主義はすでに成立した」として、事実上、「生産関係ぬきの生産力」論となっているのに対し、「社会的労働の生産力」論においては、労働組織のあり方がたえず反省されることになり、生産関係視点が欠如することはありえない。第2に、前者の場合、社会全体の生産力は、各部分の単純な総和にすぎない以上、個別的に生産力の上昇が追求されるほかないのに対し（アダム・スミス的生産力論！）、後者においては、社会化を通じて単純総和以上の新たな生産力が追求されることになる。いいかえれば、前者の場合、既存の生産力構造、再生産構造を前提とした生産力が追求されるのに対し、後者は生産力構造自体を変革する方向での生産力増大が追求されるわけである。

さて、生産力の概念を、その概念から導かれる生産力拡大の方向を、中国の具体的な現実のなかで以上のようにとらえていた毛沢東にとって、大躍進とはいったい何であったか。大躍進運動とは一言でいえば以上の毛沢東理論の社会的実践化にほかならない（毛沢東のことばでいえば、「精神から物質へ」

「思想から存在へ」の段階である）。この意味で、決して一時の思いつきなどではなく、社会主義建設の基本的戦略の具体的展開であった。したがって、一時的、部分的な失敗によってその精神が修正されるべきものではなかった。

大躍進の理念は次の3点にしぼることができると思われる。第1は、社会的生産力の拡大である。その内容は前に述べたとおりである。[*38] 第2は、第1と深くかかわっているが、社会主義建設を大衆運動によって行なうことである。この大衆運動とは、大衆を「動員」の対象としてとらえるのではなく、建設の主体としてとらえるものである。この意味では大躍進の本質は「計画を大衆にひきわたすこと」（『人民日報』一九五九年三月三日）であったといってもいい。[*39] 劉少奇の「おとなしい道具」論が人民を「管理」するという意味で人民「管理」論であるとすれば、毛沢東のそれは人民「主体」論といえよう。毛沢東式の生産力拡大は、人民の創意性と積極性に依拠するものであり、人民が自らの歴史的使命を自覚して立ち上がるかどうかが成否を決める。第3は、この巨大な大衆運動を貫く平等化への志向である。「3大差別」（都市と農村の差、労働者と農民の差、肉体労働と頭脳労働の差）を可能なかぎり縮小していく方向で建設を進めることが具体的に提起されたが、これこそプロレタリア民主主義の精神であろう。こうした精神によって貫かれる運動であればこそ、大衆の主観的能動性が発揮されるのである。毛沢東は大躍進のさなかに次のように書いた。

「中国の勤労人民には、まだ以前のような奴隷の姿が残っているだろうか。残ってはいない。彼らは主人公となっている。中華人民共和国の九六〇万平方キロメートルの土地に住む勤労人民は、いま、ほんとうにこの土地を支配し始めたのである」（一九五八年四月[*40]）。この感動的な文章の前のところで、毛沢東は中国の現実を「一に貧窮、二に空白」（一窮二白）と特徴づけ、「これらは、見たところ悪いことのようだが、実際にはよいことである。貧窮であれば、変革しようとおもい、行動をおこそうとし、革命をやろうとする」（窮則思変、要幹、要革命）と説明している。この「窮」（Qiong）の構造を社会科学的に解明することがわれわれの課題でなければならない。「窮」の解明によってのみ、「思変、要幹、要革命」の根拠をとらえることができるであろう。

四　大躍進の挫折と調整政策の方向

大躍進が挫折し経済困難に陥った事情について、周恩来は一九六四年十二月次のように語った。「数年前、わが国の国民経済は大きな発展をとげたが、かなりきびしい困難にも見舞われた。一九五九年から一九六一年まで、３年続けざまにひどい自然災害が起こり、国民経済全般の発展に大きな困難をもたらした。われわれの実際の仕事のなかにもいくらかの欠点や誤りが生まれた。そのうえ、一九六〇年、フルシチョフは突然背信的にも数百の協定と契約を破棄し、ソ連の専門家を呼び返し、重要設備の供給を止めて、わが国国民経済発展の当初の計画にひどい混乱をもたらし、われわれの困難をいっそう大きくした[*41]」。

周恩来はここで、⑴３年続きの自然災害、⑵実際の仕事のなかでの欠点や誤り、⑶ソ連の経済技術援助の打切り、の３点を指摘している。このうち⑴、⑵については一九六二年九月の中国共産党第八期中央委員会第一〇回全体会議のコミュニケですでに指摘されていた。(3)は中ソ論争がエスカレーションするなかで明らかにされ、一九六四年末になって経済困難の理由の一つに数えられた。

これらの三つの理由がそれぞれいかなるウエイトを占めているのか、またそれらがたがいにどう関係しているのかについてはここでは触れない。

大躍進の論理だけを検討するのが本稿の課題であるから、(2)についてのみ検討を加えることにする。大躍進のなかで生まれた「欠点と誤り」について、周恩来は一九五九年八月次のように述べている。「われわれは一九五九年の国民経済計画を作成し遂行する過程で、大躍進の高まりのなかで、かつていくらかの欠点と誤りを生んだが、それは主として、生産指標をやや高めに決めたこと、基本建設のまぐちをやや広げすぎたこと、労働者職員をややふやしすぎたことなどのために、労働力の配分、物資の分配、資金の使用、製品の質の向上といった面にいくつかの問題が生じ、これによって国民経済のごく一部にややくいちがいを生みだした点にある。それは、われわれの計画工作機関と経済工作機関が国民経済の大躍進という状況のもとにおいては、まだ総合的な均衡をたもたせる工作に長じていないことを示している」[*42]。

周恩来の指摘するように、結果的には労働力、物資、資金の配分を誤ったということになるのであろう。もう少し具体的にいえば、一方で基本建設を拡大しすぎ、他方農村で工業を建設する運動が行き過ぎたため、農業労働力の不足をもたらし、農業生産の減退を招いた。工業・農業間のアンバランスのほかに各部門間や部門内部のアンバランスも生じた[*43]。

問題はこの経済困難の実態である。ここで実態というのは、物的生産面だけではなく、大衆の意識のあり方をも含めての実態であるが、それを解明するためには、資料がきわめて不足している。ここでは限られた資料をもとに政策当局者の判断をうかがうほかない。

一九六一年二月の中共中央委員会第9回総会を機に一連の調整政策が提起され始めた。これは後に次のようにまとめられた。

「農業を基礎とし工業を導き手とする国民経済の総方針を一歩進めて貫徹遂行し、国民経済全体を自力更生の基礎のうえに樹立するという要求に従って、各方面の工作を立派にやりとげ、国民経済のさらに進んだ全面的好転をかちとるよう努力しなくてはならない」*44。

大躍進期の「両足で歩く」方針は、ここで「農業基礎、工業主導」の方針に切り換えられた。この新しい方針は、まず何よりも農業生産の回復に全力を集中しようとするものであり、この限りで誰もが承認せざるをえない方針であったに違いない。

問題はこの新しい方針自体ではなく、この方針転換を必然ならしめた状況とその原因の評価にあった。「三分が天災で、七分が人災だ」（一九六一年五月）*45「農民はこの数年間、集団経済から利益をうけなかった」（一九六二年七月）*46、「資本主義の氾濫を恐れる必要はない」、「自由市場はこれからもやっていくべきだ」（一九六一年十月）*47、「工業では十分に後退しなければならず、農業でも〝包産到戸〟や単独経営を含むところまで、十分に後退しなければならない」（一九六二年六月）*48——これらの発言はいずれも「生産力論」批判論文から拾ったものである。断片的な発言だけからかれらの状況認識を判断することは慎しまねばならないとしても、これらの発言を前に検討した「生産力論」の論理に照らせば、一定の位置づけを与えることができ、かれらの調整政策の方向も浮かび上がってくる。

「生産力論」者が、「両足で歩く」方針を第1次5カ年計画の「重工業、中央工業、大型工業優先」政策の補完物としてのみ（その克服ではなく）とらえていたにすぎないことはすでに記した。したがって、「両足で歩く」方針の後退は事実上第1次5カ年計画路線への復帰でしかありえない。むろん、全く同じ政策にもどるという意味ではなく、その基本的な考え方においてである。[*49]

調整期における「生産力論」者および毛沢東思想の政策の基調は次のように特徴づけることができよう。

1　まず農業の集団化について

合作化およびその発展形態としての人民公社化は、前にも述べたように土地改革だけでは「食えない貧農、下層中農」も食えるようにするため、自然改造を中心とした社会的生産力の編成を追求するものであった。これは同時に生産力の主たる担い手が貧農、下層中農に移行する過程でもあった。人民公社化の一時的挫折は、この変革がきわめて困難であり、英雄的努力をもってしてもなおかつ英雄的努力が要請されることを示したわけである。この現実に対処する道は二つしかない。図式的にいえば、一つは集団化路線＝貧農、下層中農路線の貫徹であり、一つは富農路線への後退である。「単幹風」〈本書一八六頁七行参照〉、「三自一包」〈本書一〇六頁＊48参照〉政策に象徴される「生産力論」者の政策の本質は「富農路線」の一語に尽きる。つまり、社会化政策の後退によって貧農、下層中農の犠牲において富農、上層中農を中心に生産力の回復をはかる路線である。この富農路線が生産力回復に一定の有効性をもっていることは疑いない。それは中国経済の現実が示したとおりである。問題はこの場合の生産力の「内容」であり、生産力回復の「限界」であろう。この生産力は既存の生産力構造を前提としたという意味で後向きであり、それだけに生産力の回復も限界をもたざるをえない。つまり短期的な政策としては一定の有効性をもつが、革命政権としてはこれを長期的にはとりえないはずである。「増産ができさえすれば、単独経営でもかまわない。白ネコであろうと黒ネコであろうと、ネズミさえとればよいネコだ」(鄧小平、一九六二年)――この一言がかれらの政策を象徴する。[*50]

ところで、毛沢東はこの挫折をどうとらえたであろうか。毛沢東はいう。

「人間は、社会的実践のなかで、さまざまな闘争を進めて、豊富な経験をもつようになるが、それには成功したものもあれば、失敗したものもある。全認識過程の第1の段階は客観的物質から主観的精神への段階、存在から思想への段階である。このときの精神、思想(理論、政策、計画、方法をふくむ)が、客観的外界の法則を正しく反映しているかどうかは、まだ証明されてはおらず、正しいかどうかはまだ確定することができない。そのあと、さらに認識過程の第2の段階、すなわち、精神から物質への段階、思想から存在への段階がある。つまり、第1段階で得た認識を社会的実践のなかにもちこみ、それらの理論、政策、計画、方法などが予想どおりの成功をおさめることができるかどうかを見るのである。一般的にいえば、成功したものが正しく、失敗したものはまちがっており、人類の自然界にたいする闘争ではとくにそうである。社会における闘争では先進的階級を代表する勢力が、ときには一部の失敗をなめることもあるが、これは思想が正しくないからではなく、闘争における力関係の面で先進的勢力の方が、まだしばらくのあいだ反動勢力の方におよばないため、一時失敗するのである。だが、そのあといつかは必ず成功するだろう[*51]」。

ここで毛沢東の哲学を検討する必要はない。われわれはこの文章をさしあたり、毛沢東の一種の「自己批判」として読んでおけば足りる。つまり、大躍進の挫折は、一つは認識の不十分さのためであり、一つは闘争における力関係の問題だというのである。こうした判断をもとに毛沢東なりの調整政策（前十条）を提起したわけである。たとえば農業集団化についていえば、挫折にもかかわらず、貧農、下層中農路線の貫徹以外に中国における社会主義建設の道はありえないというのが毛沢東の判断であり、その根拠をわれわれはすでに中国革命自体のなかに見出してきたのである。農業の集団化政策をめぐる対立は調整期において最大の問題であったに違いない。

これは中国経済に占める農業の比重から容易に推測しうるところである。しかし、対立は単に農業にとどまらない。社会主義的工業化の進展、中国経済における工業の主導的役割を顧みるとき、工業建設の方向も農業に劣らず重要なことはいうまでもない。ここでは、両者の争点が明瞭に浮彫りにされている例として企業管理政策についてみておこう。

2　工業における企業管理政策について

毛沢東は一九六〇年、大躍進のなかで先進的企業がつくり出した企業管理の経験を自ら総括し、「鞍山鉄鋼公司の憲法」を作った。その内容は、⑴政治による統率を堅持すること、⑵党の指導を強化すること、⑶大衆運動を大いに展開すること、⑷両参・一改・三結合（両参とは指導的幹部が労働に参加し、労働者が管理に参加すること、一改とは適合しなくなった規則を改めること、三結合とは指導的幹部、労働者、技術者の３者が結合すること）、⑸技術革命をさかんに行なうこと、の５原則である。この

「憲法」はソ連で行なわれている企業長単独責任制 единоначалие（中国語訳では「一長制」）の克服をねらったところに基本的な意義がある。

ソ連式の「一長制」はいうまでもなく第1次5カ年計画期にソ連による工業援助とともに導入されたものである。ソ連では企業長と（労働者）工場委員会と党細胞の合議によるいわゆるトロイカ方式は、一九二九年以降企業長単独責任制として定着した。同様な問題は中国でも生じ、テクノクラートの側からは党を「素人」とみなし、企業管理から党の指導を排除する動きが起こり、一方党内においても党委員会制が空洞化し、書記の「一長制」が強化された。一九五六年の党大会で打ち出された「党委員会の集団指導下における工場長責任制」は企業内における二元的指導の衝突を解決するためのものであった。しかし、大躍進のなかで行なわれた技術革新運動の一時的失敗、ソ連技術者引揚げの穴埋め、党による大衆運動のひき回しの反動などのため調整期には企業長単独責任制が強化された。[*52]

ところで5原則のうち、ここでは特に「両参一改三結合」を、とりわけ「両参」の意味を検討しておきたい。毛沢東がここで労働者の企業管理を具体的に提起したことの意味はおそらくどんなに評価しても過大評価になることはあるまい。なぜなら、これこそ労働者による管理の名において広く行なわれているテクノクラート、特権官僚による支配を止揚するものであり、大躍進の理念を象徴するものの一つだからである。「心を労する者が人を治め、力を労する者は人に治められる」という階級社会を打破すること、人民は「官吏にもなり、民衆にもなる」というように「官」と「民」との関係を流動的にしておくこと、「身は労働を離れず、心は大衆を離れないこと」——こうした方向こそ毛沢東における社会主義建設の精髄であった。[*53]

一方、生産力論者は、幹部の生産労働参加は「幹部が状況を理解するために（のみ）必要」だとし、労働者の企業管理を「班の日常管理に制限」し、三結合は「技術問題解決の一つの手段にすぎぬ」と矮小化したのであった。[*54]

大衆路線による経済建設を「超経済的な方式」「行政的な方式」と呼び、これに対して「経済的な方式による経済の管理」を対置した。「工場である以上、必ず金をもうけなければならない。金がもうからなければ、工場を閉鎖し、賃金の支給を中止しなければならない」、「まじめに働いている者には、賞金を出してやるがよい」、「金を多少よけいにやらなければ、働く意欲が十分にわかずしっかり働いてくれなくなる」[*55]。

これらの主張は、文化大革命のなかで「物質的刺激」政策あるいは「経済主義」として批判されつつあるが、これらの政策によって追求される社会主義建設が毛沢東の社会主義と著しく異なることは明らかであろう。これらの政策を基礎づける論理が、先に検討した「生産力論」（既存の生産力構造を前提とした生産力の追求）であることはいうまでもない。これらの政策が調整期という特殊な時期における一つの「戦術」として採用されたにすぎないのであれば、別な評価を与えなければならない。しかし、「生産力論」に基づく以上は、これらの政策が「戦術」としてではなく、「戦略」として提起されるほかなかったといっていい。

なお、ここで「物質的刺激」批判の論理について一言しておこう。一般に「物質的刺激」に対して「精神的刺激」なるものが対置されている。だが、「精神的刺激」とはそもそも何か。刺激の手段が「物質」ではなくて「精神」（スローガン、称号など）であるというだけで、基本的に人民を「刺激」の対象、ととらえ、人民はなんらかの手段によって「刺激」しなければ働かないという認識においては両者は五十歩百歩である。「物質的刺激」批判のポイントは、人民をなんらかの「刺激」によって働くもの、（疎外された物的対象）ととらえる認識自体の批判にあるのであり、人民の主体性の解放こそが重要なのである。

五 「過渡期階級闘争理論」の問題点

富農路線の帰結について多くを語る必要はないであろう。ここでは「当面している農村工作のなかの若干の問題についての中共中央の決定」（いわゆる「前十条」、一九六三年五月）の指摘する諸問題を掲げるにとどめておく。

(1)覆えされた搾取階級としての地主・富農は、つねに権力復活を企て、機会をうかがっては反攻に転じようとし、階級的報復を進め、貧農・中農に打撃を与えている。

(2)覆えされた地主・富農分子は、あらゆる手段を講じて幹部を腐敗させ、指導権を握っている。一部の人民公社では、生産隊の指導権が実際上かれらの手中に陥っている。その他機関の一部の環《ママ》にも、かれらの代理人がいる。

(3)一部の地方では、地主・富農分子が封建的な同族支配体系復活の活動を行ない、反革命宣伝を行ない、反革命組織を発展させている。

(4)地主・富農分子と反革命分子は宗教と反動的な宗教団体を利用し、大衆を欺き、悪辣な活動を進めている。

(5)反動分子のさまざまな破壊活動、たとえば公共財産の破壊、上方の盗み聞き、はなはだしいのは殺人放火までが多くのところでみられている。

(6)商業では投機、闇取引の活動がひじょうに激しく、一部の地方では、そうした活動がひじょうにはびこっている。

(7)雇農の搾取、高利貸、土地売買などの現象も発生している。

(8)社会には、一部の旧ブルジョア分子が投機・闇取引を続けている。ほかに、なお新しいブルジョア分子が投機や搾取によって大金もうけをしている。

(9)機関のなかにも、また集団経済のなかにも、たくさんの汚職、窃盗分子、投機、闇取引変質分子が現われ、地主富農分子と結託して、悪いことをしている。これらの分子は、新しいブルジョア分子の一部をなしているか、あるいはかれらの同盟軍となっている。[*56]

「人民内部の矛盾を正しく処理する問題について」のなかで初めて登場した毛沢東の発想は、調整期のなかで「過渡期階級闘争の理論」として総括され、文化大革命の指導理論だとされるに至っている。だが、「階級闘争」という形での総括には重大な問題が含まれている。

まず「階級闘争論」の内容をみておこう。たとえば、中共第10回中央委員会総会のコミュニケはいう。「プロレタリア革命とプロレタリア独裁の歴史的期間全体にわたって（この期間は数十年あるいはもっと多くの時間を必要とする）、プロレタリア階級とブルジョア階級との間の階級闘争、社会主義と資本主義の二つの道の闘争が存在している。覆えされた反動支配階級は滅亡に甘んぜず、つねに復活をたくらむものである。それと同時に、社会にはブルジョア階級の影響と旧社会の慣習の力がなお存在し、一部の小生産者の自然発生的な資本主義的傾向が存在する。このため人民のなかには、社会主義的改造を受けていない一部の者がまだあり、人数は少なく、人口の数パーセントを占めるにすぎないが、いったん機会があれば、社会主義の道を離れ、資本主義の道を歩もうとする。こうした状況のもとでは、階級闘争は避けることができない。これはマルクス・レーニン主義が早くから明らかにしている歴史の法則であって、われわれはどんなことがあっても忘れてはならない。こうした階級闘争は複雑で入り組んだ、曲がりくねった、時には激しく時には穏やかな、そして場合によってはきわめて激烈にさえなるものである。こうした階級闘争は党内に反映してこないわけにはいかない。国外の帝国主義の圧力と国内のブルジョア階級の影響の存在が、党内に修正主義が生まれる社会的根源である。国内外の敵と闘争を行なうとともに、われわれは党内のさまざまな日和見主義の思想傾向を随時警戒し、断固として反対しなくてはならない」[*57]。

「過渡期階級闘争の理論」の致命的な欠陥は、ブルジョア社会の本来の（いいかえればマルクスが規定した意味での）階級闘争という概念を過渡期まで拡大することによって、本来の意味での階級闘争の概念をあいまいならしめ、その結果、過渡期特有の歴史的意味をも正しく理解できなくさせることである。過渡期の中国においてコミュニケの指摘するような事実（旧ブルジョア階級が復活をたくらむこと、旧ブルジョア階級の影響が残っていること、旧社会の慣習の力がなお存在すること、一部の小生産者に自然発生的な資本主義的傾向が存在すること）が存在することは明らかである。これは過渡期一般に共通する問題でもあろう。しかし、これらの事実を根拠に過渡期にも階級闘争が存続するとする主張は不当な一般化であるといわなくてはならない。

ごく簡単にいえば、過渡期の最大の問題は、人民の握った権力によっていかなる方向に向かって政策を展開していくか、である。本稿の冒頭でも指摘したように、「社会主義か資本主義か」ではなく、むしろ「社会主義に対する修正主義」の問題であろう。より具体的にいえば、人民がその権力を一部の特権官僚なり、テクノクラートなり、富農に奪われる危険性こそ最も重大である。中国が調整期において直面したのもこの危険性である（むろん、反革命＝資本主義の復活が全くありえない、などと主張するのではない。反革命こそプロレタリア独裁の対象である。われわれがここで、反革命と修正主義とを区別して論じようとしているのは、たとえ「生産力論」者であったとしても反革命は許さなかったはずだと考えるからにほかならない）。

調整期のなかで生まれた状況に対して、中共中央は、まず「社会主義教育運動」を展開し、これがやがて文化大革命に進展したことは周知のとおりである。これらの巨大な大衆運動の本質を「過渡期階級闘争」として総括するのが誤りであるとすれば、われわれはその本質をどのように理解すべきなのか。

われわれはこの運動を「プロレタリア民主主義」の追求として総括すべきであると考える。ここでプロレタリア民主主義というのは、ブルジョア民主主義の止揚である。つまり、ブルジョア社会が形式的平等（たとえば法の前の平等）のうちに階級関係を隠蔽し、実質において搾取を実現するのに対し、これを克服するものとしての社会主義は、経済的、実質的平等の追求を通じて階級関係を廃絶していくのである。大躍進、文化大革命を貫く大衆路線という名の運動形態、その運動の基軸となっている平等化への志向――これこそがプロレタリア民主主義であり、権力を人民の手から離さないための唯一の保証である。社会主義建設をして社会主義建設たらしめる本質的要件は、プロレタリア民主主義が追求されているかどうかであってそれ以外にはない。くり返していえば、大躍進なり、文化大革命は、プロレタリア民主主義の追求の一形態として評価されなければならないのであって、まさにそういうものとして世界史的普遍性を主張しうるのである。

わが国では中ソ論争との関連で中国における社会主義建設の特殊性と普遍性とが従来しばしば論じられてきた。かつては「両足で歩く」方針なり、「農業基礎、工業主導」論、「自力更生」論などが普遍性をもつものと主張され[*58]、最近では「過渡期階級闘争理論」がもてはやされている。だが、中国における政策的主張が直ちに科学的真理であるのならば、社会科学はそもそも無用であろう。

文化大革命の現段階（一九六八年十月）の意味するもの――それは、中国においては「生産力論」が理論的にも実践的（政治的）にも崩壊しつつある現実である[*59]。毛沢東派が文化大革命において勝利したという事実は、中国の人民が毛沢東思想を選んだということにほかならない[*60]。毛沢東思想が実践のうえで勝利したことは疑いないが、しかし、これはその理論化に問題が残るというわれわれの主張と矛盾するものではない。理論化の不十分さ（それがまた実践に一定の混乱を与えているわけだが、それについて触れる用意はない）を実践のうえでは政治的処理によってカバーしてきたため、混乱はさしあたって無視しうる程度のものにすぎない、というのがわれわれの理解である。なお、最後に次の点を書きとめておかねばならない。以上で、われわれは毛沢東思想に焦点をあてて叙述を進めてきたが、毛沢東思想とは、決して毛沢東個人の思想ではなく、中国革命を担った中国人民の思想にほかならないのであって、まさに「数風流人物還看今朝」（毛沢東、沁園春《雪》）なのである。

＊1　毛沢東は文化大革命について次のような「最新指示」を示した。「プロレタリア文化大革命は、実質的には、社会主義の条件のもとで、プロレタリア階級がブルジョア階級およびすべての搾取階級に反対する政治大革命であり、中国共産党およびその指導のもとにある広範な革命的人民大衆と国民党反動派との長期にわたる闘争の継続であり、プロレタリア階級とブルジョア階級との階級闘争の継続である」（『人民日報』一九六八年四月十日）。なお、この「最新指示」の読み方については、拙稿「毛沢東の『最新指示』」（中国文化社会研究会『中国の文化と社会』第九号、一九六八年七月）。

＊2　この視点にたつ文化大革命論としては、たとえば、藤井満洲男「党建設における二つの路線の闘争」（『中国研究月報』一九六八年七月）。

＊3　一時文化大革命＝権力闘争説が広く行なわれた。誤解を恐れずにあえていえば、これは基本的には正しい。問題は、権力をめぐっていかなる闘争が展開されたのかであり、それぞれがいかなる社会主義建設の理論をもっていたのか、である。

＊4　ここで毛沢東思想を基軸として考えるのは、むろん、毛沢東思想こそ中国革命を勝利に導いた理論であり、逆にいえば、中国革命の生み出した理論こそが、毛沢東思想であると考えるからにほかならない。

＊5　なぜなら、修正主義と資本主義との間には一種の断絶があり、直結させることはできない。中国は「資本主義の道を歩む実権派」と規定しているが、この断絶がどのように結びつくのかを論理的に説明することなく「歩む」で結んでいるのは不十分だといっていい。これはより根本的には、資本主義の歴史性、とりわけその限界性に対する明確な認識の欠如に基因するのではなかろうか。

端的にいえば、帝国主義段階以降、資本主義はもはや本来の意味では資本主義的には経済を処理しえなくなり、歴史的限界を露呈することになる。中国が帝国主義（資本主義）によって「半植民地・半封建社会」に編成されたこと自体が、資本主義はもはや中国の前近代社会を畸型的にしか編成しえなかったことを示すものであり、まさにこの事実こそが社会主義革命を必然ならしめたのである。資本主義と社会主義とを単に並列する理解は、この意味で歴史的認識とはいえない。「低開発国」の「開発論」として資本主義的コースと社会主義的コースを並列する類の議論と共通の欠陥をはらんでいる。なお、この点については、高橋満「土地改革の理解について」（『中国の文化と社会』第一〇号、一九六八年九月）。

＊6　拙稿「毛沢東の階級観」（『アジア経済』第八巻第八号、一九六七年八月号）。

＊7　たとえば藤井満洲男、前掲論文。

＊8　『中国共産党第8回全国代表大会文献集』第1巻（外文出版社、一九五六年）、四五〜四六頁。ただし訳文は必ずしも同一ではない。以下同じ。なお、この大会はスターリン批判の行なわれたソ連共産党第二〇回大会の半年後に開かれたことに注目する必要がある。大会で中国共産党規約が改正され、「総綱」から「毛沢東思想」が削られた事実は、スターリン批判に対する中国的対応の一つの形として理解されねばならない。

＊9　『中国共産党第8回全国代表大会文献集』一四六〜一四七頁。

＊10　一九六七年四月以来の「中国のフルシチョフ」批判のなかで、劉少奇は「生産力論者」として批判されていることは周知のとおりだが、批判者は第8回大会の政治報告にはまだ触れていない。「生産力論」批判としては、たとえば《首都紅衛兵》報編輯部「批臭中国赫魯暁夫的反革命〝生産力論〟」（『人民日報』一九六七年九月三日）。

＊11　もっとも、憲法草案で打ち出したスターリン・テーゼ（「もはや互いに敵対する階級は存在せ

ず」「階級衝突は存在しない」）だけがスターリン理論のすべてではない。翌一九三七年三月のスターリン報告は、悪名高い「階級闘争激化理論」であり、これこそ大粛清の悲劇をもたらしたのであった。「搾取階級のない社会での階級闘争という論理の明白な混乱は、国内の階級敵をば、階級基盤を失い狂暴化したひとにぎりのスパイと定義づけることによって辛うじて収拾されたのである。社会主義の完成したといわれる一九三七年をはさむ前後2、3年間は、スターリンの大粛清の嵐がふきあれた時代であった」（菊地昌典「社会主義社会と階級闘争」、『世界』一九六七年四月号）。

＊12　毛沢東「人民内部の矛盾を正しく処理する問題について」（『毛沢東著作選』北京・外文出版社、一九六七年）、六五一頁。

＊13　毛沢東「人民内部の矛盾を正しく処理する問題について」、第9、10項。

＊14　『中国共産党第8期全国代表大会第2回会議文献集』（北京・外文出版社、一九五八年）、五一頁。

＊15　「両条腿走路的方針」は一般に「2本足」の方針と訳されている。だが、「2本足で歩く」という日本語は明らかに奇妙である。このとき中国が「両足で歩く」と名づけたのは第1次5カ年計画を、「片足で歩いたようなもの」ととらえているからなのであって、片足よりは両足のほうが「疲れず早い」ことが含意されている。「2本足」と訳したとき、このニュアンスは消えてしまい、1本足や3本足と同類のものとなる。

＊16　「今年（一九五八年）施工する投資基準額以上の建設項目は一〇〇〇近くにのぼり、第1次5カ年計画の間に建設をはじめた投資基準額以上の建設項目を全部合わせたものより多い」。同上、三六頁。

＊17　同上、三六～三七頁。

＊18　「昨年（一九五七年）十月から今年の四月までに、全国で灌漑面積が三億五〇〇〇万ムー（1

ムー＝六・七二畝）拡大された。これは解放後の八年間にふえた灌漑面積の総和よりも八〇〇〇万ムー多く、解放前、数千年間にできた灌漑総面積よりも一億一〇〇〇万ムー多い。また冠水しやすい低地や窪地の耕地2億余ムーを改造し、灌漑面積一億四〇〇〇万ムーを改善するとともに、一六万平方キロの広さにわたって水土の流出を抑えた」。同上、三八頁。

＊19「堆肥（各種の肥料を含む、おもに土肥や泥肥）を約三一〇〇億坦（1坦＝五〇キログラム）作り、平均一ムーあたり1万八〇〇〇斤（1斤＝五〇〇グラム）を施肥できるようになった。これは堆肥づくりの成績のよかった一九五六年に比べても三倍以上になる」。同上、三八頁。

＊20「一九五八年一～四月に、全国で二億九〇〇〇万ムー余にわたって行なわれた。これは過去8年間の造林総面積の1倍半にあたる」。同上、三九頁。

＊21「数千万の農民はさまざまな改良農具や半機械化農具、揚水用具、運送用具、農産物加工用具などをつくり、これによって数千年来の原始的な手労働の状態を改めはじめており、労働生産性は著しく高まっている」。同上、三九頁。

＊22　同上、二四～二五頁。

＊23　同上、五三頁。

＊24　中国の第1次5カ年計画では総投資のうち工業への配分が四五・五％、農業への配分が七・六％、工業投資のうち重工業への配分が85％、軽工業への配分が15％であった。岡稔、竹波祥一郎、山内一男共著『社会主義経済論』（筑摩書房、一九六八年）、一三六頁の山内一男論文。

＊25『北京日報』一九六七年四月七日社説「打倒反動的〝馴服工具〟論」（『人民日報』一九六七年四月十日に転載されたものによる）。

＊26　一九五八年の年度計画は当初工業八～一〇％増、農業四・八％増と規定されていた（『人民日報』一九五七年九月七日社説）。ところが五八年二月には前年比工業一四・六％増、農業六・一％増

に引き上げられ、さらに三月には、工業三三％増と予定されるに至った。またこの年の粗鋼の生産計画目標は、一九五八年二月には六二〇万トンと予定されていたものが、五月には八〇〇～八五〇万トン、八月には一〇七〇万トンと、うなぎのぼりに引き上げられた。前掲山内論文、一三八頁。

＊27 毛沢東「人民内部の矛盾を正しく処理する問題について」(『毛沢東著作選』六二六頁)。

＊28 毛沢東は『矛盾論』(一九三七年八月)においては、次のように述べていた。「一部の矛盾はそうではないと考えている人がいる。たとえば、生産力と生産関係との矛盾では、生産力が主要なものであり、理論と実践との矛盾では実践が主要なものであり、経済的土台と上部構造との矛盾では、経済的土台が主要なものであって、それらの地位は、相互に転化しあうものではないと考えている。これは弁証法的唯物論の見解ではなくて、機械的唯物論の見解である。たしかに、生産力、実践、経済的土台は、一般的には主要な、決定的な作用をするものとしてあらわれるのであって、この点を認めないものは唯物論者ではない。しかし、生産関係、理論、上部構造といったこれらの側面も、一定の条件のもとでは、転じて、主要な、決定的な作用をするものとしてあらわれるのであって、この点もまた認めなければならない。生産関係が変わらなければ、生産力は発展できないという場合、生産関係を変えることが、主要な、決定的な作用をおこす」(『毛沢東著作選』一四九頁)。

生産力は「一般的には主要な、決定的な作用をする」が、生産関係も「一定の条件のもとでは、転じて主要な決定的な作用をする」というのが、毛沢東の『矛盾論』段階での論理であり、革命（＝生産関係の改編）の論理であった。「人民内部の矛盾を正しく処理する問題について」においても基本的にはこの論理が一貫しているが、その内容はより豊かになっているといっていい。

＊29 高橋満、前掲論文。

＊30 マルクス、武田隆夫他訳『経済学批判』(岩波書店、一九五六年)、一三頁。

＊31　宇野弘蔵『経済学方法論』（東京大学出版会、一九六二年）、一〇九頁。
＊32　マルクス『資本論』第1巻、第11～12章参照。
＊33　アダム・スミス、大内兵衛他訳『諸国民の富』㈠（岩波書店、一九五九年）、一〇五頁。
＊34　同上、一一一頁。
＊35　マルクス『資本論』第1巻、第11章参照。
＊36　山本秀夫『中国農業技術体系の展開』（アジア経済研究所、一九六五年）、一七四～一七五頁。
＊37　同上、一七九頁。
＊38　安藤彦太郎編『プロレタリア文化大革命』（大安、一九六七年）の藤村俊郎論文。
＊39　山内一男、前掲論文、一五六頁。
＊40　「ある協同組合を紹介する」（『毛沢東著作選』七〇五頁）。
＊41　第3期全国人民代表大会第1回会議における周恩来の政府活動報告（邦訳『北京周報』一九六五年一月五日号）。
＊42　周恩来「関於調整一九五九年国民経済計画主要指標和進一歩開展増産節約運動的報告」（『新華半月刊』一九五九年第一七号）。
＊43　農村における工業建設の展開過程については、小島麗逸「大躍進の再評価――農村工業化を中心に」（『アジア経済』第八巻第一二号一九六七年十二月）。
＊44　第二期全国人民代表大会第四回会議（一九六三年十一月十七日～十二月三日）のコミュニケ（邦訳『北京周報』一九六三年十二月十日号）。
＊45　『紅旗』『人民日報』編集部「社会主義の道を歩むのか、それとも資本主義の道を歩むのか」（邦訳『北京周報』一九六七年三四号）。
＊46、47、48　『人民日報』『紅旗』『解放軍報』編集部「中国農村における二つの道の闘争」（邦訳

『北京周報』一九六七年四九号)。

＊49　周知のように第1次5カ年計画における計画管理制度は、ソ連の経験をかなり忠実に模倣したものであり、その特徴は高度に中央集権的な性格をもつことにあった。一九五七年十一月、国務院は従来の計画管理制度を改めた。地方行政機関および個々の企業の自主性(創意性、積極性)を強めるため、中央集権的性格を緩和し、権限を「下放」させたわけである(『国務院関於改進工業管理体制的規定』『国務院関於改進商業管理体制的規定』『国務院関於財政管理体制的規定』一九五七年十一月十五日)。この管理体制の改革が結果的には、経済混乱の一因となったことは周恩来が工作の誤りの一つとして指摘しているとおりであろう。

大躍進期、調整期を通じて中央計画の強化か地方分権の維持か、計画管理か市場(商品経済)の利用か、という形で激しい討論が行なわれたが、中国で「社会主義制度のもとにおける価値法則」として論じられたこの問題は、「生産力論」的発想ではとらえきれぬ問題であった。つまり、問題は農業か工業か、中央計画か地方分権か、計画管理か市場経済か、といったレベルにあったのではなく、社会主義的な生産関係はいかなる政策を通じてより強化されるのかを追求することが、決定的に重要な意味をもったのである。

この点はたとえば農業税をめぐる次の論争をみただけでも明らかであろう。第2次5カ年計画の発足にあたって、中共中央は農業税を基本的に安定させ、増産しても増税しない方針を決めた(『中華人民共和国農業税条例』)。新たに増大する農業収入は、農民生活の改善にあてるほか、比較的多くの部分を蓄積の増加にあてることでは一致していたが、蓄積をどのレベルで行なうかが問題となった。つまり、農業税の徴収を通じて国に集中する分と公共積立金として農業合作社に留保する分とをそれぞれどの程度にするかの問題である。これに関する第1の主張は、農業税の徴収額を大幅に増加させるというものであった。つまり、農業面での蓄積の大部分を国に集中し、財政の再分配を通じて各地方の工・農業の建設に充当すべきだとの考えである。第2の主張は、農業税を従来の徴収額に維持させるという意見である。つまり、一方では国の建設の必要を満たすとともに、他方では農業面で新たに増大した蓄積の大部分を農業合作社に保留させ、合作社のレベルで小型工業などを興こすために直接に使用するというものである。前者、つまり資金が集中すればするほどその使用は合理的になる、という考え方が第1次5カ年計画の思想であった。第2次計画においてはけっきょく後者を選んだが、その理由は次の4点である。(1)前者は大衆の積極性を見落している、(2)蓄積を合作社に留保して小型工業を興こすことが、大衆の労働力と創意性を発揮させる、(3)合作社レベルの蓄積も社会主義的蓄積である、(4)小型企業こそ農民の切実な利益と結びつくものであり、大衆の積極性を発揮させる。

たとえば安徽省では、一九五七年冬から一九五八年春までの半年足らずで、主として農業合作社の投資、特に農民の労働力に依存して三〇億土・石立法メートルの工事を達成した。ところで過去の8年間では、国が直接に手を下し、政府が一四億五〇〇〇万元投資して、わずかに一六億土・石立法メートルの工事しか達成できなかった(以上、李成端『中華人民共和国農業税史稿』による。川村嘉夫訳『現代中国の農業税制度』アジア経済研究所、一九六八年、二二一〜二二四頁)。李成端は大衆の積極性をどちらが社会主義建設をより早めるかという量的なものとしてとらえているが、より重要なのは大衆が建設に主体的に参加するかどうかであることはすでにくり返し指摘した。李成端の問題は、いちおうおくとして、ここで重要なのは、生産力視点だけを基準とした場合、中央計画か地方分権か、商品経済か、といった形式的側面でしか問題をとらえられず、社会主義の「質」の問題は不明とならざるをえないことである。こうして、地方分権化が挫折するや、一方では中央計画の強化へと走り、他方無原則的な自由化(三自一包、単幹風、四大自由)となる。両者は必ずしも矛盾するものではない。一般に中央集権的計画の欠点を補うものとして商品経済があげられるが、これは真の解決にはならない。問題は中央集権的計画一般にあるのではなく、その「あり方」にあるのである。

＊50 『人民日報』『紅旗』『解放軍報』編集部「中国農村における二つの道の闘争」（邦訳『北京周報』一九六七年四九号）。

＊51 「人の正しい思想はどこから来るか」（『毛沢東著作選』七〇八頁）。

＊52 山田慶児「工業化と革命――社会主義工業化における文化大革命の意味」（『展望』一九六八年十月号）。

＊53 冶金部機関無産階級革命派大連合委員会「『鞍鋼憲法』是亦好社会主義企業的偉大綱領」（『光明日報』一九六八年六月七日）。

＊54 冶金部機関無産階級革命派大連合委員会「『鞍鋼憲法』是亦好社会主義企業的偉大綱領」（『光明日報』一九六八年六月七日）。

＊55 『文匯報』編輯部、『解放日報』編輯部、『支部生活』編輯部「両条根本対立的経済建設路線」、（『人民日報』一九六七年八月二十五日。邦訳『北京周報』一九六七年三七号）。

＊56 『社会主義教育運動重要資料集』（中国研究所刊、一九六七年十一月）、二二一〜二二三頁。なお中国社会についてのこのような現状認識は、われわれに中国共産党のソ連評価を想起させる。『人民日報』『紅旗』編集部「フルシチョフのエセ共産主義とその世界史的教訓」（一九六四年七月）において、「ソ連の全人民的所有制の企業に巣くう各種各様のブルジョア分子の活動」、「コルホーズに巣くう各種各様の富農分子の活動」がソ連の新聞、雑誌からの引用として一八件指摘されている。これらの事例をもとに同公開書簡は、「これらの堕落変質分子がにぎっている工場は、名義のうえでは社会主義的企業でも、実際にはかれらが金儲けするための資本主義的企業に変わってしまっているのである。かれらと労働者との関係も、搾取と被搾取、抑圧と被抑圧の関係に変わってしまった」、

「〔堕落した〕指導者が握っているコルホーズは、実際には、かれらの私有財産に変わってしまっている。かれらは社会主義的な集団経済を新しい富農経済に変えてしまった。〔中略〕かれらとコルホーズ農民との関係も、抑圧と被抑圧、搾取と被搾取の関係に変わってしまっている」と述べている（『国際共産主義運動の総路線についての論戦』北京・外文出版社、一九六五年、四八〇～四八五頁）。

　ここで中国のソ連認識の当否を論ずる用意はないが、次の点だけは確認しておかなければならない。つまり、中国のソ連認識は、基本的に中国自身の自己認識に基づいている点である。この意味では、いわゆる中ソ論争は〈中国の内なる〉中ソ論争であった。中ソ間の論争において「生産力論」者も戦闘的にソ連を非難した事実は、かれらが中国の国家利益を失うことには強く反対していたからである、と考えてよい（最後の点については、たとえば、金治潔「劉少奇批判のもつ意味」、『中国研究月報』一九六八年八月号を参照せよ）。

＊57　『紅旗』一九六二年一九期。

＊58　「両足で歩く」方針や「農業基礎、工業主導」論は、基本的にはマルクスの再生産表式によってすでに与えられている原理の適用の問題であり、また「自力更生」論は帝国主義の包囲の中で、しかも他の社会主義国との経済協力が著しく制限されている状況のもとで提起された政策なのである。むろん、だからといって、これが全く特殊中国的であるというのではない、世界全体の革命として展開されるならば、スムーズに処理しうるはずの課題が、現実的には「一国レベルでの解決」を強制されているのであり、この意味では帝国主義が存在するなかでの社会主義建設としては一定の普遍性をもつといってもいいのである。

＊59　「中国においては」というのは、同じ「生産力論」に基づくソ連社会主義を意識してのことである。スターリン批判にもかかわらず、ソ連はいまだに生産力論を克服しているとはいえない。ソ連は「社会主義から共産主義へ」の過渡期にあり、「資本主義から社会主義へ」の過渡期にある中国

とは異なるという議論（たとえば平田清明「社会主義と市民社会」、『世界』一九六八年二月号）は誤りであろう。ソ連もまた基本的には社会主義への過渡期にあると考えなければ、ソ連社会の現実を納得的に説明しえないであろう。

＊60　文化大革命をソ連における一九三〇年代の粛清との対比でみる向きからは、「ソ連の人民がスターリンを選んだ」と反論されるかもしれない。だが、中国で行なわれたのはプロレタリア民主主義の発揚であり、ソ連の場合はプロレタリア民主主義の圧殺である。

最後に毛沢東思想とスターリン理論との関係について一言しておきたい。「過渡期階級闘争理論」は、例のスターリン・テーゼ（社会主義建設が進めば進むほど、階級闘争が激化する）と共通点をもつ。「階級闘争」の強調という意味で。しかし、実質的内容において顕著な相違がみられることはこれまで述べてきたところから明らかであろう。われわれは毛沢東が実践において基本的にスターリンの誤謬を克服しているにもかかわらず、理論的にはいまだスターリンの呪縛から完全に解放されているとはいえないと考える。この点について立入った検討を加える用意はないが、毛沢東思想とスターリン理論との表面的類似性から、あるいは毛沢東がスターリンを擁護する事実から、毛沢東＝スターリン主義者と評価するとしたら根本的な点で毛沢東評価を、ひいては中国革命の評価を誤るであろう。

なお、毛沢東思想とスターリン理論との関係についてはさしあたり、次の二つの記述を参照せよ。「毛沢東の「新民主主義論」は直接にはスターリンにつながっているのである。だが毛沢東のスターリン引用はレーニン主義からの逸脱からほぼまぬがれているスターリン論文であり、その意味ではレーニンと実質上つながっているといえよう。レーニンがカウツキーの権威をかりたように、毛沢東は当時の権威者スターリンを都合よく引き合いに出して自己を権威づけたのである。事実上は毛沢東理論は後期レーニンの民族・植民地論につながるのである」（高橋満「資本主義と民族・植民

地問題」、『東京大学経済学研究』一九六七年八月)。

「陳伯達によれば、毛沢東は、スターリンの有名な党ボリフェヴィキ化についての12カ条と『ソ連邦共産党小史』の「結語」とを整風運動の「もっとも基本的な文献」に指定し、特別長い講演をおこなって、中共二〇余年の経験に基づき、二つの文献に逐条の解釈を加えたといわれている。だが、毛沢東が一九四五年九月第7回党大会への報告で概括した党の三大作風——「理論と実践を結合する作風」、「人民大衆と密接に結びつく作風」、「自己批判の作風」にしても、字句の上では、スターリンの12カ条のいずれかに挙げられたところを出ないように見えるけれども、その精神と実質は毛沢東の手で大きな発展をとげ、中国の党の独自な伝統を形成し、この党に、独特の風格を帯びさせるにいたったことを忘れてはなるまい」(藤井満洲男、前掲論文)。

(初出:「過渡期の中国とプロレタリア民主主義——大躍進・文化大革命に関する試論」『アジア経済』一九六八年一二月号、五〇~六八頁)

過渡期社会論序説——中国における理論と実践

文革に対する一方的な礼賛、はたまた否定といった日本の言論状況を、文革と従来の社会主義像との乖離に混乱を来たし、社会主義社会＝過渡期社会の基本的性格をとらえきれていないことにあると指摘。国際共産主義運動をめぐるソ連共産党との公開書簡論争も視野に入れつつ、呉璉・陶鋳の論考を軸に大躍進以来十年にわたる中国国内の過渡期論が文革にどのような影響を与えたかを検討。文革とは何か。整党運動（権力闘争）、文化革命（下部構造変革後の上部構造の変革）、この二つの柱がからみあっていた文革を理論面からひもといていく。

一　問題と方法

中国共産党は第九回全国大会において文化大革命にいちおうの総括を与え、いま建国二〇周年の国慶節を祝おうとしている。この文化大革命に対してわが国では、あいかわらず一方的な否定と礼賛が行なわれている。この事実は、文革がわれわれの従来の社会主義像と著しくくい違っていることに基づいている。この場合、われわれは従来の社会主義像を基準として現実の文革を裁断してはならないであろう。「現実の運動の一歩一歩は、1ダースの綱領よりも重要」（マルクス）なのだから。われわれはむしろ、従来の社会主義像を再検討しなければならないのである。

とはいえ、文革に象徴される中国における社会主義建設の具体的過程をただちに、社会主義の抽象的・一般的規定として理論化してよいわけではないことはソ連の経験を不当に一般化してはならないのと同じである。

われわれは中国社会主義の分析を一方ではその具体的実証的分析を通じて、他方ではそれがどういう面で社会主義社会としての普遍性をもっているかを、マルクスやレーニンらの与えた一般的規定に照らして解明しなければならない。

社会主義社会の一般的規定は、資本主義の場合と異なって、すでに経済学の原理で与えられていると考えるべきであって、それが実現されてみなければ与えられない、というものではない。社会主義の一般的規定は、資本主義社会の分析によって推論しうるものとなっているといっていいのであり、しかもこの推論は、個々の具体的過程の経験的事実によっては簡単に否定されえないほどの確実さをもっている。[*1]

むろん、ここで推論しうるのは社会主義についての原理的規定であり、社会主義社会の実現がこの規定どおりに行なわれるというのではない。しかしこの規定は、社会主義を原理的レベルで方向づけるのであり、この規定に照らして、現実の社会主義を分析することができるのである。

したがってわれわれは、まず社会主義社会の基本的性格をどうとらえるか、という一般的規定から始めなければならない。この場合、その中心に据えなければならないものとして、マルクス『ゴータ綱領批判』レーニン『国家と革命』などがあげられるのが普通である。この2書を中心に据えること自体に異議はない。問題は、その扱い方である。従来の研究は、あまりにもこれらの古典を〝神聖視〟しすぎたのではないだろうか？　その結果、古典の一字一句まで動かすべからざるものとして扱い、自家撞着をきたしたのではないだろうか？

われわれは、これらの古典は『資本論』の科学的研究を通じて明らかにされた、経済学の方法を武器として再検討する必要があると考える。つまり、一定の明確な方法的自覚のうえにたって、これらの古典を扱うべきだと考える。

以下、われわれはマルクス・レーニンの見解によりつつ社会主義の一般的規定（基本的性格）を素描し、この規定に照らして過渡期の中国の理論と実践とを検討することにしたい。

二　社会主義社会＝過渡期社会の基本的性格

われわれはまず、過渡期社会の基本的性格をマルクスやレーニンの与えた一般的規定の再構成を通じて明らかにしなければならない。ここで再構成というのは次の意味である。すなわち、従来の社会主義論の欠陥の一つは、マルクスやレーニンの断片的引用によって綴り合わせる（自らの主張を権威づける）点にあるといってよく、現在の社会主義論の混迷の一因はここにある。このような議論によっては、文革に象徴される中国社会主義の理論と実践とをとらえることはとうていできない。率直にいえば〝断片的引用型社会主義論〟は破産したのであり、われわれは一定の明確な方法論にしたがって、マルクスやレーニンを再構成しなければならないのである。[*2]

一例をあげよう。マルクスが『ゴータ綱領批判』のなかで述べた有名な命題についていま二つの解釈が行なわれている。その命題とは「資本主義社会と共産主義社会とのあいだには、前者から後者への革命的転化の時期がある。この時期に照応してまた政治上の過渡期がある。この時期の国家は、プロレタリアートの革命的独裁以外のなにものでもありえない」[*3]（傍点はマルクス）という主張である。第1の解釈は、マルクスの「共産主義社会」を「真の意味での、狭義の共産主義社会」と解し、「資本主義社会から共産主義社会への過渡期」と理解する。第2の解釈は、これを「共産主義社会の第1段階」、つまり「社会主義社会」ととらえ、「資本主義社会から社会主義社会への過渡期」とする。いったいどちらが正しいのか？　というレベルで中国とソ連が争い、日本でも中国派・ソ連派が争う。

この問題は、レーニンの見解を断片的に引用することによっていっそう混乱してくる。レーニンは両者を語っているからである。たとえば『国家と革命』第5章2はマルクスを受けて「資本主義から共産主義への移行[*4]」となっているし、「プロレタリアートの独裁の時期における経済と政治」のなかでは、「資本主義と共産主義のあいだに一定の過渡期があることは、理論上疑いをいれない[*5]」と書いている。一方、「ハンガリアの労働者へのあいさつ」のなかには「資本主義から社会主義へのかなり長い過渡期」、「マルクスは、資本主義から社会主義への過渡期として、プロレタリアートの独裁の一時期がある、と述べているのです[*6]」とあるからだ。

この種の引用をいくらあげてみても問題の解決にはならない。マルクスの命題をコトバとして読むかぎり、第1の解釈も第2の解釈も可能なのである。したがって、われわれは「社会主義社会」、「共産主義社会」とはそれぞれいかなる社会であるのか、その概念規定を検討するほかなく、まさにこの手続きによってのみ問題を解決しうるのである。この場合、われわれはマルクスの主張を、片言隻句まで動かすべからざるものとして扱うわけにはいかない。マルクスの求めた方法にしたがって、マルクス自身をも再構成する必要がある。端的にいえば、マルクスについてもその不十分な点あるいは限界を指摘しなければならない。レーニンについても同様である。とはいえ、ここでそれらの検討を全面的に展開する用意はなく、さしあたり以下の行論に必要なかぎりで行なうにすぎないことを初めに断わっておきたい。

1　過渡期社会のブルジョア的制限性

『ゴータ綱領批判』は、周知のようにマルクスがドイツ労働者党（のちのドイツ社会民主党）のラッサール主義的傾向、あるいは俗流社会主義の傾向を批判したものである。かれらがドイツ労働者党の綱領のなかに、「労働の全収益」の「平等な権利」による「公正な分配」なる観念をもちこんだことに対し、マルクスは『資本論』で明らかにされた科学的社会主義の立場から鋭く批判した。批判の要点はおよそ次のごとくである。

(1)俗流社会主義者が終局目標としている社会主義──「労働の全収益」の「平等な権利」による「公正な分配」──なるものは、プロレタリア革命の終局目標ではありえない。それは「いまようやく資本主義社会から生まれたばかりの共産主義社会」、「あらゆる点で、経済的にも道徳的にも精神的にも、その共産主義社会が生まれでてきた母胎たる旧社会の母斑をまだおびている」、「共産主義社会の第1段階」においてのみ、「避けられない」「欠陥」として承認せざるをえないこと。[*7]

(2)ラッサール式「労働の全収益」を「社会的総生産物」と理解すれば、「この社会的総生産物からは、次のものが控除されなければならない。第1に、消耗された生産手段を置き換えるための補塡分。第2に、生産を拡張するための追加部分。第3に、事故や天災による障害にそなえる予備積立または保険積立」。「総生産物の残りの部分は、消費手段としての使用にあてられる。だが、各個人に分配されるまえに、このなかからまた、次のものが控除される。第1に、直接に生産に属さない一般管理費。第2に、学校や衛生設備等々のようないろんな欲求を共同でみたすためにあてる部分。第3に、労働不能者らのための元本。つまり、今日のいわゆる公共の貧民救済費にあたる元本[*8]」。

(3)「個人的消費手段が個々の生産者のあいだに分配されるさいには、商品等価物の交換の場合と同じ原則が支配し、一つのかたちの労働が別のかたちの等しい量の労働と交換される」、「だから、ここでは平等な権利は、まだやはり——原則上——ブルジョア的権利である」、「この平等な権利はまだつねにブルジョア的な制限につきまとわれている」、「ある者は、肉体的または精神的に他の者にまさっているので、同じ時間内により多くの労働を給付し、あるいはより長い時間労働することができる」、「この平等な権利は、不平等な労働にとっては不平等な権利である」、「だからそれは、内容からいえばすべての権利と同じように不平等の権利である」、また「ある労働者は結婚しており、他の労働者は結婚していないとか、ある者は他の者より子供が多い等々」の事情がある。したがって「すべてこういう欠陥を避けるためには、権利は平等であるよりも、むしろ不平等でなければならないだろう[*9]」。

(4)「しかし、こうした欠陥は、長い生みの苦しみののち資本主義社会から生まれたばかりの共産主義社会の第1段階では避けられない」、「共産主義社会のより高度の段階で、すなわち個人が分業に奴隷的に従属することがなくなり、それとともに精神労働と肉体労働との対立がなくなったのち、労働がたんに生活のための手段であるだけでなく、労働そのものが第1の生命欲求になったのち、個人の全面的な発展にともなって、またその生産力も増大し、協同的富のあらゆる泉がいっそう豊かに湧きでるようになったのち——そのときはじめてブルジョア的権利の狭い限界を完全に踏みこえることができ、社会はその旗の上にこう書くことができる——各人にはその能力に応じて、各人にはその必要に応じて！[*10]」。

(5)「いわゆる分配のことで大さわぎをしてそれに主要な力点をおいたのは、全体として誤りであった。

いつの時代にも消費手段の分配は、生産諸条件そのものの分配の結果にすぎない」[*11]。

以上を一言で要約すれば、俗流社会主義者の「公正なる分配」なるものは、過渡期社会のブルジョア的制限性の集約的表現にほかならぬ、ということである。

2 共産主義社会としての過渡期社会

以上は過渡期社会のいわば消極面である。マルクスの課題は、俗流社会主義者の限界を暴露することにあったため、当然この消極面が強調されることになったのであるが、過渡期社会は「第1段階」とはいえ基本的には「共産主義社会」なのであり、「共産主義社会」としての積極面をもっている。マルクスは「生産手段の共有を土台とする協同組合的社会の内部では」、「個々の労働は、もはや間接にではなく直接に総労働の構成部分として存在している」[*12]と指摘するにとどまっているが、この事実は決定的に重要だといっていい。生産手段の所有の社会化にともない、「個々の労働」が「直接に総労働の構成部分として存在している」こと（この事実をかりに〈労働の協同性〉と呼んでおこう）は、分配においても「必要に応ずる分配」（これをかりに〈分配の共同性〉と呼ぶことにする）を実現していることを意味する。〈労働の共同性〉とは、社会の成員が直接に共同社会の成員として社会に労働を提供する仕方であり、〈分配の共同性〉とは、その成員に対して共同社会が必要生活資料（必要労働部分）を保証することである。マルクスは『資本論』ですでに展開していながら、ここでは部分的にしかふれていないことだが、必要労働部分に関するかぎり、必要に応じて分配することはすべての社会の絶対的な存続条件なのである。つまり、過渡期社会についていえば、「労働に応じて」分配しうる生産物部分は剰余生産物にすぎないのであって、過渡期社会といえども「その必要に応じて」労働生産物を分配するという、共同社会の一般原則をその根本原則とせざるをえないのであり、このかぎりで、過渡期社会はすでに共産主義社会なのである。

けっきょく、過渡期社会と真の共産主義社会との区別は、〈分配の共同性〉が部分的に実現しているか、全面的に実現されるか、にあるといっていい。つまり、前者においては「労働に応ずる分配」を残さざるをえず、「必要に応ずる分配」は部分的にしか実現しえないのに対して、後者は「必要に応ずる分配」を全面的に実現するのであり、過渡期とは、「労働に応ずる分配」を「必要に応ずる分配」によって置き換えていく過程にほかならない。むろん、「分配は生産諸条件そのものの分配の結果」である以上、この過程とは、生産手段の所有の・それに基づく労働の変革過程でもあることはいうまでもない。[*13]

3　過渡期社会の全体像

過渡期社会の消極面と積極面とを以上のようにとらえるとすれば、全体としての性格を次のように特徴づけることができる。

(1)過渡期社会は消極面と積極面との矛盾そのものであり、この矛盾によってつき動かされる過程そのものである。この矛盾は従来の階級的矛盾とは異なって全く異質な2側面（残存する商品経済的側面＝ブルジョア的原理と新たに形成される共同体的・共産主義的側面）の激突である。

(2)この矛盾し激突する2側面は、社会の各成員自身の2側面として全社会にしみわたり、社会の全成員をまきこんでいるため、特定の諸階級の対立に固化しえない。

(3)けっきょく(1)、(2)を次のように総括することができる。「「共産主義社会の第1段階」――いわゆる社会主義社会――のこの矛盾は、もはや残存支配階級とプロレタリア人民大衆との闘争を表現する矛盾ではなく、階級としてのかれらの消滅ののちにもプロレタリア人民大衆自身のうちになお残存するブルジョア的側面と、かれらの新たな共同体的・共産主義的側面との闘争を表現する矛盾なのである。そしてこの「共産主義社会の第1段階」は、こうした矛盾によってつき動かされて真の共産主義社会にむかって発展するという点で、資本主義社会から共産主義社会への永続革命の時代、「前者から後者への革命的転化の時代」をなすわけである*14」。

4 過渡期国家の2側面

過渡期社会の矛盾は当然過渡期国家の矛盾として減少する。レーニンが『国家と革命』第5章「国家死滅の経済的基礎」で明らかにしたのは、過渡期国家の性格である。初めにレーニンの主張をかんたんに要約しておけば次のごとくである。

(1)過渡期社会には「ブルジョア的権利」が残っているために、「そのかぎりでは」、「労働の平等と生産物の分配の平等とを保護する国家の必要はなおのこっている*15」。

(2)「ブルジョア的権利がのこっているばかりでなく、ブルジョアジーのいないブルジョア国家さえのこっていることになる！*16」。

(3)この国家は「武装した労働者からなっていて、「もはや本来の意味の国家ではない国家」」であり、「生産と分配との統制」・「労働と生産物との記帳」を行なう*17。

(4)「労働の基準と消費の基準にたいする」、「ブルジョア的権利の狭い限界」が克服され、「人間のあらゆる共同生活の簡単で基本的な規則をまもる必要」が「習慣」となるとき、国家は死滅する。[*18]

以上の要約から明らかなように、レーニンは過渡期国家のブルジョア的側面を強調している。逆にいえば、その積極面を十分明確にしてはいない。レーニンは過渡期国家の積極面として、武装した労働者による生産と分配の全社会的な「記帳と統制」をあげるにとどまっており、過渡期国家の形式面あるいは組織面における革命性しか指摘していない。問題は、どのような生産と分配のために、この「記帳と統制」を実施するのか、その内容面の革命的な積極性である。過渡期国家の革命的・積極的側面は、共同体的・共産主義的原則をめざす「プロレタリアートの革命的独裁」の組織体になる点に存するのであり、そのためにこそ「記帳と統制」が必要なのである。[*19]

なお、ここで過渡期社会における「ブルジョア的権利」について若干検討しておこう。レーニンは「ブルジョア的権利」が「生産手段にかんしてだけ、廃止される」。しかし、「社会の成員のあいだの生産物の分配と労働の分配との規制者（規定者）として、やはりのこっている」[*20]と述べているのであるが、「生産手段の所有」を「労働と分配」から切り離して論じているのは不正確であろう。すなわち、「労働と分配」に「ブルジョア的権利」が残っているのは、マルクスにしたがえば「生産手段の所有」自体に「ブルジョア的権利」が残っていることの結果にすぎないのである。つまり、「労働と分配」のあり方こそが「生産手段の所有」の実体をなすのであって、これから区別された「所有」なるものはありえない。最終的には分配によって確認されるので、以下「労働に応ずる分配」を問題にしよう。マルクスは周知のように、「労働に応ずる分配」を「ブルジョア的権利」と呼んだが、過渡期社会において初めて行なわれる「労働に応じた分配」がなぜ「ブルジョア的権利」であるのかをめぐって混乱が生じている。「労働に応じた分配」を拡大することこそ過渡期社会の任務だとする倒錯した主張さえ行なわれている。われわれは、すでに逆の方向から述べたように、「労働に応じた分配」を「ブルジョア的」と規定する代わりに〈分配の個体性あるいは個別性〉と規定しておきたい。この〈個体性あるいは個別性〉とは「ブルジョア的権利」そのものではなく、「ブルジョア的権利の残滓」である。この〈個別性あるいは個体性〉を、前に述べた〈共同性〉の拡大によって置き換えていくことこそ過渡期社会の課題であり、生産力の拡大がその条件なのである。

われわれがここで〈個体性あるいは個別性〉、〈共同性〉なる規定を提起したのは、前者を「ブルジョア的」、後者を「共産主義的」と表現するだけでは不十分だと考えるからにほかならない。つまり前者は、広い意味ではたしかに「ブルジョア的」であるにはちがいないが、すでに基本的な点で変容している(たとえば搾取のなくなったこと)のであるから、この変容をとらえるためには新たな規定が必要だと考えるのである。後者についても同様であり、真の共産主義から区別するという意味で〈共同性〉と呼んでおきたい。

5　過渡期国家の全体的性格

過渡期国家の2側面を以上のようにとらえるとすれば、その全体的性格を次のように総括することができる。

(1)過渡期国家は、この2側面の矛盾そのもの、この矛盾によってつき動かされる過程そのものである。

この矛盾は真の共産主義社会（国家の死滅）まで永続する。

(2)過渡期国家の矛盾は、社会の矛盾の反映ではなくその直接の集約であり、総括である。経済的搾取組織とその政治的維持組織との分離は、ブルジョア社会にのみ固有の現象にすぎず、過渡期国家には存在しえない。それゆえ過渡期社会のすべての経済的矛盾は、直接に過渡期国家の政治的矛盾に集約され、きわめて尖鋭なものとならざるをえない。

(3)過渡期国家のブルジョア的側面から生ずる具体的様相は、そのブルジョア法治国的・ブルジョア民主主義的・官僚国家的・国家資本主義的側面である。

(4)過渡期国家の革命的・共産主義的側面から生ずる様相は、宣伝し・扇動し・組織し・行動する生きた活動団体として、したがって、当然に、人民大衆の全部からではなくその活動部分からなりたっていてかれらを牽引していくところの、反法秩序的な革命的行動団体として現われざるをえない。

(5)過渡期国家の二元性はたがいに相容れぬ鋭い対立をなす。この矛盾の表現が過渡期国家の「運動国家」あるいは「過程国家」という様相である。

(6)人民大衆自身の二重性は、共産主義的プロレタリア党からブルジョア的プロレタリア党にいたるまでの種々雑多な色彩の政治党派ないし政治分派を生み出す。

(7)けっきょく、過渡期社会・過渡期国家は「永続的な革命的過程たらざるをえず、プロレタリア革命は、その終局目標に達するまでおわることのない「未完の革命」たらざるをえない[*21]」のである。

さて、過渡期社会の内容を以上のようにみてくると、初めに問題にした過渡期が「社会主義社会への過渡期」ではなく事実上「共産主義社会への過渡期」ととらえるほかないことは明らかであろう。ここ

で〈事実上〉というのは、社会主義社会の過渡的性格を考えれば、の意であることはいうまでもない。[*22/23]

三　中国における過渡期理論の展開およびその検討

さて社会主義社会の基本的性格を以上のようにとらえたうえで、中国における過渡期理論の展開過程を簡単に跡づけ、その内容を検討することにしたい。この場合、われわれは社会主義の一般的規定が中国の過渡期理論のなかでどのように貫かれているかに焦点をしぼりたい。これは中国が社会主義国であることを確認する手続きであり、中国に社会主義としての普遍性を見出す作業である。普遍性の確認は、逆に中国社会主義の特殊性を浮かび上がらせることになるが、ここでの課題はまず普遍性の確認である。

1　呉璉論文について

われわれは中国における過渡期理論の展開を呉璉「社会主義社会的過渡性質」（『経済研究』一九六〇年第5期、以下呉璉論文と略す）からみていくことにしよう。[*24]この論文は、中国が従来のソ連流の社会主義建設の模倣を脱し、独自の社会主義建設を追求しはじめた最初の試みである「三面紅旗」（総路線・大躍進・人民公社）に基づく実践の理論的総括として書かれたものであることをまず確認しておく必要がある。わが国で呉璉論文に関説した論文は少なくないが、呉璉の主張が必ずしも正確に理解されているとは思われないので、以下その論理をかんたんに跡づけていくことにする。

呉璉論文は次の3項からなる。

(1)社会主義社会は独立した社会経済形態ではない

(2)社会主義社会は過渡的な社会である

(3)社会主義を建設するのは共産主義へ移行するためである

(1)について

呉璉はまず社会主義社会の2側面(積極面と消極面)を、(イ)生産手段の所有制、(ロ)労働過程、(ハ)分配関係、の三つの点からみていく。(イ)についていえば、社会的所有となったことが積極面であり、私的所有(自留地、小道具、個人副業)・集団的所有を残していることが消極面である。(ロ)については搾取・圧迫が消滅し、工業と農業・都市と農村・頭脳労働と肉体労働の間の敵対的状態のなくなったことが積極面であり、「三つの差別」の残っていることが消極面である。(ハ)については、搾取のなくなったことが積極面であり、労働に応ずる分配(ブルジョア的権利)を残していることが消極面である。

次に、ブルジョア的権利・ブルジョア的権利の残滓(資産階級法権的残余[*25])について論じ、集団所有制は集団の範囲内においてのみ平等であるにすぎぬといい、差額地代(自然の豊度、土壌の改良による。すなわち第1形態、第2形態であるが、「人窮志大」＝貧しいがゆえに志が大きい、と第2形態の意義を指摘する)にふれる。

以上を総括して「社会主義社会は不完全な・成熟しつつある共産主義社会であり、共産主義の要素と旧社会の残滓をもつ社会である」（社会主義社会、是不完全的和在成熟中的共産主義社会、它是一個既有共産主義因素、又有旧社会残跡的社会[*26]）という。つまり、共産主義の要素でもなく、旧社会の残滓でもない「第三のもの」は存在せず、この点は経済的範疇においても同様だとする。

たとえば「労働に応ずる分配」が共産主義的なものでも、旧社会の残滓でもない「社会主義特有のもの」とみなす見解[*27]を呉璉はこう批判する。社会主義社会の分配は、一面では共産主義の要素（必要に応じた分配）をもち、他面では「労働に応じて分配する」という意味で「ブルジョア的権利の残滓」を残している、と。そしてこの2要素は一方がふえれば他方が減るという意味で「たがいに消長しあう」と強調する。

以上要するに「社会主義を事実上、資本主義社会と共産主義社会との間にある、かなり長期のうちに固まってくる独立した社会経済形態であるとみる」（而在実際上把社会主義看作是資本主義社会和共産主義之間一個要在相当長時期内凝固下来的独立社会形態[*28]）のは誤りであり、「社会主義の生産関係は、相対的に安定しているとはいえ、何か固定して変わらぬものでは決してない。共産主義の要素と資本主義の残滓――この二つの矛盾の、対立面の統一と闘争が社会主義社会を前へつき動かす。共産主義の要素が一歩一歩ふえていき、旧社会の残滓が一歩一歩弱まるにつれて、社会主義社会はますます成熟し、旧社会の残滓がすでに消えたとき、社会主義社会は共産主義社会に発展する[*29]」と結論する。

⑵について

⑴から明らかなように、「資本主義から共産主義への過渡期全体が、旧社会から新社会への質的変化の時期である」。この転化の全過程は情況に応じて「いくつかの段階」ともっと多くの「小さな質的変

化の過程」に分かれる。社会主義社会では、「生産力水準の量的拡大」、「人民大衆の意識の高まり」につれて、それだけ「質的変化」が起こる。社会主義的集団所有制およびその分配は、「生産の発展と大衆の意識の高まり」にしたがって、「全人民的要素」、「必要に応ずる分配の要素」がふえる。

この質的変化を認めないと、社会主義建設の任務を「単純に社会の生産力を発展させること」だとみなすことになり、生産力水準の高まりにしたがって「社会主義の生産関係と上部構造」を「たえず調整し」、「旧社会の残滓」を「取り除く」必要のあることがわからなくなる。つまり「質的変化」がなければ、共産主義にはならない、と呉璉はいう。

「社会主義の秩序」なるものはかためてはならないのであって、ブルジョア的権利は避けることのできない「欠陥」にすぎず、「理想」ではない。だから、それを「制限し、条件をつくって一歩一歩取り除いていかなければならない」。

要するに「社会主義社会は、連続革命を通じて共産主義社会へ至る過程である」。いいかえれば、社会主義社会と共産主義社会との間を「万里の長城」でへだててはならず、社会主義の段階で歩みをとめてはならない、のである。

社会主義の生産力と生産関係、経済的土台と上部構造との矛盾についていえば、「矛盾が地平線に顔を出すや否やそれをしっかりつかみ、生産関係と上部構造を主動的に調整し、生産力の発展を促すことに巧み」でなければならない。生産力の発展が生産関係と上部構造に縛られてはならないだけではなく、上部構造の経済的土台に対する・生産関係の生産力発展に対する「能動的反作用」を十分発揮させなければならない。

たとえば集団所有制から全人民所有制への移行には、いくつかの段取りを経なければならないが、その第1は、生産隊所有（今日の生産大隊――矢吹）から公社所有への移行であり、第2は、公社所有から全人民所有への移行である。当面の課題は公社所有の実現であるとして、その条件を五つ列挙している。そして現段階では、「三級所有制」、「労働に応ずる分配を主とする分配制度」を堅持しなければならないといい、共産主義の第1段階を「とびこえる」考え方を「空想」だと退けている。

要するに、共産主義の実現には、生産力の発展と人民の意識の高まりという条件が必要であり、この条件を準備するため機を逸せず措置を講じ、機を失せず移行を順を追って実現しなければならない、と呉璉は主張する。

(3)について

社会主義社会の内容が以上のごとくであるとすれば、社会主義建設とは抽象的に、何もかもひっくるめて（共産主義の要素も、旧社会の残滓も）発展させることではありえない。それは前者を拡大し、後者を消滅させ、共産主義への移行を準備することにほかならない。

呉璉は次に中共中央政治局拡大会議（「関於在農村建立人民公社問題的決議」、一九五八年八月二十九日、いわゆる北戴河決議）および中共第八期六中全会決議（「関於人民公社若干問題的決議」、一九五八年十二月、いわゆる武昌決議）にふれ、人民公社の意義を論ずる。人民公社がここで共産主義への移行を準備するための「社会組織」ととらえられていることはいうまでもないが、特に注目しておきたいのは次の文章である。「党中央と毛沢東同志はマルクス・レーニン主義の普遍的真理と革命の実践とを結びつけ、革命的大衆運動を通じて古いきまり・しきたりを打破し、われわれが新しい諸形態を探し、このような形態で連続革命論と革命発展段階論を巧みに結びつけ、社会主義から共産主義へ移行する具体的な道すじをさし示した」（党中央和毛沢東同志把馬克思列寧主義的普遍真理同革命的実践結合起来、通過革命的群衆運動衝破陳規旧矩、為我們找到各種適当的新形式、在這種形式上把不断革命論同革命発展階段論巧妙結合起来、為社会主義過渡到共産主義指出了具体的途経[*30]）。

われわれが重要だと考えるのは「通過革命的群衆運動衝破陳規旧矩」であり、端的にいえば「群衆運動」の一語である。なお呉瑾がここで「陳規旧矩」と呼んでいるのは、いいかえれば「旧伝統・旧習慣・旧思想[*31]」であり、その反対のものが「新風尚」、「共産主義風格[*32]」であり、その過程こそ「移風易俗[*33]」〈風俗や習慣をよりよく変えること〉にほかならない。これらが文革において、「旧思想・旧文化・旧風俗・旧習慣」の「四旧」に整理され克服すべき対象としてまとめあげられたことは、改めて指摘するまでもないであろう。

ところで、人民公社については、（イ）生産隊（今日の生産大隊――矢吹）を基礎とする三級所有制は、現在の生産力の発展水準・大衆の意識の水準に適合しているから堅持すべきこと、（ロ）「工業・農業・商業・教育・民兵」の結合、（ハ）「農業・林業・牧業・副業・漁業」の総合的発展、（ニ）「政社合一」の制度、（ホ）賃金制と供給制を結びつけた分配制度、（ヘ）公共食堂・敬老院・託児所・幼稚園などの公共福利施設、の意義が確認されている。

労働過程では、（イ）整風運動を通じて人と人との関係を改造すること、（ロ）官僚主義批判、（ハ）「両参一改三結合」〈本書三二頁一六行参照〉、（ニ）「試験田」、（ホ）「現場会議」の必要性が述べられている。

分配については、「労働に応ずる分配」をただちにやめることは不可能だが、多くの措置を講じ、「必要に応ずる分配」の要素をふやしていくことが必要だとされている。

〈呉瑾論文の検討〉

以上で呉瑾論文の骨子をみてきたが、われわれが、ここでまず呉瑾論文をとりあげたのはわが国で「中国の新しい社会主義理論」[*34]として比較的よく読まれたこと、しかしその読み方が不十分であったと考えられること、による。もとよりわれわれの読み方が十分であるなどと主張するつもりはないが、少なくともいくつかの問題点は解決したつもりである。さて呉瑾論文の内容であるが、大きく二つの部分に分けられるであろう。(イ)社会主義社会の一般的規定、(ロ)中国社会主義の現状を一般的規定との関連でどうとらえるか、の二つである。(イ)についていえば、呉瑾の主張は、われわれが二ですでに確認した内容と、基本的に異なっていないとみていいであろう。個々の論点までわれわれの理解と全く同じであるわけではないが[*35]、少なくとも次の点は同じである。たとえば、(a)社会主義は積極面・消極面の2側面からなっており、両者はたがいに「消長しあう」ものであり、連続革命を通じて共産主義社会へ至るものであること、(b)労働に応ずる分配は避けることのできない欠陥として承認するのであって、すでに部分的に行なわれている必要に応ずる分配の拡大によって置き換えていかなければならないこと、(c)革命的大衆運動を通じて人間変革を永続的に行なっていかなければならないこと、などである。

(ロ)についていえば、集団所有制をいちおう実現した中国が、(a)一方では生産力水準と人民大衆の意識水準に規定されて「三級所有制」を堅持しながら、他方では大衆運動を通じて生産力水準・人民大衆の意識水準をたえず高めようとしていること、（b）所有制の面では公社基本所有制が当面の目標であること、（c）労働過程では官僚主義の克服、（d）分配面では必要に応ずる分配（供給制、公共福利施設）の比重の増大、などが追求されているのであるが、これらの問題が大衆的レベルで自覚的に追求されている点こそ、中国社会主義の〈社会主義〉たるゆえんだといっていい。

人民公社運動が、そして中国におけるすべての運動が〈大衆運動〉として展開される以上、ある程度のいきすぎや試行錯誤が避けられないのは当然であり、これらのジグザグを通じてこそ過渡期の「初期段階」にある中国社会主義は前進しつつあることを見失ってはなるまい。これらのジグザグは政策の問題（たとえば大躍進期における「工作欠点や誤り」――周恩来）とも関係しているが、それについて実証的分析を行なう用意はない。ここではある程度のジグザグが不可避であること、それをいかに処理するかこそ前衛党の任務であることを確認しておけば十分であろう。

2　陶鋳論文について

呉璉論文と並んで、わが国でかなり注目されたもう一つの論文は、陶鋳「関於過渡時期的紀律問題的商権」（『人民日報』一九六〇年八月五日、以下陶鋳論文と略す）である。[*36] 当時わが国ではこの二つの論文がほとんど同じ内容のものとして受けとられた。たしかに、両者とも社会主義社会の過渡的性質を強調している点では共通しているが、違いがないわけではない。ここでは呉璉論文との違いに注目して陶鋳論文をみていくことにする。

陶鋳はいう。「資本主義から共産主義への過渡期全体に、成長しつつある共産主義と死滅しつつある資本主義との闘争が1本の赤い糸のように貫いているから、この社会の主要矛盾は階級矛盾あるいは階級性を帯びた矛盾たらざるをえない」と。われわれは過渡期社会の矛盾が「階級矛盾あるいは階級性を帯びた矛盾」ととらえられていることに注目しなければならない。呉璉論文にはこの規定はなかったのであり、後に検討する「一〇中全会テーゼ」では明確に「階級矛盾」と規定されることになるのである。陶鋳はまた「現在の社会主義と資本主義の二つの道の闘争、プロレタリアートとブルジョアジーの政治面・思想面の闘争は依然重大である。この階級闘争はかなり長期にわたって存在する」として、「階級闘争消滅論」を批判している。後に文革のなかで劉少奇の誤った建党路線の中核として批判されることになる「階級闘争消滅論」批判が「不破不立」〈古いものを破壊しなければ新しいものを建設できない〉と並んでここに登場しているのは興味深い。

この意味で陶鋳論文は「一〇中全会テーゼ」に直結しているといっていいが、この論文はもう一つの側面をもっている。それは過渡期を「資本主義から共産主義へ」といちおうとらえながら、この過渡期を「資本主義から社会主義への過渡期」と「社会主義から共産主義への過渡期」の2段階に分けていることとである。2段階に分けるために社会主義建設のメルクマールとして、次の三つをあげている。(1)単一の社会主義全人民所有制の実現、(2)工業・農業・科学文化・国防の現代化を基本的に実現すること、(3)経済・政治・思想・文化・技術各面の革命を基本的に完成すること、である。

われわれは過渡期社会をいくつかの段階に分けること自体には反対しないが、「社会主義建設のメルクマール」として上のような3点をあげるのは、理論的には呉璉論文からの一歩後退であり、中国のそれ以前の過渡期論を十分克服しえていないことを示すもの、とみなければならない。ただ、この論文が中国共産党広東省委員会第一書記のものであることを考慮すれば、「階級矛盾あるいは階級性を帯びた矛盾」という規定をも含めて、その第一線の実践家としての判断として（実践のためのテーゼとして）評価しなければならないと考える。

3　第八期一〇中全会のテーゼ

一九六二年九月、中共第八期一〇中全会が開かれ、ここで毛沢東の指導により「過渡期の階級闘争」に関する党の路線が定式化された。この「一〇中全会テーゼ」が、後に文革を貫く「階級闘争論」の源流となることは、たとえば中共第八期一一中全会（一九六六年八月）コミュニケにおいて「毛沢東同志は第八期一〇中全会で、当時の情勢を正しく分析し、社会主義社会における矛盾・階級・階級闘争についての理論をかさねて強調した。これはわが国が社会主義革命・社会主義建設を進めるうえでの指針である」（『紅旗』一九六六年第一一期、一九六六年八月二十一日）と指摘されていることから明らかである。

「一〇中全会テーゼ」（『紅旗』一九六二年第一九期、一九六二年十月一日）はいう。

(1)プロレタリア革命とプロレタリア独裁の歴史的時期全体、資本主義から共産主義へ移行する歴史的時期全体（この時期は数十年あるいはそれ以上の時間を必要とする）に、プロレタリアートとブルジョアジーとの間の階級闘争、社会主義と資本主義の二つの道の闘争が存在する。

(2)くつがえされた反動的支配階級は滅亡に甘んぜず、いつも復活を企てる。そのうえ、社会にはまだブルジョアジーの影響と旧社会の習慣の力が存在し、一部に小生産者の自然発生的な資本主義の傾向が存在する。

(3)だから、人民のなかにまだ社会主義的改造をせぬ者が残り、かれらの数は多くなく人口の数パーセントにすぎないが、機会があれば社会主義の道を離れ、資本主義の道を歩もうとする。こうした情況のもとでは階級闘争は避けられない。

(4)この階級闘争は錯綜し複雑で・曲折があり・起伏があり、時には非常に激しい。

このテーゼは、呉璉論文とちがって、中共中央の正式決議であるから、理論面からだけではなく、実践のテーゼとしての側面からも検討しなければならない。

まず(1)において、過渡期を「資本主義から共産主義への歴史的時期全体」と規定している点は承認できる。しかし、この間に存在する矛盾が階級矛盾であり、したがって階級闘争であるという規定には疑問を提起しておかなければならない。なぜなら、二-3-(1)、同(2)で確認したごとく、過渡期の矛盾は従来の階級的矛盾とは異なり、社会の各成員自身の矛盾として全社会にしみわたっているのであり、「特定の諸階級対立に固化しえない」からである。いいかえれば過渡期とは「階級を廃絶していく過程」なのであり、廃絶のための条件を握ったのであり、そこでは階級は本来の意味では階級でなくなりはじめたのであって、この事実こそ決定的に重視しなければならない。むろん二-3-(2)、同(3)で指摘されるような事実は存在するわけであり、いわゆる「階級闘争消滅論」が誤りであることはいうまでもないが、その誤りは過渡期の任務を生産力の拡大に矮小化したことにあるのであって、逆に階級闘争と規定するのは「階級闘争消滅論」の単なる裏返しにすぎず、ここでは過渡期の歴史的意義が不明確なものとならざるをえない。(4)で指摘された「闘争の形態の激しさ」は、それが階級矛盾であることの根拠にはならない。過渡期においては、資本主義社会の政治過程が経済過程から相対的に自立していたのと異なって、両者が一体化してくるのであって、闘争形態の激しさはこの点にこそその根拠があることは二-5-(2)のごとくである。

「過渡期階級闘争論」は以上の意味で批判されなければならないのであるが、この一〇中全会テーゼは、あくまでも実践のためのテーゼなのであり、過渡期社会の一般的規定に照らしてその難点を指摘するだけでは意味がない。そこで次にこのテーゼの実践的意義を検討しておく必要がある。

そのためには、当時の中国の政治経済情勢をみておかなければならない。大躍進の一時的挫折、3年連続の自然災害、ソ連の経済技術援助の打切り、といった悪条件のもとで当時の中国経済が極度の困難に陥っていたことは、いまや明らかであろう。(半)植民地国中国にとって権力を奪取して一〇年あまり、この間の中国人民の苦闘は、解放闘争にも劣らぬ英雄的努力の連続であったが、それでもなお、英雄的努力が要請される情況にあったといっていい。この間の事情はさしあたり、「当面している農村工作のなかの若干の問題についての中共中央の決定」(いわゆる「前十条」、一九六三年五月)によって知ることができる。[*37] むろん、中共中央の現状認識自体を現実に照らして検討する必要があるがいまは省く。ここでは過渡期社会の「初期段階」にある中国が、その遅れた生産力水準のゆえに絶望的なほどの困難に直面していた点を確認しておけば十分であろう。

こうした情況のもとで、テーゼの(2)なり(3)で指摘されるような矛盾が、階級矛盾・階級闘争としてとらえられたことは、十分理解できるばかりでなく、七億の人民の意志を結集し、生産関係の変革を通じて、社会的労働による生産力を高めること、つまり連続革命を遂行していくための実践的テーゼとしては、きわめてすぐれたもの、とむしろ積極的に評価することができるのである。というのは、階級闘争の強調にもかかわらず、結果的にはその大部分が事実上「人民内部の矛盾」として処理されたという意味でマイナスではなかっただけではなく、まさにこの（中共中央のいう）「階級闘争」を通じて、中国社会主義はいっそう前進している現実こそ、実践のテーゼとしての有効性を最も雄弁に語っているとみていい。[*38] ここでもう一つの重要な事実を指摘しておかなければならない。それは中国人民が反革命権力からまだ完全に解放されているわけではない、という点である。中国の領土の一部である台湾は依然未解放であり、台湾を支配している反革命集団は台湾の支配のみならず、「大陸反攻」をねらっている。この厳然たる事実に即していえば、革命戦争はまだ終わってはいないし、厳密な意味での階級闘争もまだ終わってはいない。

したがって、われわれのテーゼに対する評価は次のようになる。このテーゼは、過渡期社会の一般的テーゼと過渡期社会の「初期段階」にある中国の実践的テーゼのいわば「混合物」である。一般的テーゼとしての不十分さ・難点は、中国のソ連社会主義論として、中国社会主義がより発展した段階で、あるいは現代帝国主義の社会主義革命を想定する場合に問題とせざるをえないようになるであろう。

4 **「国際共産主義運動の総路線についての提案」および「フルシチョフのエセ共産主義とその世界史的教訓」**

「総路線提案」（一九六三年六月十四日）は二五項目からなっているが、その第一七、一八項でマルクス『ゴータ綱領批判』レーニン『国家と革命』などに依拠して、ソ連式「全人民国家論」を批判している。批判の基準は一〇中全会テーゼであり、特に新しい論点はないと考えられるので内容は省略するが、次の点だけは指摘しておかなければならない。すなわち一〇中全会テーゼは直接的には中国社会主義の分析から生まれたものにはちがいないが、それが社会主義社会＝過渡期の一般的規定であるかぎりにおいては普遍性を主張しうるのであって、それはただちにソ連の社会主義理論批判でありうる点である。一般に中国は資本主義から社会主義への過渡期にあり、ソ連は社会主義から共産主義への過渡期にある、とする理解が広く行なわれているが、中国が社会主義への過渡期にあるとすれば、ソ連もまた社会主義への過渡期にあるとみなければソ連社会の現実を納得的に説明しえないであろう。現段階における中国とソ連との生産力水準の差はこの場合さしあたり無視してさしつかえないし、人民大衆の意識水準（自国の連続革命・世界革命への情熱）を考慮に入れれば、ソ連が「先進的である」とはとうていいえない。そして何よりも、二つの過渡期を区別する見解によっては、中ソ対立の激しさを説明しえない。二つの社会主義国の直面する課題が同質だからこそ、その政策の方向をめぐって激突せざるをえないのである。

「フルシチョフのエセ共産主義とその世界史的教訓」（『紅旗』第一三期、一九六四年七月十四日）は、7項からなっているが、まず「総路線提案」の内容を敷衍し、次いでソ連社会のさまざまな問題点を具体的に指摘しつつ、全人民国家論を批判している。このなかで中共は「ソ連の全人民的所有制の企業に巣くう各種各様のブルジョア分子の活動」、「コルホーズに巣くう各種各様の富農分子の活動」をソ連の新聞・雑誌からの引用として一八件指摘している。これらの事例をもとに「総路線提案」は、「これらの堕落変質分子がにぎっている工場は、名義のうえでは社会主義的企業でも、実際にはかれらが金儲けするための資本主義的企業に変わってしまっているのである。かれらと労働者との関係も、搾取と被搾取、抑圧と被抑圧の関係に変わってしまった」、「〔堕落した〕指導者が握っているコルホーズは、実際には、かれらの私有財産に変わってしまっているのである。かれらは社会主義的な集団経済を新しい富農経済に変えてしまった。〔中略〕かれらとコルホーズ農民との関係も、抑圧と被抑圧、搾取と被搾取の関係に変わってしまっている」と述べている。[*39]

このような中国のソ連認識には次の問題がある。「資本主義的企業に変わってしまった」、「私有財産に変わってしまった」とはたしていいきれるかどうか。また「搾取と被搾取の関係」といいきってよいかどうか。「抑圧と被抑圧」というのは必ずしも明確な概念ではないから許されるとしても、「搾取と被搾取」という概念は、マルクスの規定した意味で使わなければ議論が混乱してしまう。要するに、マルクスの拡大解釈によっては、ソ連社会に対する説得的な批判にはなりえないのであり、問題が残るといわなければならない。われわれはソ連社会主義の現状は基本的に修正主義とおさえるべきであり、「資本主義の復活」ととらえることはムリだと考える。しかし、ソ連社会主義の混迷は、チェコ事件をまつまでもなく、いっそう深まりつつあるとみていいのであって、中国の対ソ政策、国際共産主義運動における中国路線の位置づけという「実践的テーゼ」としての意義は、積極的に評価すべきであると考えたい。

ただこの場合、つまり対外的側面においては、理論的規定の難点は、対内的側面と比べてよりその弱点を現わすのであって、「少なくとも中国においては問題は実践において正しく処理された」としてすますことはできないのである。

四　中国における過渡期理論の実践——文化大革命について

以上に述べたように、大躍進以来約一〇年の間に形成されてきた中国の過渡期理論に基づいて文革が行なわれ、この文革を経て、その過渡期理論はいっそうその内容を豊かなものとしつつある。大躍進・人民公社——調整期——農村の社会主義教育運動——文化大革命と激動する過渡期の中国を、われわれはこれまで検討してきた理論の実践過程として、実践のなかで理論がより内容豊富なものとなっていく過程として、具体的・実証的に研究する必要があるが、その全面的検討は他日を期したい。[*40]

ここでは中共9全大会の林彪政治報告を中心に、過渡期理論の実践としての側面から文革をとらえてみよう。ここで表題に「過渡期理論の実践」と書いたが、実践過程そのものを跡づけるのではなく、実践の場において理論を検討することがねらいである。

1　林彪政治報告をめぐって

文革とは何かを知るうえで最も有効な方法の一つは文革の推進者たち（それは本質的な意味で中国人民にほかならないが、一般には〝毛沢東一派〟と誤解されている）が文革をどうとらえているのかをみることである。むろん、当事者の説明なり理解なりを常に承認しなければならないというのではなく、文革の推進者たちの総括を通じて文革を理解することが有効だという意味である。われわれは何よりもまず中国共産党が文革をどう総括しているのかを知らなければならない。

周知のとおり、中国共産党第9回全国大会は一九六九年四月一日から二十四日まで開かれ、「林彪政治報告」、「中国共産党新規約」を採択し（四月十四日）、新しい中央委員会を選出した（同二十四日）。これら三つの議題はいわば三位一体であり、全体で文革を総括したもの、といっていいが、われわれはここで「林彪政治報告」を検討してみたい。といっても全面的な検討はさしあたり不必要であり、行論との関係で最も重要だと考えられる問題だけに限定することをあらかじめ断わっておく。

2　文革とは何か

林彪報告は文革とは何か、について二つの規定を与えている。一つは文革が「上部構造の領域における大革命」であり、「文化の各領域を含む上部構造で全面的なプロレタリア独裁を実行し、社会主義の経済的土台をかためる」ことがその目的だとしている。[*41] もう一つは文革が「わが党の歴史上、最も広範で、最も深くほりさげた整党運動」だという規定である。[*42]

前者は古典的な意味での文化革命（下部構造の変革後の上部構造の変革）であり、われわれにとって理解しやすい。後者は通俗的にいえば〝権力闘争〟だということであり、これも毛沢東路線と劉少奇路線との違いを考えれば（その実質的内容はいちおうおくとして）、理解が困難ではない。現実の文革がとらえにくいのは、まさにこの二つの柱がからみあっているからだ、とわれわれは考える。この問題はまた次のようにいいかえてもいい。文革は「上部構造の革命」という「実体」であるとともに、社会主義教育運動によっては解決できなかった問題を解決するための「一つの形態・一つの方式」（毛沢東の一九六七年二月の談話、〝過去我們搞了農村的闘争、工廠的闘争、文化界的闘争、進行了社会主義教育運動、但不能解決問題、因為没有找到一種形式、一種方式、公開地・全面地・由下而上地発動広大群衆来揭発我們的黒暗面》）である、と。つまり文革は「実体」であるとともに「形態」あるいは「方法」でもあるのだ。この「方法としての文革」という場合、その内容は「思いきって大衆を立ち上がらせる」（放手発動群衆）ことである。[*44]

文革に関する二つの規定の関係についてここで立ち入った検討を加える用意はない。われわれは文革をまず「整党運動」の側面からアプローチすることが有効だと考えるので、以下この視点から議論を進めることにする。[*45]

3　劉少奇批判の論理

文革の源流が一〇中全会テーゼにあることは、林彪報告も指摘しているが、このテーゼに基づき、毛沢東路線と劉少奇路線との闘争が「プロレタリア階級とブルジョア階級との間の階級闘争[*46]」だと規定されている。

階級闘争という規定自体の受け取り方についてはすでに述べたからくりかえさないが、ここで注目を要するのは、劉少奇路線がブルジョア路線とされていることの意味である。われわれは別の機会に過渡期の中国にとって、毛沢東路線・劉少奇路線がそれぞれどのような意味をもつかを検討し、毛沢東路線こそ現在の中国にとってより有効であると考えられること、文革のなかで中国人民はまさに毛沢東路線を選びとったのであること、を論じた。[*47]このかぎりでは、中国人民が劉少奇路線を排除したことの意味を十分理解できる。だが、劉少奇路線をブルジョア路線と規定することを全面的に承認することはできない。われわれはこの規定を政治的・実践的なものと考えるほかない。

ただ、われわれの理解によっても、劉少奇路線は次の意味ではブルジョア路線だということができる。すなわち、「三自一包」、「四大自由」[*48]なる政策は、プロレタリア人民大衆のブルジョア的権利を保護する政策だという点である。このブルジョア的権利は、すでにくりかえし述べたように、その経済的・道徳的・精神的条件のために「避けることのできない」「欠陥」として承認せざるをえないものであるが、この限界を見失い、ブルジョア的権利の保護を絶対化した点にこそ、劉少奇路線の欠陥を見出さなければならないと考える。

4 「闘私批修」の綱領的・実践的意義

以上で一〇中全会テーゼおよびそれに導かれた劉少奇批判の問題点をみてきたが、われわれはこれらの「理論上の難点」と「現実の（実践としての）文革」とをいちおう区別して検討する必要があると考える。「理論上の難点」はたしかに実践に対して一定の混乱を与えはしたが、現実の文革は毛沢東らの政治的判断によって処理してきたため、その混乱はさしあたって無視しうる程度のものにすぎず、文革全体としてはみごとな「闘争芸術」（douzheng yishu）であったといっていい。その政治的判断の一端をわれわれはたとえば「闘私批修」なる「最新指示」にみることができる。

「闘私批修」が毛沢東によって提起されたのは一九六七年秋、文革が始まって2年目の国慶節を前にして、毛沢東が華北・中南・華東を視察した前後である。この視察が文革の展開のなかでいかなる意味を持っていたかについてはなお研究の余地があるが、いずれにせよこの視察のなかで「革命的大連合」の呼びかけが行なわれ、それをいわば促進するスローガンとして「闘私批修」が登場したものとみていい。これが「闘私批修」のいわば戦術的意義である。ところが、このスローガンは単に戦術的意義をもつのみではなく、戦略的・綱領的意義をももっている。「闘私批修」の綱領的意義とは何か？

一九六七年の国慶節祝賀集会における演説のなかで林彪はこのスローガンを次のように解説した。「毛主席最新指示我們、要闘私、批修。闘私、就是用馬克思列寧主義・毛沢東思想同自己頭脳里的〃私〃字作闘争。批修、就是用馬克思列寧主義・毛沢東思想去反対修正主義、去同党内一小撮走資本主義道路的当権派作闘争。両件事情是互相聯系的、只有很好地闘掉了〃私〃字、才能更好地把反修闘争進行到底」（『紅旗』一九六七年第一五期）。『北京周報』（一九六七年十月八日）によれば、この個所の邦訳は次のとおりである。「毛主席はさいきん、われわれに、私心とたたかい、修正主義を批判しなければならないと指示されました。私心とたたかうとはマルクス・レーニン主義、毛沢東思想を運用して、自分の頭のなかにある「私」とたたかうことです。修正主義を批判するとは、マルクス・レーニン主義、毛沢東思想を運用して、修正主義に反対し、資本主義の道を歩む党内のひとにぎりの実権派と闘争することです。この二つの事柄は、互いにつながっているものであり、闘争を通じて十分に「私」をとりのぞかなければ、修正主義反対の闘争をいっそうりっぱにやりぬくことはできません」。

ところで、『紅旗』第一五期の二つの社説はともに林彪の次のことばを引用している。「革命、也得革自己的命。不革自己的命、這個革命是搞不好的」。『北京周報』（十月十七日）の邦訳は次のとおり。「革命をやるからには、自分にたいする革命をやらなければならない。自分にたいする革命をやらなければ、この革命はうまくいかないのである」。

「闘私批修」の解釈において、「批修」が「修正主義を批判する」の意であることはほぼ明らかであろう。問題は「私」(si)とは何かである。林彪は「私」について「自己頭脳里的〝私〟字」と説明したが、「私」そのものについては説明していない。ただ、「闘私」の林彪式理解こそ「革命、也得革自己的命」であった。ここでわれわれは「革命」(geming)と「革自己的命」(ge zijide ming)との関係を検討する必要がある。

「革命」と「革自己的命」とがたがいに他を前提しあうのは、まさにこの「革命」が社会主義革命(=プロレタリア革命)であるからにほかならない。なるほどブルジョア革命(半植民地・半封建的中国社会にはそもそもブルジョア革命は存在しえなかったが)の場合も、何ほどかの「革自己的命」(人間変革)はありうる。しかし、ブルジョア革命は元来、封建社会からブルジョア社会へという階級社会から階級社会への革命にすぎず、もともと不徹底なものでしかありえない。これに対し社会主義革命は、階級社会から無階級社会をめざす革命であって、ブルジョア革命からは決定的に自らを区別するのであって、本質的な意味で「革自己的命」が要請されるのである。ブルジョア社会から共産主義社会への過渡期とは、「革命」と「革自己的命」とがたがいに他を前提しあいつつ、促進しあう永続的な変革過程にほかならない。

このようにみてくると、「闘私」=「革自己的命」の意義が巨大なものであることが明らかとなってくるが、「私」をたとえば『北京周報』のごとく(そして日本のほとんどすべての論者が従っているように)「私心」と訳すのは必ずしも適当ではない。[*49] われわれは「闘私批修」を〈自己の内なるブルジョア的なものとの闘争を通じて修正主義を批判する〉の意であると解したい。ここで重要なのは、(1)過渡期の矛盾が〈階級対立に固化せず〉〈プロレタリア人民大衆自身のうちに〉しみわたっていること、

「私」とは「私心」だけではなく、個々の成員自身にしみわたっているブルジョア的側面そのものであること、(2)批判すべき対象が「資本主義の道」というよりもむしろ〈修正主義〉であること、の2点である。

文革のなかで中国人民はこのスローガンによって自らを理論武装していったのであり、このスローガンこそ文革の本質を最も適切に表現しているとわれわれは考える。

あとがき

われわれは理論と実践という二つの面から中国の過渡期理論を検討してきた。われわれの「理論」「実践」というコトバは、中国語の「理論」「実践」とは意味がちがう。「理論」と「実践」との関係をどうとらえるかということも、中国の理解とわれわれのそれとはちがう。この意味では、われわれは「曲線にモノサシをあてる」ような作業を行なったのかもしれない。しかし、モノサシをあててみなければ、それが曲線であることさえわからないではないか、という感想をもたざるをえないし、また、中国自身もマルクス・レーニン主義というモノサシを想定しているのであって、このかぎりで、われわれはこのモノサシを方法的武器として、中国研究を進めることができる、と考える。もとよりモノサシをうまく使えたかどうかは読者の判断に委ねるしかない。

補注　脱稿後手にした3氏の所説について校正の機会にコメントを加えておきたい。

（補注1）「労働に応じた分配」とは何かについての小嶋正巳氏の理解もまた混乱に満ちている（小嶋正巳『現代中国の労働制度』第2章第3節「労働に応じた分配原則の性格とその消長」、評論社、一九六一年）。

小嶋氏も社会主義社会＝労働に応じた分配、共産主義社会＝必要に応じた分配、というドグマから自由ではなく、人民公社について「労働に応じた分配原則のいっそう正確な貫徹の一過程」（一二八頁）なるものを想定している。したがって、人民公社における供給制の意義を正しく位置づけることができず、「労働に応じた分配原則の新しい発展」（一二九頁）なる見解を是認することになる。

氏は呉璉・陶鋳の見解を批評していう。「かくて、労働に応じた分配原則は、一方においては、資本主義発展のきずあとである社会的労働の格差の存在をその客観的基礎としており、旧社会のなごりであると同時に、他方においては、労働力の社会的解放をその実現の契機にしており、それ自体が資本主義的要素と共産主義的要素の矛盾の統一物である。呉璉・陶鋳のいう過渡期としての社会主義における資本主義的要素と共産主義的要素の対立と闘争、後者の前者に対する克服過程は、このような労働に応じた分配原則の内面においてもとらえられなければならないのである。労働に応じた分配原則を、全一的に資本主義のなごりと規定して、これをたとえば社会的集団消費部分の分配に貫徹している共産主義的分配原則と対立させ、それぞれ作用範囲の異なる二つの分配原則の闘争・後者の前者に対する克服過程だけをとりあげるのでは十分とはいえないであろう」（一三三頁）。

「資本主義発展のきずあと」、「旧社会のなごり」、「資本主義のなごり」といった表現の問題はいちおうおくとして、われわれは「労働に応じた分配はブルジョア的権利である」と主張したマルクス・レーニンの見解を、氏がどう理解しているのかを問わなければならない。問題のポイントは、「労働に応じた分配原則の内面」にあるのではなく、「労働に応じた分配」と「社会的集団消費部分の分配に貫徹している共産主義的分配原則」（氏のことば）との関係にあるのだ。

氏は続けていう。「労働に応じた分配原則におけるこのような矛盾の発展過程はどのようにあらわれるかというと、まず、その旧社会のなごりである否定的側面を一層強調するのが物質的刺激の原則である。それは、社会主義の一定の発展段階までは、意識的・積極的におしすすめられ、かつ生産の発展に対して有利に作用する。同時にその過程をとおして、労働力の社会的解放という共産主義的要素は、思想的には労働者大衆の意識水準の高揚、物質的には社会的諸労働の格差の縮小——われわれは、すでにそれを人民公社や小組管理の中にみることができるが——となってあらわれ、さきの否定的側面を払拭する思想的・物質的基盤を強化していく」（一三三頁）。

物質的刺激の原則（否定的側面の強調）が「同時にその過程をとおして」、「否定的側面を払拭する思想的・物質的基盤を強化していく」と氏はいうのだが、これは全く奇妙な論理（非論理）だというほかない。氏の論理にしたがえば、物質的刺激の原則だけを追求すれば十分だということにならざるをえないであろう。

氏はまた「物質的刺激の意義を不可分に内包するところの労働に応じた分配原則」Aは「その客観的基礎である社会的諸労働の格差の縮小にともなってのみ消滅させられていく」B（一三五頁）という。Aの論理的帰結は、社会的諸労働の格差の「拡大」であろう（一三〇頁参照）。格差の拡大をもたらすような原則が格差の縮小によって消滅する、というのは背理でなくてなんであろう。ここでは以上の指摘だけにとどめるが、この種の混乱は随処にみられる。

（補注2）杉野明夫氏の所説（『講座現代中国 Ⅲ文化大革命』所収の杉野論文、大修館書店、一九六九年）に対してもここで疑問を提起しておきたい。

「人民公社は1958年8月および12月の決議が明示しているように、いまのところ社会主義の集団的所有制の性格を堅持し、労働に応じて分配をうける原則を実行するのであり、将来、それが全人民的所有制へ移行するにしても、やはり社会主義的な性格で、各人はその能力に応じて働き、その労働に応じて分配をうけるのである」（四〇頁）と氏は説く。本来の意味での「全人民的所有制」が実現されるのは、狭義の共産主義社会においてであり、そこで「労働に応じて分配される」とするのは誤りであろう。全人民的所有制をまつまでもなく、「社会主義の集団的所有制」のもとにおいてさえ、すでに「必要に応ずる分配」は部分的に実現されているのであり、この事実が明確に位置づけられなければならない。氏もまた労働に応ずる分配＝社会主義なるドグマにとらわれているため、「労働に応じた分配の原則は、多く働けば多く得られ、働かないものは食うべからずの原則であるから、社員の積極性を発揮させるに有効であるが、人民公社はこの原則の限界性をこえて、敬老院をりっぱに経営して、身よりのない老人によい生活の場所を配慮するなどしている」（四〇頁）と単に事実を紹介することしかできず、「この原則の限界性をこえて」いることがいかに重要な意義をもっているのかを解明することができない。「社会主義の集団的所有制である人民公社は、労働に応じた分配の原則を実行するのであるが、ブルジョア的権利の名残りを固守してよいものではなく、ましてや現代修正主義者の主張のように「労働に応じた分配の原則」を「物質的刺激の原則」なるものにとってかえてよいはずはない（四一頁）と氏は主張しているが、「ブルジョア的権利の名残りを固守」することなしに、「労働に応ずる分配の原則を実行する」ことがはたしてできるのかどうかを氏はよく考えてみるべきであろう。要するに氏もまた「現代修正主義者の主張」を理論的に克服しえず、心情的に反発しているにすぎないといわなければならない。

（補注3）新島淳良氏は最近、中国共産党は『ゴータ綱領批判』を誤読している、と主張している（『講座現代中国 Ⅲ文化大革命』所収の新島論文、大修館書店、一九六九年、一〇頁）。氏は「マルクス主義の教条の解釈としては、明らかにそれはまちがっている」（一三頁。傍点は新島氏）と書いているが「それ」が何を指すのかは氏の文章からはいっこう「明らか」ではない。好意的に解釈すれば、氏のいう中共の誤読とは、マルクスが「共産主義への過渡期」という場合、この「共産主義」とは「共産主義の第1段階＝社会主義」であるにもかかわらず、中共は「狭義の共産主義」と読んでいる事実を指している、と読めるが、もしそうならわれわれがすでに述べた理由から「誤読」とはいえない。

この新島論文には、このほかにも重大な問題点がいくつかあると思われる。たとえば氏はレーニンの「偉大な創意」を引用していう。「これは単に生産関係のみによって、つまり政治経済学的にのみ規定されていた階級の定義の大巾な変更である。それは「社会学的」定義である」（六頁、傍点は新島氏）と。「「社会学的」説明」（九頁）、「社会学的概念」（一一頁）と書いているところをみると、「社会学」はだいぶ氏のお気に召したらしいが、われわれの課題は階級の「社会科学的解明」ではないのか。俗流「政治経済学」の破産を「社会学的説明」で救うことはできないであろう。

＊1　宇野弘蔵『「資本論」と社会主義』（岩波書店、一九五八年）、一八〇、一九一、一九三頁。
＊2　このような試みの一つとして、われわれは、岩田弘「現代社会主義と国家」（『マルクス経済学』下巻、盛田書店、一九六九年）をあげることができる。以下岩田論文と略すが、拙稿はこの岩田論文に負うところが大きい。
＊3　『マルクス・エンゲルス全集』第一九巻（大月書店、一九六九年）、二九頁、山辺健太郎訳。
＊4　『レーニン全集』第二五巻（大月書店、一九五九年）、四九七頁。
＊5　『レーニン全集』第三〇巻、九四頁。
＊6　『レーニン全集』第二九巻、三九一～三九二頁。
＊7　『マルクス・エンゲルス全集』第一九巻、一九～二一頁。
＊8　同上、一八～一九頁。
＊9　同上、二〇～二一頁。
＊10　同上、二一頁。
＊11　同上、二一～二二頁。
＊12　同上、一九頁。
＊13　マルクスの不十分さについては岩田論文によっている。なお、岩田氏の所説に対して次の疑問を提起しておきたい。岩田氏は「共産主義社会の第1段階とその終局段階との区別」を「能力に応じて働き必要に応じてうけとるという共同社会の一般原則が、各人にたいするなんらかの強制をともなっているか、それとも各人の慣習――社会的自然――にまで高まっているか」に求めている（岩田論文、二九六頁）。

この岩田説はレーニンの見解、すなわち「共同生活の根本的な規則をまもる習慣、暴力がなくても、強制がなくても、隷属関係がなくても、国家と呼ばれる特殊な強制機関がなくても、これらの規則をまもる習慣を、徐々にもつようになるであろう」、「人間のあらゆる共同生活の簡単で基本的な規則をまもる必要は、きわめて急速に習慣となるであろう」(『レーニン全集』第二五巻、五〇〇、五一三頁)によっているものと思われるが、「強制」、「習慣」というのは「意識」にかかわる問題であり、必ずしも明確な概念とはいえない。われわれは「ユートピアを考えだしたり、知ることのできないことにむだな推測をめぐらしたり」してはならず、「この問題には科学的にこたえるほかはない」(『レーニン全集』第二五巻、四九五~四九六頁)のではなかろうか。

＊14　岩田論文、二九八頁。念のために記しておけば、ここで岩田氏のいう「なお残存するブルジョア的側面」、「新たな共同体的・共産主義的側面」をわれわれはそれぞれ「個体性あるいは個別性」、「共同性」という概念でとらえたいのである。なお、(1)のところで岩田氏は過渡期社会が「たえず安定的に再生産されるような特定の内容をもたない」(岩田論文、二九六頁)と強調している。たしかに過渡期社会はブルジョア社会と違って価値法則のような単一の原理をもたない。しかし、このブルジョア社会は恐慌や戦争のような〈不安定さ〉を避けられないのである。ブルジョア社会と比べれば、過渡期社会は原理的には〈より安定的〉だといっていいのであり、現実の過渡期社会がどれほど安定的な再生産を行なっているかは、まさに前衛党の政策にかかっているといえよう。この点にこそ前衛党の存在理由が求められなければなるまい。

＊15　『レーニン全集』第二五巻、五〇五頁。

＊16　同上、五〇九頁。

＊17　同上、五一二、五一一頁。

＊18　同上、五〇八、五〇七、五一三頁。

＊19　以上のレーニン評価は、岩田論文、三〇一〜三〇二頁によっている。われわれは岩田氏のこの見解はきわめて重要な指摘だと考える。レーニンの場合、そのプロレタリア独裁論は、プロレタリア権力をいかに防衛するかという観点が強く、どちらかといえば消極的なものとして観念されていたように思われる。しかし、権力の防衛はそもそも出発点にすぎず、より重要なのはこの権力を武器として、いかに革命と建設を進めていくかであろう。レーニンのこの欠点をスターリンが拡大再生産したとき、ソ連社会主義の低迷が始まったといえよう。毛沢東の「思いきって大衆を立ち上がらせる」（放手発動群衆）政策路線に基づいて中国社会主義が前進しつつある現実とソ連社会主義の低迷は対蹠的な姿を示しているが、その一因はレーニンのプロ独論にあったといえるのではないだろうか。

＊20　『レーニン全集』第二五巻、五〇五頁。

＊21　岩田論文、三〇六頁。以上の特徴づけは、基本的に岩田氏の与えたものであるが、岩田論文の引用の形をとらなかったのは、次の点で問題が残ると考えたからである。第1は、前衛党の「一枚岩体制」の問題である。ソ連共産党なり中国共産党に関するかぎり岩田氏の規定は有効であろうが、現代帝国主義国の社会主義革命を想定する場合、はたして十分であろうか。第2は「革命的前進」「反動的後退」のくりかえしという規定である。この規定は一九五〇〜六〇年代の中国、一九二〇年代のソ連などを説明するにはきわめて有効だと思われるが、はたして過渡期社会の一般的規定としてよいであろうか？　われわれには岩田氏の所説が特定の（中国の）社会主義をあまりにも一般化しすぎているように思われる。岩田論文の表題は「現代社会主義と国家」であり、まさに「現代社会主義」を検討の対象としたことは理解できるが、「現代社会主義」とは、依然過渡期社会のいわば「初期段階」にあるとみてよいのであって、この現実からただちに社会主義一般についての結論的イメージを構成してはならないであろう。「初期段階」という意味では共通性をもっているとし

ても後進帝国主義国家ロシアと（半）植民地国中国のそれと、現代帝国主義のそれとは違った様相を示すのではないか。

＊22　なお、ここで長砂実氏の所説（「『社会主義社会』の古典と現代」、『経済評論』一九六六年十一月号）にふれておきたい。

氏はまずマルクスが『ゴータ綱領批判』のなかで述べたのは「社会主義への過渡期」Aか「共産主義への過渡期」Bかと問い、Aだという。第1の理由は、「資本主義社会と共産主義社会との間の過渡期」という命題と、共産主義社会の二つの発展段階（第1段階つまり社会主義と真の共産主義）という命題は「統一的に理解すべきである」からだという。「統一的に理解」すれば、論理的にはA、B双方とも可能である。なぜ「具体的にはAにほかならない、ということになる」のか氏はなんら具体的に説明してはいないのである。第2の理由として、レーニンを引用し、レーニンは2種類の「過渡期」（社会主義への、共産主義への）を考えていたのではなく、レーニンもまたAだと主張するのであるが、ここでもまた氏は「くわしく検討すれば誰の目にもあきらかなように」というばかりで、「くわしい検討」の内容を示していないため、「誰の目にもあきらか」にはならないのである。

このように証明になりえていない証明をしたあとで「あらゆる点からみて」Aだと強弁する。そのうえ「現実の歴史によってもその基本的な正しさは検証されている」と強調するのだが、氏の「現実の歴史」とはソ連・東欧のみであり、中国を排除している。以上要するにドグマの積み重ねにすぎない、といわねばならない。

氏は次に「社会主義」の「基本的矛盾」は「共産主義的諸要素」と「資本主義社会の母斑」との間に存在するから、「社会主義への過渡期」における「ウクラッドとしての資本主義、資本主義を自然成長的に生みだす小商品生産、およびそれらの存在に規定された諸現象」とは「カテゴリー的に区別される」と強調して、前者が「非敵対的な性格」、後者が「敵対的な性格」だというが、「敵対的」「非敵対的」という概念はもともと厳密な概念ではない。氏はむしろ「ウクラッドとしての資本主義、資本主義を自然成長的に生みだす小商品生産」なるものを科学的に検討しなければならないのである。

氏は次に「旧社会の母斑」と「ブルジョア的権利」を論じ、労働に応じた分配は「ブルジョア的権利」ではあっても「母斑」ではないなどという。氏によれば「ブルジョア的権利」は「母斑」と共産主義「それ自身の土台」との「矛盾的統一物」であり、「社会主義的本性」をもつ。つまり「ブルジョア的権利」のなかに「新しい諸要素」なるものを発見するのである。一転して、「ブルジョア的権利」の実現は、「母斑」の温存の上に行なわれてはならない、などとムリな注文を出す。

このように氏の所説はドグマと論理的混乱で一貫している、といっていい。氏の基本的欠陥は、社会主義社会の「基本的特徴」として、「生産手段の社会的所有」と「労働に応じた分配原則の実現」をあげることに示されているように、俗流的見解のワク内にとどまっていることにあり、「社会主義社会」の「完成」なるものを想定していることにある。「社会主義社会」の「完成」なるものがありえない以上、過渡期は真の共産主義社会までと考えるほかないのである。氏にとってもソ連社会主義の否定的現実を無視しえないという事実は、「一般的な問題提起として」もソ連社会主義の「命題」が承認さるべきかどうか、反省を迫っているといえよう。「経済改革の基本的路線」だけが問題なのではなく、真の問題はむしろそれ以前にあるというべきだろう。

＊23　なお、ここで中島嶺雄氏の所説に若干ふれておきたい。中島氏は「総路線提案」の第18項におけるレーニンの引用についていう。

――しかも、驚くべきことに、中国共産党がソ連社会批判の最大の典拠とする『国家と革命』の先の個所は、たとえば「総路線書簡」においては、「『階級の独裁は、一般の階級社会だけに必要なのではなく、またブルジョアジーをうちたおしたプロレタリアートだけに必要なのではなく、さらに資本主義から『無階級社会』へ移行し、共産主義へ移行する全歴史的時期にも必要である」（二重線は引用元）として引用されている。これは、『レーニン全集』第二五巻の中国語版をそのまま当てはめたものであるが、この中国語版『レーニン全集』は、「資本主義と『無階級社会』共産主義とをへだてる歴史的時期全体」（大月書店版『全集』。岩波文庫版では「資本主義を『階級なき社会』から、すなわち共産主義からへだてる歴史的時期全体」）という場合の「へだてる（отделять）」を「移行する（過渡到）」と訳しているのである。この重大な誤訳が意識的にか無意識的にかは知る由もないが、こうして、中国的観点は自己の論理を貫徹させているのである」（中島嶺雄『現代中国論』青木書店、一九六四年、二三三〜二三四頁）と。

「総路線提案」におけるレーニンの引用は次のとおりである。〝一個階級専政、不僅一般階級社会需要、不僅推翻資産階級的無産階級需要、而且、従資本主義過渡到〝無階級社会〟、過渡到共産主義的整個歴史時期都需要、只有了解這一点的人、才算領会了馬克思国家学説的実質。〟（『紅旗』一九六三年第一二期）。

レーニンの原文は次のとおり。

Сущпость учепия Маркса о государстве усвоена только тем, кто понял, что диктатура одного класса является необходимой не только для всякого классового общества вообще, не только для пролемарцама, свергнувшего буржуазию, но и для целого исморического периода, отделяющего капитализм от «общества без классов», от коммупизма. В. И. Ленин, Полное содрание сочинений, изд. 5, Том 33, стр. 34.

これら二つの文章を読み比べれば明らかなように、レーニンの中国訳は、「отделять」を「過渡」と訳したのではない。二つの文章は、「文の構造」が異なるのであって、「отделять」を「過渡」（中島氏は「過渡到」としているが「到」が「従」に関係することは初歩の文法で明らかなことである）

と訳したのではない。これを「重大な誤訳」とキメつけるのはオーバーであり、中島氏の語学力を疑わせるにすぎない。とはいえ、この中国訳が原文に忠実であるとは必ずしもいえない。『列寧選集』第3巻(北京人民出版社、一九六五年)が、後にこの個所を次のように改訳したが、この改訳のほうがベターであろう。「一個階級的専政、不僅対一般階級社会是必要的、不僅対推翻了資産階級的無産階級是必要的、而且、対介於資本主義和〝無階級社会〟即共産主義之間的整整一個歴史的時期都是必要的、只有了解這一点的人、才算領会了馬克思国家学説的実質」(一九二頁)

しかし、いずれにせよ、この訳のニュアンスと中国の過渡期論とは関係ないのであり、「論理」の問題である。

われわれが「驚くべきこと」は、むしろ中島氏の次の主張である。「このような条件の創出(中島氏の用語によれば「共産主義の技術的・物質的基礎」――矢吹)は、すでに生産手段の社会主義的所有が全一的に支配しているソ連社会においては、物質的関心の課題と労働に応ずる分配の原則の可能なかぎりの拡大を志向するなかで漸進的に達成される」(二一八~二一九頁、傍点は矢吹)。中島氏はいったい『ゴータ綱領批判』をどう読んだのであろうか?

＊24　呉璉論文はむろん突如現われたわけではなく、一九四九年以降の(とりわけ人民公社の)経験のいちおうの総括とみてよいが、ここでは呉璉論文より古くさかのぼることはしない。四九年前後から文革までの「過渡期階級闘争論」の展開を跡づけたものとしては、さしあたり、福島正夫「過渡期階級闘争の理論――プロレタリア文化大革命と関連して」(『東大東洋文化研究所紀要』第45冊、一九六八年三月)を参照。

＊25　呉璉論文、四七頁。「資産階級法権的残余」を山下竜三氏は「ブルジョア的権利の名残り」と訳し(『経済評論』一九六一年四月号、一五〇頁、以下「山下訳」と略す)、山内一男氏は「ブルジョア的権利の残存物」(「社会主義経済発展の法則的理解について」、『経済志林』第三〇巻、第一号、

一九六二年一月、九頁、以下「山内論文」と略す）と訳している。

この訳語に基づいて、岡稔氏はいう。「たとえば山内一男氏は労働に応じた分配を「社会主義社会における旧社会の残存物」と規定したが、旧社会に存在しなかったものが新社会に残存するということはありえないから、「旧社会の名残り」という呉建のあいまいな規定に比べると一段階上昇と解しうる」（「労働に応じた分配とブルジョア的権利――マルクス・エンゲルス・レーニンの社会主義観」、『思想』一九六七年五月号、一四八頁、傍点は岡氏）と。

岡氏はここで山下訳によっているのであるが、不十分な訳語（訳語の違い）をとらえて「あいまいな規定」と呼ぶのはいかがなものであろうか。次の注でふれるように呉建の用語は必ずしも「あいまい」ではない。なお、「旧社会に存在しなかったものが新社会に残存するということはありえない」という主張の批判は、＊38で行なう。なお、山田慶児氏は「ブルジョア法権の残滓」と表現している（『未来への問い』筑摩書房、一九六八年、一一六頁）。

＊26　山下訳ではこの個所が「完全な、そして成熟した共産主義社会ではなくて」となっているが、誤訳であろう（山下訳、一四九頁）。福島裕氏はこの誤訳をそのまま引用している（福島裕『人民公社』勁草書房、一九六七年、二八三頁）。

また「旧社会残跡」を山内氏は「旧社会の残存物」（山内論文、八頁）、山下氏は「旧社会の名残り」（山下訳、一四九頁）と訳している。「名残り」は「惜しむべきもの」であり適当な訳語とはいえないと思う。山内氏は英語、ロシア語の場合は原語を付して正確を期しているのに、なぜ中国語についてはそれをやらないのであろうか。福島裕氏は前掲書において「旧社会の残滓」、「ブルジョア的権利の残滓」としており（二八三頁）、このかぎりでは承認できるが、氏は別の個所（二二九頁）においては「旧社会の名残り」といっており、用語の使い方はあいまいである。

なお、ここで呉建の用語の使い方を検討しておきたい。呉建は「痕跡」A、「残余」B、「残跡」

Cを区別して使っているように思われる。Aは日本語の「母斑」に対応する中国語である（『馬克思恩格斯全集』第一九巻、北京人民出版社、一九六五年、二四四頁）。Aには「放っておけば自然に消え去る」というニュアンスがある。Bは「残り」、「残存しているもの」、「残りかす」の意だが、「放っておいたのでは自然には消えない」というニュアンスが感じられる。Cは（A＋B）または（A or B）であり、呉璉の造語かもしれない。A、B両者を一括していうとき、あるいはA、Bのニュアンスのいずれか判定しにくいときに使っているように考えられる。そこでわたくしはAを「母斑」、B、Cをともに「残滓」と訳しておく。わたくしの訳語ではB、Cの差が現われないが、要は「積極的に消さねばならぬ」という点で共通していることを確認することであろう。呉璉論文四五頁に「社会主義生産関係中還保留着資産階級法権残余這個旧社会的痕跡」とあるが、これは「ブルジョア的権利の残滓」をまず「消すべきもの」ととらえ、続いてそれがけっきょくは「消えさるもの」ととらえなおしているのであろう。

菅沼正久氏もまたコトバに無神経らしく、「母斑や痕跡」、「母斑と痕跡」と書きまくるので、山内一男氏の「旧社会の残存物」とマルクスの「旧社会の母斑」との区別がつかなくなる（「社会主義の生産関係とブルジョア的権利」、『思想』一九六七年八月号、七二頁）。菅沼氏の論文には登場しないが、レーニンは **отпечаток**（母斑）、**традиций или следов**（伝統あるいは痕跡）のほかに、**остатки**（残存物）という用語を区別して使っているのである（**Там же, стр. 92, 98, 99**）。なお、菅沼氏は別の論文（「社会主義社会の過渡的性格――プロレタリア文化大革命論序説」、『東大東洋文化研究所紀要』第45冊、一九六八年三月）では「旧社会の名残り」「ブルジョア的権利の残余」といった表現を使っている。

＊27　労働に応ずる分配が社会主義的なものであり、ブルジョア的権利ではないとする説は「上海社聯六次座談資産階級法権問題綜述」（『学術月刊』一九五八年第一二期）で展開されているという。

呉璉論文、四七頁の注1による。

また、烏家培「略論物質利益原則的性質」（『経済研究』一九五九年第八期）は、社会主義建設期には「物質利益原則」を十分利用し、おおいに発展させるよう主張している。

＊28　呉璉論文四七頁、この個所を山内一男氏は「相当長期にわたって凝固した独立の社会形態である」（山内論文、8頁）と訳し、山下竜三氏は「かなり長期にわたって凝固した、独立した社会経済的構成（社会構成体）」（山下訳、一五〇頁）と訳しているがこれらの訳では「要……凝固下来……」のニュアンスが伝わらないのではなかろうか。

＊29　呉璉論文四八頁。

＊30　呉璉論文五五頁。

＊31　呉璉論文五七頁。

＊32　呉璉論文五六頁。

＊33　呉璉論文五四頁。

＊34　『経済評論』一九六一年四月号の特集テーマ名。

＊35　たとえば呉璉論文四四頁の注のなかで次のように述べている。「生産関係の3側面がもつ旧社会の残滓は、その程度が同じではない。生産手段の所有制の面には、この残滓が最も少なく残っている」と。呉璉はわれわれが、すでに検討したレーニンの所説（五六頁参照）によってこういうのだが、この考え方には疑問が残る。

このような考え方はわが国の論者にも少なくない。たとえば藤村俊郎氏はいう。「生産手段所有制の変革が階級消滅のために第一義的に必要とされる重要な措置であることは、もちろんことわるまでもない。諸階級の存立の基盤である生産関係の基盤はこの所有制によってかたちづくられるからである。だが、同時にわれわれは生産手段の所有制は本来的な意味での生産関係のすべてではなく、その一つの側面であるということを想起する必要があろう。周知のように、生産関係とは、⑴生産手段の所有制、⑵社会的生産と労働のなかでの人と人との関係（支配・被支配の関係か、それとも平等な相互協力の関係か）、⑶分配の方法とその大きさ、の三つの側面の統一としてなりたっているものである。生産手段の所有制はこのようなものとしての生産関係の基礎をなすものであるが、決してそのすべてではない。生産手段の私有制が変革されて、名目的に共有制が成立しても、もし共有制の名にふさわしい真に平等で相互協力的な〈人と人との関係〉と〈分配関係〉がそれをうらうちしなければ、生産関係全体の社会主義的変革はまだ完了していないといわなければならないし、生産関係の総和としての社会の経済的土台、すなわち下部構造の社会主義革命もやはりまだ完了したとはいえないのである」（藤村俊郎『中国社会主義革命』亜紀書房、一九六八年、三〇頁、傍点藤村氏）。

生産関係と分配関係とを切り離してはならない、というのがマルクスの主張であったことはあらためて指摘するまでもない。つまり「賃労働の形態にある労働」と「資本の形態にある生産手段」との関係（資本・賃労働関係）こそ資本主義的生産関係であり、分配関係はこれに基礎づけられているというのがマルクスの主張であった。さて、生産手段を「資本の形態」でなくすことは、同時に労働が「賃労働の形態」でなくなることを意味する。両者は切り離せないのであって、まず前者を実現してから後者を（藤村氏のことばでいえば「名目的共有制」→真の共有制）といった関係にはない。逆にいえば、後者が実現して初めて前者が実現したといえるのであって、ことがらの本質は生産手段の所有関係と分配関係についても同様である。とすれば、「名目的共有制の成立」なるものは原理的にはありえない。藤村氏が、生産手段の所有制の変革（実はその内容こそ問題である――矢吹）と階級の消滅を等置したスターリン、そしてそれを継承した劉少奇路線を批判的に検討している点はいちおう理解できるが、氏の批評もまた、「所有制の変革」と「人と人との関係」・「分配関係」との分離を前提しているのであって、不十分な批評であるといわねばならない。問題の焦点は、おそらく農業の社会主義的改造にある。ソ連にせよ中国にせよ、一方は遅れた帝国主義国であったため、他方は（半）植民地国であったため、資本主義としては解決できぬものとして農業・農民問題を残さざるをえなかった。問題がここにあるとすれば、われわれの課題は所有制の変革一般ではなく農業における生産手段の所有制の問題としてとらえなおさなければならないことになる。工業において工場労働者が生産手段から自由であるのと違って小所有者である農民を、農業における生産手段の所有制を社会主義的に改造する課題はごく大まかにいっても1世代（二〇～三〇年）程度はかかるものとみなければならない。マルクスの原理の直接的適用によっては十分解明できないことは、ソ連や中国の現実が示しているとおりだが、この現実に合わせて生産関係＝分配関係という原理的規定を修正するのが藤村氏の主張であり、われわれはこれに反対する。われわれの理解によれば、中国やソ連における「名目的共有制」と呼ばれる現象は、マルクスの原理に照らして過渡期社会の「初期段階」の農業問題として解明すべきであって、マルクスの原理を修正する（あるいは発展させる）ことによって説明すべきではない。要するに原理の直接的適用ですむとするのが第1の問題であり、原理の修正が第2の問題である。簡単に修正できるようなものをわれわれは原理と考えることはできない。このような原理の拡大解釈が氏の「過渡期階級闘争論」の根拠になっていると思われるのであえて指摘しておきたい。先に検討したレーニンの見解は、革命家レーニンの「実践のためのプログラム」として読むべきであり、理論の発展として一般化することはできない。この視角からこそ、逆に実践家としてのレーニンの偉大さが浮かびあがってくるのではないか。

＊36　陶鋳論文は、国際事情研究会『中ソ事情』一九六〇年九月二十八日号に翻訳された。この翻訳も表題が「過渡期の法則の問題にかんする討論」と訳されていることからもうかがわれるように、いい訳とはいえない。わたくしならこの表題は「過渡期の法則に関する問題の検討」と訳す。

＊37　『社会主義教育運動重要資料集』（中国研究所、一九六七年十一月）、二二一〜二二三頁。

＊38　副島種典氏の所説（「ふたたび社会主義の過渡的性格について」、『思想』一九六七年十一月号）は岡稔・菅沼正久両氏に対する批判に関するかぎり正鵠を射ているといっていい。たとえば、⑴「労働に応ずる分配」とは「労働の量と質」に応じてではなく、「労働の量」に応じてであるという主張、⑵資本主義社会においてさえ、労働者は労働に応じて支払われるという主張（以上、岡説批判）、⑶一一八〜一一九頁における菅沼説批判（社会主義社会のブルジョア的制限性を強調しすぎている点）、など。しかし、副島説によっては社会主義社会において「労働に応じて分配される」部分はなにか（それは剰余生産物から「生産を拡張するための追加部分」をさし引いた残りの部分にすぎない――矢吹）が明らかにされていないため、社会主義社会で「つくりだされる新しい関係」として、「各人は能力に応じて働き」という条件しか指摘できない。

要するに、氏もまた「労働に応ずる分配」＝社会主義、「必要に応ずる分配」＝共産主義といった通俗的理解を克服しえていないのである。社会主義社会において「労働に応じて分配」するのは何かが明らかになれば（それ以外の部分はすでに必要に応じて分配しているわけであるから）、社会主義社会と共産主義社会の違いを「能力に応じて働き労働に応じて受けとる」のか、「能力に応じて働き必要に応じて受けとる」のか、という点に求めるだけでは不十分なことが明らかになるのである。くりかえしになるが、社会主義社会と共産主義社会との区別は、前者においては部分的にしか実現していない「必要に応ずる分配」を、後者においては全面的に実現する点にあるとしなければならない。また岡氏の「労働に応ずる分配」は社会主義のもとで生まれる新しい関係だから「残存」するものではないという主張に対しては、それがブルジョア社会から引き継がれた〈個体性あるいは個別性〉にすぎないことを指摘すれば十分なのであって、必要労働部分に関するかぎり労働に応じて分配することが、すべての社会の絶対的存続条件であるという事実（これはむろん全く正しい指摘だが）を対置するだけでは説得力を欠くであろう。この意味で副島氏の岡説批判はまだ不十分だといわなければならない。以上が副島氏に対する第1の批判である。

第2の、より重要な批判は理論と実践の関係をどうとらえるか、である。副島氏は、中国の過渡期理論（氏自身文革まではそれを基本的に支持していたのであるが）の問題点を文革という巨大な実践と無媒介に結びつける結果、文革の意義を理解しえず、「フルシチョフ修正主義者の一味」と「毛沢東思想無条件信奉者」との間で動揺している。われわれの理解によれば、文革はたしかに「過渡期階級闘争理論」を武器として展開されたにはちがいないが、現実の文革あるいは文革の実質的内容は、後に「闘私批修」を論ずる際にふれるように、この理論の難点を事実上すでに越えているといってよいのであって、理論的難点を基準として内容豊かな文革を中傷するのは、「プロクルテスのベッド」式のナンセンスであり、これが「マルクス・レーニン主義の擁護」であるとは、氏のことばでいえばまことに「いい気なものである」。

＊39 『国際共産主義運動の総路線についての提案』（北京・外文出版社、一九六五年）、四八〇～四八五頁。

＊40 拙稿「過渡期の中国とプロレタリア民主主義——大躍進・文化大革命に関する試論」（『アジア経済』一九六八年十二月号）。

＊41 林彪「在中国共産党第9次全国代表大会上的報告」（『紅旗』一九六九年第五期）、一四頁。

＊42 同上、二五頁。

＊43 同上、一四頁。『北京周報』（一九六九年四月三十日）によれば、この訳は次のとおり。「これまで、われわれは農村での闘争、工場での闘争、文化界での闘争をおこない、社会主義教育運動を進めてきたが、しかし、問題を解決することができなかった。なぜなら、公然と、全面的に、下から上へと広範な大衆をたち上がらせて、われわれの暗い面をあばきだすようなひとつの形態、ひと

つの方式を見つけだせなかったからである」(二二頁)。
＊44　「中国共産党中央委員会関於無産階級文化大革命的決定」、一九六六年八月八日(いわゆる「16カ条の決定」)(『紅旗』一九六六年第一〇期)、2頁「〝敢〟字当頭、放手発動群衆」。
＊45　文革に関する二つの規定のうち、一般に後者の規定がとかく軽視されがちであるが、延安における整風運動が一面では生産運動であり、一面では王明路線との闘争であったごとく、また土地改革が同時に大規模な整党運動でもあったように、革命的な大衆運動のなかで整党を行なうのが中共の伝統的な「作風」であることだけは指摘しておきたい。
＊46　『紅旗』一九六九年第五期、一四頁。
＊47　前掲拙稿。
＊48　「三自一包」とは、自留地を多く残し、自由市場を多く設け、損益とも自ら責任を負う企業を多く作り、農業生産の任務を1戸ごとに請負わせること。「四大自由」とは、高利貸しの自由、雇用の自由、土地売買の自由、経営の自由。
＊49　従来の「闘私批修」理解に対してわれわれの抱く不満は、このスローガンをもっぱら道徳的・倫理的にしかとらえず、過渡期社会の本質的規定＝歴史的内容との関係を明確にとらえていないことである。その一因は「私心」という訳語に引きずられたからではなかろうか。なお、このスローガンについては拙稿「「闘私批修」について」(『中国の文化と社会』第2巻第7号、一九六九年七月)を参照。

(初出：「過渡期社会論序説——中国における理論と実践」『アジア経済』一九六九年一二月号、二一〜二六頁)

継続革命と毛沢東思想——上海コミューンの意味するもの

毛沢東路線を具現化するものと思われた上海コミューン（人民公社）、省無聯（湖南省プロレタリア階級革命派連合指揮部）の挫折は、文革を支持していた日本の知識人また新左翼活動家に大きな衝撃を与えた。とりわけ文革の理念ともいうべきパリ・コミューンの原則を実現しようとした上海コミューンに、毛はなぜ反対したのか。紅衛兵の造反、それを抑圧する上海市党委員会との闘いに始まって上海コミューン成立大会の開催に至るも、それから一か月たらず、毛沢東の指示を受けて、解放軍、旧幹部を含めた革命委員会に改組された経緯を追い、疑問に答えんとする。

一　中国はどこへいくか

七〇年安保闘争に挫折した新左翼活動家の心に深くしみとおった紅衛兵の呼びかけがひとつある。「中国はどこへいくか」と題する「省無連」なる紅衛兵組織のアピールがそれである。活動家たちは自らの挫折に重ねあわせて上海コミューンの挫折を見たようであった。「なぜコミューンを極力主張しながら、毛沢東同志は一月に突然、上海コミューン〔上海人民公社〕の樹立に反対したのだろうか。これは革命人民に理解できないことである」というアピールのことばは、そのまま日本の活動家たちの疑問でもあった。この疑問に答えること――それが本稿の目的である。資料に限界があるうえ、私の能力にはもっと大きな限界があるが、中国研究者のはしくれとして、いま可能な限りでいちおうの答えを用意しなければならない、というのが私なりの義務感である。むろん、本稿は大いなる上海コミューンへの小さな、小さな一歩にすぎない。

活動家たちはしばしばアピールの次の個所を引用して私の答えを求めた。曰く――

「一月革命の風暴は短期間内に官僚たちの手から、熱情澎湃たる労働者階級の手に権力を移した。社会は突如として、官僚がなくても自分が生きていけないわけではないばかりか、むしろずっとよく生きていけ、ずっと自由に、ずっと早く発展できることを発見した。官僚たちが革命前に、「おれたちがいなければ生産は崩壊し、社会は収拾できないほどめちゃめちゃに混乱する」と労働者を威嚇したようにはならなかった。実際上、官僚と官僚機構がなくなり、生産力は大きく解放されたのである。石炭工業部がつぶれても、石炭は平常どおり出たし、鉄道部がつぶれても、輸送は平常どおり進行し、省委員会の各部がつぶれても、各種の工作は平常どおり進行した。しかも労働者階級の生産の熱情と主体性は、大々的に解放された。労働者たちが一月以降、自分で工場を管理した光景は、人を感動させるものがある。労働者は、はじめて、「国家がおれたちを管理するのではなく、おれたちが国家を管理するのだ」と感じた。はじめて、自分のために生産するのだと感じた。意気ごみが従来これほど高まったことはなく、主人公としての責任感が、従来これほど強まったこともない。長沙紡績工場などでは、造反班など無数の新しいものを創造した。これが一月革命における階級的変動の真実の内容である」(竹内実編『文化大革命』〔ドキュメント現代史16〕平凡社、三四五〜三四六頁)。

ここに書かれた内容がもし現実を写したものであるとしたら、まことに感動的な出来事であり、人類史に輝かしい一頁を記したことになる。だが、不幸にして、これはどうやらマルクスにひきつけて理念を語ったという側面が強かったのではないか、と私はみる。とはいえ、私はここで、描かれた内容がすべてマルクスの口まねにすぎぬ、などというのではない。労働者が平常どおり石炭を掘り、物資を輸送し、「おれたちが国家を管理する」意気込みで、主体性を発揮した、というのはおそらく部分的には真実であったにちがいない。しかし、主体的・組織的管理ができたのはどの範囲まであったのか、この管理をさらに発展させていく展望をはたしてもちあわせていたのか、という点になると、答えは否定的である。もう一つつけ加えておけば、部分的・一時的にしか労働者による管理を実行できなかったにしても、それはなお、人類史の進歩への一つの経験として大きな意義をもっていることを否定するわけにはいかないということだ。それが、コミューンの甘さと比べていかに苦いものであるとしても、労働者階級にとっては一歩前進だとみておかなければならない。

まずは上海労働者階級の歩みとコミューン論の流れを追うことから始めよう。

二　一九二七年、四九年、六七年

「一九二六年秋、〔中略〕上海労働者は、十一月二十三日、第一次の政治的ゼネラル・ストライキを試み、次いで一九二七年二月十九日、即ち北伐軍が杭州を占領した翌日、戒厳令下に第二次のゼネラル・ストライキを演じた。このストライキはその第一日には一五万、第二日には二七万五〇〇〇、第三日には三〇万を突破し、第四日には三六万に達した。罷業とともに白色テロルが行われ、労働者は陸続捕われ、殴られ傷ついた。二十一日夜には労働者は革命的武装奪取を開始し、積極的に警察や歩哨線を攻撃した。二十二日には上海市民臨時革命委員会を組織し、中国労働者の直接政権参加の記録を作った」（鈴江言一『中国革命の階級対立2』平凡社東洋文庫、一二八頁）。

最近、阪谷芳直によって校訂され、伏字を起こして出版された鈴江言一の名著（原本は昭和五年刊）は、一九二七年の上海コミューンについてこう書いている。「臨時革命委員会」を組織し、「中国労働者の直接政権参加の記録を作った」上海コミューンが、四月一二日蔣介石の反共クーデターによって鎮圧され、中国革命はその後都市革命ではなく農村革命として展開されたことは、よく知られている。

その後上海は、白色テロルのもとにあること二十余年、再び解放されたのは一九四九年五月のことであった。同月末には総工会が再組織され解放後第一回の大会を開くが、これはいわば「上からの」組織化という色彩を強くもつものであった。中国の農村革命が貧農・雇農による地主の土地の没収という形で、「下から」徹底的に行なわれたのに対し、都市の解放が「上から」行なわれざるをえなかったのは、決して偶然ではない。都市の解放がこうした形にならざるをえなかったのは、むろん客観的条件に規定されてのことである。このばあい、半植民地社会の、とりわけ都市における権力構造の分析、およびその社会における労働者階級の存在形態の分析が必要だが、いまそれに立ち入る用意はない。

ここでは、上海の労働者が、ペトログラードの労働者（軍隊の反乱を含む）とはちがって、労働者の組織力によって奪権したのではなく、奪権後にようやく組合（＝総工会）を組織できた事実を指摘しておけばよい。以上は解放あるいは奪権の特徴であるが、解放後の労働者に課せられた任務は、解放の美酒に酔うことを許さないほど重くかつきびしいものであった。

帝国主義の包囲のもとでの急速な工業化という至上命令のために、国有化された企業でさえ旧来の企業管理制度は、生産力の水準を落さないという限度内でしか変革しえなかったし、労働者数の約八割は、中国革命の対象ではなく同盟者と規定された民族ブルジョアジー企業で働いていた。後者に対する「社会主義的改造」がいちおう終えたのは一九五六年のことであった（以上の点について詳しくは、小林弘二『中国革命と都市の解放』有斐閣、一九七四年刊を参照）。

民族ブルジョアジーを統一戦線の一翼に加えるほかなかったこと、官僚ブルジョアジーのもとでの労働者階級の未成熟といった事情は、いずれも半植民地経済に起因するものであるが、解放後の第一次五ヶ年計画期に導入されたソ連式工業化モデルは、労働者に対してもう一つの困難をもたらした。

それは社会主義建設のさまざまの側面にかかわるが、その核心はソ連式モデルのもとで、はたして労働者は生産の主人公であり、企業管理を自ら主体的に行なうことができるのかどうかであったといってよい。スターリン指導下のソ連「社会主義」建設の理論的総括ともいうべきソ連『経済学教科書』を、後に（一九六〇年頃）毛沢東はきびしく批判してこう書いた。

「〔教科書は〕労働者の享受する各種の権利を語るとき、労働者が国家を管理し・各種企業を管理し・文化教育を管理する権利について語っていない。実はこれが社会主義制度下の労働者の最大の権利であり、最も根本的な権利である。この権利なくして、労働する権利・教育を受ける権利・休息の権利などありえない。〔中略〕人民内部にも各派・党派性があり、すべての機関・すべての企業がある派の手に握られるならば、人民の権利を保証する問題に大きな関係がある。マルクス・レーニン主義者の手に握られるならば、大多数の人民の権利は保証されるし、右翼日和見主義分子あるいは右派の手に握られるならば、これらの機関・企業は変質し、人民のこれらの機関・企業に対する権利は保証しえない。要するに、人民は上部構造を管理する権利をもたねばならず、われわれは人民の権利の問題をつぎのように解してはならない。すなわち、国家は一部の人々が管理し、人民はその管理下で労働し、教育・社会保障などを受ける権利をもつ、と」（拙訳『毛沢東　政治経済学を語る　ソ連《政治経済学》読書ノート』現代評論社、四〇〜四一頁）。

ここで批判された情況は、むろんソ連のそれであるのみならず、ソ連にひたすら学んだ結果もたらされた中国の情況でもあった。

中国革命のエトスがソ連式工業化のもとで解体されつつあった情況のなかで述べた毛沢東の「意見」をもう一つだけ引用しておこう。

「現物支給制をやって、共産主義の生活を送るのは、マルクス主義の作風であり、ブルジョア的作風と対立する。わたしはやはり、農村作風・ゲリラ流がいいとおもう。二十二年〔一九二七~四九年〕の戦争がこれによって勝ったのだから。共産主義を建設するのに、どうしてこれでいけないのか？どうして賃金制が必要なのか？　これはブルジョアジーへの譲歩である。農村作風・ゲリラ流ということでわれわれをけなすと、その結果、個人主義が発展する。〔中略〕ブルジョア的権利の思想をなくせ。たとえば、地位を争い・クラスを争い・超過勤務手当をほしがり、精神労働者の賃金は高く・肉体労働者の賃金は低く、などというのは、みなブルジョア思想の残りカスである。各人はその能力に応じてとる、と法律で決めているが、これはブルジョア的なシロモノだ」（拙編訳『毛沢東　社会主義建設を語る』現代評論社、一一〇頁）。

二つの引用はいずれも社会的再生産における人民大衆の主体性・連帯性にかかわる問題である。主体性・連帯性という要件は、計画性・組織性という、社会主義についてのこれまで一方的に強調されすぎてきた要件とともに社会主義をして社会主義たらしめる根本的条件である。

三　過渡期社会の矛盾と幹部・大衆

まず社会主義社会の原理的構造の認識から、その意味を考えておこう。

馬場宏二の整理にしたがえば（「愛と絶望の経済学」『ＵＰ』一九七五年八月号）、人間が社会関係を構成するしかたには、共同体的関係、権力的関係、商品経済的関係という三種類がある。歴史の発展段階は、この三種類の関係の、比重と組合せを異にしたさまざまの複合体の盛衰である。

三種類の関係において、人はそれぞれ次の三つの原理によって働く。共同体的関係は義によって、権力的関係は鞭によって、商品経済的関係は利によって、である。

資本主義社会は、商品経済的関係を基軸としつつも、他の二要素、すなわち共同体的関係と権力的関係を最後まで排除できない。後二者の比重は資本主義の発展段階に応じて変化してきたが、ここでその点に立ちいる必要はない。ただ、こうした資本主義社会を前提としつつ、その止揚をめざす社会主義社会も、これらの三要素を内に含みつつ、その発展段階に応じて組合せの比重を変化させていくことを押えておけばよい。

社会主義の究極的課題が、共同体的関係の拡大によって、商品経済的関係と権力的関係を排除していく過程であることはいうまでもない。つまり、利や鞭によってではなく、義によって働く人間関係を全社会的に創造していくのである。平等な人間による、共同の意志決定によって生産や分配を組織していくことがこの社会の課題であり、パリ・コミューンの原則とは、この理念を最も直截に掲げたものである。しかし、人民大衆はそれを直ちに全面的に行なうことはできず、人民大衆の意志を集約したものとして党の存在、党の政策を体現したものとしての幹部の存在が現実には不可避である。つまり、党と大衆、幹部と大衆という関係構造を措定することによってしか、大衆の意志を集約し、再生産を続けていくことができなかった、というのがこれまでの人類の歴史的経験である。

この辺で馬場の所説から離れるが、生まれたばかりの現実の社会主義社会は、共同体的要素を基軸としつつも、なお商品経済的要素、権力的要素を多分に残している。後二者を広い意味でのブルジョア的要素としてとらえるとすれば、社会主義社会は、共産主義的＝共同体的要素とブルジョア的要素という相対立する二つの要素によってひきさかれており、安定的に再生産されるような特定の内容をもたない。社会主義社会の過渡的性格はこの点に起因しているとしてよい。そこでは本来の階級社会における階級闘争とは別な意味での、広義の階級闘争がなお続く。この場合、とりわけ注目を要するのは、階級闘争が旧地主・旧ブルジョアジーと農民・労働者との間で行なわれるだけではなく、人民大衆自体が共産主義的要素とブルジョア的要素に浸透されている点である。前者は明確な形をとって現われるが故に解決しやすいのに対し、後者は、広範な人民大衆の内なるブルジョア意識にかかわっているだけに、解決はより困難である。

これらの事情は、党なり幹部に反映せざるをえず、ブルジョア的要素に侵蝕されたものとして「修正主義」が生まれる。党なり幹部は元来、大衆の前提として措定された存在であるが、それが本来の機能を果たしえなくなったとき、残された道は何か。おそらく、大衆による党、幹部の批判以外にはありえない。中国革命の生み出した最大の教訓の一つは、大衆路線という方法であり、従来からしばしば行なわれてきた大衆による党の整風がそれであった。

幹部、党官僚の指導を前提としつつ、それが修正主義に侵された場合は、大衆による整風を行なう——こう定式化してしまうときわめて単純な表現になるが、現実の事態はさほど単純でも容易でもない。まず第一に、大衆にとっては幹部の指導が修正主義であるか否かの判断が困難であるし、かりに大衆の一部がそう判断したとしても、幹部や党官僚は権力をもっており、権力によって大衆を弾圧することが可能である。第二に、大衆はブルジョア的意識に依拠して幹部を批判することもありうるのであって、こうした立場からの批判によって幹部のさしかえを行なうことを承認するとしたら、プロレタリア独裁は崩壊してしまう（ここになお党による独裁をプロレタリア独裁と僭称する危険も存在する）。

さて、社会主義社会の矛盾を以上のごとくとらえるならば、引用にみられる毛沢東の主張の原理的正しさが明らかとなるばかりではなく、その主張を実践する場合の困難性も容易に理解しうる。

四　奪権の論理とコミューン原則の登場

まことに皮肉なことに、毛沢東が上記の発言をした六〇年前後から、大躍進政策の反動期にはいる。大躍進の時期には、農村で人民公社（コミューン）が作られ、都市でも一部で試みられるが、これは実験に終った。大躍進が大いなる挑戦であっただけに、その反動も大きく、調整期にはさまざまの矛盾が噴出する。それは何よりもまず農業生産の危機として現われたために、農村における整風運動に中共中央はとりくまなければならなかった。そして、その運動のなかからこそ「奪権」という考え方が出てきたのであった。

その背景を追ってみると次のごとくである。

一九六二年九月の八期十中全会以来、初めは「四清」運動として、後に「社会主義運動」と呼ばれた運動が行なわれた。

まず一九六三年五月「当面の農村工作のなかの若干の問題についての中共中央の決定」（いわゆる前十条）が出されたが、その前文は毛沢東によって書かれ、後に「人の正しい思想はどこからくるのか」と題して発表された。その四ヶ月後、つまり六三年九月、王光美の「桃園の経験」を材料として修正され「農村の社会主義教育運動における若干の具体的政策についての中共中央の規定」（いわゆる後十条）が出された。

後者は前者の「決定」に対する補充「規定」として出されたものだが、実質的には「形は左で内容は右」だとして後に批判されたことはわれわれの記憶に新しい。両者の矛盾は一九六五年一月の「農村の社会主義教育運動のなかで当面提起されている若干の問題」（いわゆる二十三条）において統一されたが、それは十分な統一とはいえず、情況の認識、運動の進め方をめぐって微妙なズレのあったことは、たとえば「中央工作座談会紀要」（六四年一二月二〇日『毛沢東思想万歳』〈『毛沢東思想万歳』には、紅衛兵編集の甲本・乙本、編者不明の丙本・丁本の四種類の版木がある。甲・乙・丙本は小倉編集企画復刻版（七四年）、丁本は現代評論社復刻版（七四年）が刊行されている〉丁本、邦訳は竹内実編訳『毛沢東　文化大革命を語る』現代評論社、七四年）などを一読しただけで明らかである。

その間の事情、とりわけ工作組のやり方をめぐる論争は、文革の初期にもくり返された問題の一つであるが、ここでは二十三条において運動の重点が「党内の資本主義の道を歩む実権派を整《ただ》すことにある」とされている点をみておけば十分である。

実権派が出てくればもはや文革に直結する。文化大革命の「綱領的文件」といわれた中共中央「プロレタリア文化大革命についての決定」（いわゆる一六条、六六年八月八日）のなかの第三条四項には、「一部の単位は党内にまぎれこんだ資本主義の道を歩む実権派に握られている。〔中略〕それらの実権派をさしかえ〔原語＝撤換〕、その指導権をプロレタリア革命派の手中に奪回すること」が明記されている。しかし、これは四つの情況のなかの一つであり、残りの三つとは、①運動の前面に立つ指導部、②大衆よりもおくれた指導部、③平時の誤りのために、運動をおそれている指導部であった。

文革の理念の具体的イメージとして語られたパリ・コミューンについては、『紅旗』が二つの論文を掲げていた。一つは、鄭之思「パリ・コミューンの偉大な啓示」（六六年三月、第四期）であり、もう一つは、鄭恵明「パリ・コミューンの全面選挙制」（六六年八月、第一一期）であった。

前者がマルクス・エンゲルスのコミューン評価をふまえつつ、修正主義批判の原点としてパリ・コミューンの経験に学ぶよう呼びかけたものであるのに対し、後者はその意義を表題の示すとおり「全面選挙制」にしぼっている。そして①コミューン委員は、人民によって選ばれ、監督され、人民に責任を負うべきこと、②随時さしかえ〔撤換〕できること、③コミューン委員はすべての公務員と同じく労働者なみの賃金を受けとり、特権をもたないこと、などがコミューンの経験として語られている。

さらに、コミューン委員はパリの二〇地区から約二万人に一人の比率で、全部で八六人選ばれたが、その大部分が労働者あるいは労働者階級を代表すると認められていた人々であると説明している。

こうして、六六年の八月までには、「奪権」と「コミューンの原則」とが文革の理念あるいは方針となっていた。

五　調整期における上海実権派

さて六〇年代前半に上海ではいかなる政策が展開され、それがいかなる矛盾を作り出したかを見ておく必要があるが、この問題に直接答えられるような資料は得られない。ここでは、文革期においてそれを「修正主義路線」と批判した、批判者の側から問題の所在を見ていくほかはない。

劉少奇・鄧小平路線の上海における代理人として、陳丕顕（党上海市委第一書記）、曹荻秋（上海市長、党上海市委書記）を批判した『赤衛軍』（赤衛軍上海市大専院校革命委員会主弁、一九六七年四月一四日、第六期）はいう。

「一九六五年、劉少奇がトラストという絶対集中の官僚資本主義をやり、主席〔毛〕の分権による管理、地方の積極性発揮という方針に対抗したとき、陳丕顕は専業公司経理の座談会を司会し、トラストの優越性なるものをもちあげた」。

「一九六一年陳丕顕は盧山会議の工業七十条討議に参加したが、初めは劉、鄧の顔色を伺い、おだやかな意見ばかり報告しようとした。後に主席がきびしい意見を賞讃するらしいと聞き、きびしい意見を選びなおし、結局鄧小平の怒りを買い、後にきびしい意見を書いた人々を責めた。

「一九六五年一〇月、曹狄秋に外地建設支援会議を開かせたとき、上海からの支援を求める奥地の合理的要求をはねつけ、会議後支援の物力を削減した」。

「一九六一年春、陳・曹は市区で副食品の自由市場を開き、六二年自由市場がはびこったときには商業部門に代理店を設けて自由市場の合法化を進めようとして、柯慶施（党華東局第一書記）に反対されたが、手管をろうしてこの政策を進めた」。

「基本建設では、大型・洋法を追求し、ムダをもたらした。柯慶施が病気のとき、青蒲県淀山湖に万人プールを作ろうとして、多くの同志に反対され、とりやめた」。

「教育工作では多くの業余工業大学を半工半読に改め、毛主席の方針をねじまげた」。

「四清工作では、劉少奇の〝桃園経験〟という、形は左だが、実質は右の反動路線をおし進めた。六四年一二月毛主席の二三条が出されたとき、その精神をねじまげた」。

こう見てくると、工業七十条、トラスト、自由市場、四清工作など文革を通じて語られたテーマであり、いずれも目新しい内容ではなく、またこれらの「修正主義路線」の実態も必ずしも明らかではない。これらの記述から毛沢東の盟友柯慶施と陳・曹が対立していたらしいことはうかがえるが、この路線対立が労働者大衆にとっていかなる意味をもっていたのかはよくわからない。

ただ、いわゆる臨時工問題の場合はその被害者がはっきりしている。臨時工・契約工の制度自体は一九五六年馬文瑞労働部長、頼若愚全国総工会主席のソ連視察後、劉少奇の支持のもとで五七年初めから行なわれていたものだ（『労工戦線』一九六八年二月三日付）。これが第三次五ヶ年計画期により広範に行なわれることになっていた。たとえば労働部計画局長王傑によれば、六六年八月に、第三次計画期末（七〇年）までに固定工の三分の一を減らす「労働計画」を彼が提起したという（『労工戦線』）。この労働計画が計画どおり実行されたとしたら労働者の生活に大きな影響を与えたはずだが、現実には、そこまでいかない段階、つまり、第三次五ヶ年計画期の方針をつめる段階ですでに文革となった。

こうして調整期の労働者階級の位置ははなはだ微妙であったように思われる。一方では調整政策に起因する矛盾は激化しつつあったが、この矛盾に対する労働者側の自覚は弱く、わずかに柯慶施ら少数の幹部が危機感を感ずるという情況である。

この奇妙な安定は、毛沢東の呼びかけに答えて紅衛兵が立ちあがるまで続いた。それまで労働者は、後に修正主義路線だとして斥けたものを社会主義路線として受け入れていた。

山田慶児は、六七年五月、一月革命後の上海労働者と会ったときに、「なぜ造反したのか」の「なぜ」にほとんど答えることはなく、「造反したらブルジョア反動路線によって弾圧された」という体験から各人が話しはじめた事実を記している（山田慶児『未来への問い』筑摩書房　一九六八年）。この事実は、何を意味しているのであろうか。

のちの造反派が中国社会主義の矛盾に漠然とした不満を感じつつも、上海市党委は党中央を代表するが故に正しい、という論理を反駁できなかったことを示している。

この論理を乗り越えるためには、やはり毛沢東の権威が必要であったし、ひとたび乗り越えるや、もはやいかなる権威をも認めないとする極左派が直ちに生まれたのも当然のなりゆきであった。

六　上海コミューンをめぐる人と組織

上海における文化大革命の展開、全体の流れを大まかにつかむとすれば次のごとくであろう。

第一幕。六六年八月の紅衛兵の決起から十一月の「工総司」（上海工人造反総司令部）の成立まで。舞台に登場するのは、紅衛兵とそれを抑圧する上海市党委員会の官僚機構である。

第二幕。一一月中旬の安亭事件から一二月初めの『解放日報』事件まで。安亭事件とは、造反に立ちあがった労働者が上海市党委の態度に抗議して中央に実情を訴えるべく上京するさいに列車をとめられた事件であるが、張春橋が現場に飛び解決した。これは造反労働者の最初の大衆行動であり、造反労働者のなかから「極左派」（中核は「北上返滬第二兵団」）が生まれる契機ともなった。『解放日報』事件とは、紅衛兵がその機関紙『紅衛戦報』を六五万部（つまり上海市党委機関派である『解放日報』と同じ部数）印刷し、ブルジョア反動路線の立場をとり続けていた『解放日報』と同時に配布するよう要求したところから起こったもので、実権派は「赤衛隊」を組織して紅衛兵を弾圧した。ここで対立したのは、紅衛兵プラス造反労働者に対する実権派プラス赤衛隊である。

第三幕。一二月末の「康平路事件」、「昆山事件」から造反派による「火線指揮部」の成立（六七年一月八日）まで。康平路（党本部所在地）事件、昆山事件とは、ともに造反労働者プラス紅衛兵と赤衛隊との文革の「主導権」（実は文革と反文革）をめぐる争いであり、大規模な衝突となったが、この衝突を経て赤衛隊は基本的に解体され、それを動かしていた旧上海市党委も組織としては解体される（しかし、人脈を通ずる影響力は当然のことながら後まで残る。「他們人還在、心不死」）。赤衛隊を生産から離脱させ、上海全市を経済マヒ状態に陥れたのは実権派によるブルジョア反動路線の最後の抵抗（文革に対する）となった。この経済マヒ状態を解決するため、造反派は「革命をつかみ生産を促す火線指揮部」を組織し、秩序回復にとりくみはじめた。

第四幕。造反派による鉄道、港湾の接収管理から一月末まで。一方では工場レベルでの奪権が進められ、他方で上海コミューン成立へ向けた大連合の努力が続けられたが、造反派内部の主導権争いが激化した。まず一月九日付「緊急通告」の署名順位をめぐって争いが生じた。一月半ばには上海五大学（復旦大学、華東師範大学、第一医学院、上海師範大学、外語学院）紅衛兵が張春橋および彼を支持する「交通大学反到底兵団」「同済大学東方紅兵団」を批判しはじめただけではなく、一月二六日に予定されていた上海コミューン成立準備会議は、「第二兵団」を中核とした「上海工人革命造反派連合指揮部」の妨害によって流産した。「第二兵団」は安亭事件以来、実権派との闘争において最も急進的に闘ってきた組織であり、一月九日付「緊急通告」では、工総司についで二番目に署名していた。一月初めから張春橋を中心に上海コミューン成立への動きが進められた一方、張春橋打倒による再奪権を主張する極左派は、この「第二兵団」をはじめとして、「工三司」「紅衛軍」（復員軍人中心）「清華大学井岡山兵団」、上海五大学紅衛兵などかなりの勢力となっていた。ニール・ハンターの著書〈Neale Hunter "Shanghai Journal" New York 1969.〉によれば、一月末の時点でこのグループのほうが大衆的支持をより広く集めていたという。井岡山兵団の行動が北京の同派組織の極左的傾向と直ちにかかわっていることはいうまでもない。この情況のもとで一月二八日、張春橋は紅衛兵に監禁された部下徐景賢を救出するために解放軍を出動させた。解放軍の出動が左派を自任していた紅衛兵にとって大きな衝撃であったことはたしかだが、他の地域の場合、実権派に対する攻撃が直ちに軍への攻撃となった（実権派＝軍）のとちがって、上海の軍は実権派にインボルブされてはいなかったようである。

第五幕。二月五日の上海コミューン成立大会から二月二四日の革命委員会成立まで。上海コミューンは五日辛うじて成立したが、「第二兵団」をはじめとする極左派はこれに参加せず、コミューンに反対しつづけた。二月一二日から二三日まで双方は北京に代表を送り、毛沢東の判断を仰ぐ一方、上海では多数派工作をつづけた。二月二四日、コミューンは毛沢東の指示を受けて、解放軍、旧幹部を含めた革命委員会に改組され、他方極左派は敗北した。

このドラマの登場人物、その人物を支えた組織をあげれば次のごとくである。

まず造反の対象となった上海市党委員会の実権派たち。陳丕顕（第一書記）、曹荻秋（書記兼市長）がその代表であるが、のちに革命的幹部と認められて革命委のメンバーとなった馬天水（書記、工業担当）、王少庸（書記候補）なども初めは実権派としてきびしく追及された。このほか、工人赤衛隊の責任者であった張祺（上海総工会主任）、周炳坤（同副主任）、上海市副市長の宋季文、張承宗、華東局書記の魏文伯、韓哲一などである。

造反派の側の最大の指導者は張春橋であるが、彼はもともと華東局書記、上海市委書記であったが、上海コミューンの成立までは中央文革小組副組長として行動し、毛沢東の意を体して上海造反派の組織化に全力をあげた。姚文元も中央文革小組員として行動したが、この間つねに張春橋の影武者のごとく、行動をともにした。造反労働者組織の代表ともいうべき、上海工人革命造反総司令部（工総司）の指導者、王洪文は、あたかも組織のなかに埋没していたかのごとくで、ニール・ハンターの名著『上海ジャーナル』でさえ、一度しか登場しない（ハンター夫妻は六五年から二年間上海外語学院の英語教師であったが、文革のため授業のなくなったのを幸いとばかり、自転車で上海中をかけめぐり壁新聞を読み、教え子の紅衛兵たちと討論をくり返してこの本を書いた。上海コミューンの最良のルポといってよい）。同工総司から分裂した極左労働者組織としては、「北上返滬第二兵団」（指導者はケン・チンチャン）、「第一兵団」「第三兵団」、「工三司」（指導者はチェン・ホンカン、第一五ラジオ工場労働者）、復員軍人を中心とした「紅衛軍」などがある。工総司にせよ、極左組織にせよ、これらがいかなる工場の労働者を組織していたのかは不明である。

次に紅衛兵組織であるが、当初は実権派に操られた御用紅衛兵（第一司令部）の勢力が強く、後に党の影響力を排除した「第二司令部」が組織された。外地紅衛兵の活躍が目ざましかったが、おもなものは「首都第三司令部」「北京航空学院紅旗戦闘隊」「ハルピン軍事工程学院紅色造反団」「清華大学井岡山兵団」などである。一月中旬以降、紅衛兵組織は張春橋を支持して工総司とともに行動した主流派とこれを打倒しようとした極左派に分裂した。前者は「同済大学東方紅兵団」、「上海交通大学反到底兵団」「ハルピン軍事工程学院紅色造反団」などである。後者は「清華大学井岡団兵団」をはじめとして上海五大学（復旦大学など）の紅衛兵たちであるが、一月二八日事件（張春橋の部下徐景賢の監禁事件）以後、影響力を失った。

このようにみてくると、上海コミューンの最大の立役者が張春橋であることは明らかであろう。そこで、張春橋による総括を次にみておこう。

七　主役・張春橋による総括

張春橋の「上海〝一月革命〟の経験」と題した談話は奪権闘争の経過と問題点を次のように述べている。これは六七年一〇月二二日、北京で行なわれた「安徽赴京匯報代表団」との接見のさいに語られたものである（『広印紅旗』第三期　六七年一一月二三日）。

「上海では旧市党委によって大衆がだまされていたため、大衆の立ちあがりは他の地方より遅く、とりわけ労働者の立ちあがりは遅かった。労働者は八、九月になっても少数しか造反せず、一〇月には百数十万の産業労働者のうち、造反派は数千人にすぎなかった。一一月初めに全市レベルの造反組織大会を開いたが、参加者は一万余人にすぎなかった。実はそのなかには様子を見に来た保守派や旧市党委のスパイが含まれており、真の造反派は五千人にすぎなかった」。

「一二月、一二月に上海の大衆運動が発展し、闘争は激しくなった。上海の主力は労働者だが、二派に分かれた。一つは工人造反司令部という造反派で、数千人から出発して五、六〇万人にふえた。もう一つは工人赤衛隊で八〇万人と称したが、少なくとも五、六〇万人はいた。勢力は伯仲し、大規模な武闘がたえなかった」。

「一二月末に赤衛隊はくずれ、革命派には労働者を主力軍として紅衛兵、機関幹部が加わり、一二月末には郊区の革命的農民も立ちあがり、闘争のなかで大連合が形成された。こうした情況のもとで、旧市党委は経済主義によって労働者造反派を瓦解させようとした。

私（張春橋）と姚文元同志は一月四日上海に行った。旧市党委はすでにマヒしており、重要工場を含む多くの工場が生産停止していた。高橋化工廠（石油化学コンビナート）の生産停止が多くの工場の停止をもたらし、港湾も汽車も動かず、たいへんな情況だった。

この情勢のもとで造反派は奪権を始めたが、当初は「奪権」「一月革命」というコトバを用いるつもりはなく、重要部門――港湾、駅、水道局、発電所、放送局、郵便局、銀行を造反派が守らねばならないということしか考えなかった。そこで解放軍、学生を動員して工場や鉄道の造反派を支援し、彼らが汽車を動かし、中学（高校）生が荷役作業に参加した。労働者を組織するため連合指令部を設けた」。

「この行動を毛主席が肯定し、奪権が必要であり、正しいということで「奪権」という言い方が生まれた。しかし、奪権となると、一部に私心やお山の大将主義が現われた。プチ・ブル的派閥意識のために、上海の奪権は順調には進まなかった」。

「私は姚文元同志と相談して、まず重要部門を押え、人民の生産財産を保証するのが先決であり、市党委、市人民委の奪権はあとでよいと考えていた。事実上、権力はわれわれの手にあったのだから」。

「一月一五日、第一次奪権がおこった。一つの労働者組織と一つの紅衛兵組織が、われわれ（張・姚）に知らせもせず、市党委、市人民委へかけこみ、奪権を宣言した。彼らの代表は飛行機で北京に報告に行ったが、大衆の支持のない奪権は無意味であることを説得し、この奪権は無効となった」。

「二日後（一七日か）、別の四組織、つまり総工司、紅革会、機関連絡ステーション、郊区農民組織が、われわれに連絡せず、市党委・市人民委、区委、党華東局の公印を持ち去った。その後『文匯報』『解放日報』に通告し、翌日の新聞に掲載するよう要求した。新聞社からの連絡で初めてわれわれはそれを知ったが、大連合ならざるやり方ではよくないので、同意せず、四組織に対し、翻意するよう説得した。四組織は上海造反派の大部分を代表しており、説得は困難であったが、結局説得に成功した。これが第三次である〔第二次については張春橋は触れていない〕」。

「第四次は、第一次奪権の紅衛兵組織の頭目が北京から帰り、周総理の四項目指示、陳伯達の指示なるものを宣伝して、この奪権でよいとしたときである。私が周総理に電話したところ、その事実はないと答えた。紅衛兵たちはいくつかの小組織を連合したが、労働者が参加しなかったので、奪権は無効となった」。

「第五次は、それまでの教訓にかんがみ、くり返して会議を開き、二月初め三八造反組織を中心として奪権した。三八組織には上海の大多数の有名な造反派はみな参加していたが、「上海人民公社（コミューン）」樹立の宣言を起草していたとき、別の二五組織も会議を開き、「新上海人民公社」を成立させようとしていることが明らかとなった。こうして二派に分れたが、前者は大多数で、問題のない造反派であったが、後者は少数派でしかも保守派の疑いがあった。しかし、三八組織だけで奪権したならば二派の衝突が予想され、大連合にはなりえないので、次の措置をとった。

①三八組織を「発起単位」と改め、他の二〇数単位にも門を開き、審査して参加させる、②翌日の新聞には「発起単位」の名前を掲げない。というのは、一一単位による第一通告〔一月四日付〕を毛主席が支持したところ、第二通告〔一月一六日付〕の二〇数団体は功名を争い署名の順序をめぐって大激論

となり、あやうく『文匯報』を発行できなくなるところまでいった経験があったからである。③成立大会には、発起単位であるか否か、組織の大小にかかわりなく、すべての単位の代表が議長席に登る。④保守派を含めてすべての組織、上海公民は祝賀大会、祝賀デモに参加してよい。

当時、われわれには「切り札」があった。それは私と姚文元同志が「上海人民公社」に参加するよう中央が指定していたことである。上海に二つの政権ができたとしたら、双方に参加することはできないし、解放軍も双方を支持するわけにはいかないという事情があった。

いまでも〔六七年一〇月〕挑発したり、異議を出す人々があり、私と姚文元同志が私心や雑念をもったとすれば、上海は容易に分裂する。いまでも分裂するおそれがある」。

（この講話はその重要性にもかかわらず、日本ではほとんど知られていないと考えて詳しく紹介したが、実は上別府親志『中国文化大革命の論理』東洋経済新報社　一九七一年、においてすでに紹介されていたことをつけ加えておく。）

張春橋談話は、奪権の過程を総括的に語っているものとして興味深い資料であるが、疑問の点がいくつかある。

まず奪権の経過であるが、新島淳良『プロレタリア階級文化大革命』〈青年出版社、一九六八年〉によれば、張春橋はこうも語っている。

「上海市の奪権は第一次奪権が一月一四日で、翌一五日に再奪権がおこなわれ、二二日に三たび奪権し、二四日に四度めの奪権、そして二月三日に五度めの奪権をおこなって、ようやく安定した革命政権が生まれ、二八の造反団体によって、上海市人民公社《コンミューン》設立のはこびになった」〔六七年六月三日「上海市革命委員会報告会における講話」一六七頁）。

張春橋はさらにこうも語っている。

「上海市委・市人民委の権力はすでに何回となく奪ったのである。一月一四日に北上返滬第二兵団が奪ったし、一月二二日に上三司などの四つの組織が奪った。一月二四日には紅革会が奪った」（「張春橋同志、伝達毛主席最新指示」竹内実編『文化大革命』一五二〜一五三頁）。

同じ張春橋の口から若干くいちがう三つの異なる経過が語られているわけだが、大筋は「一月革命の経験」で述べられたものであったと押えてよいであろう。ただ張春橋を中心とした上海コミューンに反対して、新上海コミューンを作ろうとしたのが、ケン・チンチャンを指導者とする第二兵団を中核とした「上海工人革命造反派連合指揮部」であり、その主流は、ハンターによれば最後まで、新コミューンに固執していたことをつけ加えておきたい。

八　コミューンはなぜ挫折したのか

1　奪権の五つの方式

六六年八月の一六ヵ条において奪権が想定されていたのは、四つの情況のなかの一つとしてであることはすでに触れた。「一月革命の経験」のなかで張春橋が述べるところによれば、上海市委の奪権は、経済マヒに対して「全市民の生命財産を保証する」ためといういわば、受動的なものから出発していた。

こうした上海の行動を支持したとき、毛沢東は奪権をどの範囲で考えていたのであろうか？

六七年一月九日「中央文化革命小組に対する重要指示」（『毛沢東思想万歳』丁本、六六二頁、邦訳は『毛沢東思想万歳（下）』三一書房、七五年）のなかで、毛沢東は『文匯報』『解放日報』の奪権を高く評価し、「緊急通告」を讃え、「これは一つの階級が一つの階級をくつがえすもので、大革命である」と述べた。また「上海の革命勢力が立ちあがったことによって全国に希望が生まれた。それは華東および全国各省市に影響しないはずがない」と述べて、文革が新たな奪権闘争の段階に入ったことを確認した。しかし、この奪権をいかに、どの範囲で行なうかについては、具体的な方針をもっていたのかどうか、よくわからない。

『毛沢東思想万歳』乙本によれば、一月（日付不明）に、周恩来との奪権問題をめぐる談話のなかで、情況に応じた五つの形式を示唆している。すなわち、①全面的改組（上海の張春橋、姚文元の場合）、②接収管理後、実権派を異なる形式で扱う。㋑一方で点検させながら、他方で工作させる、つまり監督留用（指示に基づいて工作させる）、㋺停職留用、㋩撤職留用、㋥撤職査弁、である（邦訳は新島淳良編『毛沢東最高指示』三一書房、一九七〇年、一三六〜一三七頁）。

「接収管理」の四方式は、幹部の情況に応じて、解任懲罰から、大衆による監督のもとでの留任まで四段階に分けたものだが、この四段階こそ一六ヵ条の四つの情況に対応するものであり、この流れからみると、全面的改組という上海方式は、明らかに突出していた。とはいえ、上海方式は、文革の理念ともいうべきパリ・コミューンの原則を実行したという意味では、賞讃されこそすれ、否定さるべきものではなかった。しかも、この上海方式こそ、全国で初めての一級行政区（省・直轄市レベル）での奪権であり、それによって文革が実権派によるブルジョア反動路線（経済主義）のワクを乗り越えて新たな段階に歩を進めえたのであった。これが一月段階の全国的情況のもとでの、上海の意義であった。しかし、この上海方式はさまざまの現実的矛盾のゆえに、突出部分を現実の力関係の線まで後退させることを余儀なくされたように思われる。

2 工場レベル、幹部・官僚機構内の奪権の「弱さ」

現実的矛盾としてまず目立つのは、工場レベル、工場管理当局レベルでの奪権の「弱々しさ」である。奪権の契機がそもそも実権派と赤衛隊による生産放棄への対応であったことは、この奪権が出発点からして能動的なものではなく、むしろ受動的なものであったことを示すといえないであろうか。むろん、実権派をそこまで追い込んだのは造反派の力であることはいうまでもないが、造反派の力がもっと強力であったとすれば、むしろ積極的なストライキによって、主導的な奪権が可能だったはずである。

造反派の活躍が具体的な報道として伝えられたのは、上海揚樹浦発電所、上海ラジオ第三工場、上海ガラス機械工場、上海国棉第一七工場、上海第二工作機械工場、上海電球工場、江南造船所、上海自動車運転公司修理工場、上海鉄鋼第三工場平炉車間、上海鉄路局、上海汽輪機廠、上海造船廠など全市八千余工場・単位のごく一部にすぎず、しかも、パリ・コミューンの原則にしたがって「革命生産委員会」による運営を行なった模範例として、しばしば紹介された上海ガラス機械工場とは、労働者数一二〇〇人あまりの公私合営工場（国有ではない！）なのであった（各工場レベルの造反の情況、造反派の工場内での地位についての報道は実に少ない）。

中国最大の工業都市上海の重化学工業部門の工場においては、上海ガラス機械工場のようなコミューン式「革命生産委員会」を成立させるまでには至っていなかったものとみられる。

造反派の主たるエネルギーは、まず鉄道、港湾の復旧、百科商店、食品商店の維持に向けられたが、この段階を越えて、全基幹工場での労働者による奪権のためには、むしろ奪権された市委権力という「上からの力」が必要とされたという事実に、私は造反の一つの限界を見出したいと思う。

3　工場と工場、工業と農業をつなぐ組織力

上海労働者は工場レベルの奪権ですでに一つのカベにつきあたっていたとみてよいが、かりにこの限界を越えたとしても、次により大きなカベに直面したはずである。それは、工業の性格にかかわるものだが、工業が複雑に綾なす無数の糸で結ばれるものである以上、工場間分業（社会的分業）を正しく処理するには、高度の経験・熟練が必要とされる。旧幹部を、「革命的幹部」の名において、闘争の対象ではなく、団結の対象とせざるをえなかった根本的理由は、おそらくここにある。上海市の部局長級幹部が約六〇〇人、処長（課長）級以上幹部は約六〇〇〇人いたが（張春橋、二月二四日の講話、竹内実編『文化大革命』平凡社、一五六頁）、これらの幹部の経験こそ、労働者にとって直ちにとってかわることのできないものであった。くり返しになるが、かりに工場レベルでの奪権を首尾よく達成したとしても、なお工場をつなぐ管理系統での奪権が必要であった。この問題点は、すでに一月後半には明らかとなっており、奪権を論じた『紅旗』社説（一月二一日）は、「革命的幹部の作用」を重視するよう呼びかけていた。

4　造反派の内部対立

実権派が打倒されるや否や、造反派内部の矛盾が表面化した。自己中心主義、小団体主義、分散主義、非組織的観点、極端な民主化など、まちがった思想の克服のために、中国式思想改造の原点ともいうべき「古山会議決議」（一九二九年）の学習が呼びかけられたのは一月一九日以来である。その直接的契機となったのは、一月一六日付、二六造反団体による第二アピールの署名順序を争うトラブルであったことは、張春橋が「一月革命の経験」において嘆いたとおりである。また、この頃から大連合によらざる奪権もくり返されたし、一月二八日事件において、まず徐景賢が、ついで張春橋が紅革会によって監禁されたのは造反派内部が主流派と極左派に分裂しつつあったことを示す。ここで、極左派とは何か、かれらはいかなるプログラムをもっていたのか、が問われなければならない。前掲ハンターは第十一章The Rebels Rebelにおいて、極左派の張春橋への造反を詳しく扱っている。ハンターによれば、労働者にせよ、紅衛兵にせよ、文革の初期に最も非妥協的に実権派、赤衛隊と闘争した部分から極左派が生まれたこと、すべての実権派を疑え、として張春橋をも打倒の対象と考えたこと、一月二六日頃の時点で、張春橋よりも極左派の指導者ケン・チンチャンのほうが労働者の間で大衆的人気のあったこと、などを指摘している。しかし、それは、いずれも極左派を批判した側の資料によるものであり、彼らの積極的な主張の内容は必ずしも明らかではない。二月五日の上海コミューン成立後も、極左派はかなりの勢力をもち、それが最終的に崩壊したのは、張春橋が毛沢東の指示を得て上海に帰った二月二三日であった。つまり、二月一二日から一八日にかけて毛沢東は北京で張春橋、姚文元と三度会って上海コミューン問題を話し合っているが、そのときに毛沢東がまっ先に聞いたのは「第一、二、三兵団はどんな様子かね」であった。これらの代表が毛沢東に直訴していたからである。このとき、毛沢東は三結合の必要性を強調し、山西省革命委員会の構成が革命大衆五三%、解放軍二七%、機関幹部二〇%であると紹介した。

「一月革命は勝利したが、二、三、四月がカギであり、より重要だ。すべてを疑い、すべてを打倒するというスローガンは反動的である。すべての〝長〟をなくすのは極端な無政府主義であり、反動的である。いま××長と呼ぶのがいやで、勤務員、服務員と呼んでいるが、これは形式にすぎず、現実にはやはり〝長〟が必要であり、問題は内容がどうであるかだ」(『毛主席文選』。出版年月不明、小倉編集企画復刻版、一九七四年)。

かつてコミューンの理念を高々と掲げて文化大革命を呼びかけたのが、ほかならぬ毛沢東であったが、いまや革命委員会を提唱するに至ったのだ。他方、極左派はこの段階でも上海コミューンよりも、より徹底した新上海コミューンを主張する。結局、毛沢東が革命委員会方式を呼びかけたとき、極左派は全市レベルの大衆運動としては崩壊したわけだが、これは毛沢東の一言が情況を決めたというよりはむしろ情況に対して毛沢東が現実的判断を下したとみるべきだろう。当時の中国の全国的武闘、混乱のなかで、上海コミューンはあまりにも突出していただけではなく、コミューンは一方で造反派内部の権力闘争を内に含みつつ、他方で経済を秩序をもって運営することに成功してはいなかったのであり、この情況を冷静に眺めさえすれば、おそらく誰でも毛沢東と同じ現実的判断をせざるをえなかったのではないか。この意味では、毛沢東は、すでにくずれかかっているコミューンの幻想に対して引導を渡しただけだ、ともいえる。

極左派はなおコミューン理念を直ちに実践しようとしていたという意味で論理的には一貫していたが、現実の力関係を見きわめていなかったという致命的欠陥をもっていた。この力関係というのは、張春橋派との力関係の問題だけではなく、より根本的には、主流派と極左派とを合わせたコミューン派が、全体として上海市の工業を滞りなく動かし、拡大再生産を続けられるかどうか、であり、もしこれに失敗すれば、やがて右派に権力を委ねるに至るであろうという意味でのトータルな力関係である。解放軍と旧幹部を含めた三結合という妥協は、反革命鎮圧を含む秩序維持の面で前者に、経理運営の面で後者に、造反派が助けを借りるほかなかったからであり、これこそ一九六七年春の上海労働者の限界であった、というほかない。


これが最良の総括というわけではないが、ここでは、さしあたりカーノウのことばを借りていちおうの結びとしておこう。

「毛沢東は自分の造反派の弟子たちへの軍の介入を、目的としてよりもむしろ手段とみた。彼の究極の願いは、造反派が軍の支持を得て党機関を打倒し、次いでパリ・コミューンの中国版――彼の見解によると、どんな時でも自分たちの選んだ代表の権限を取り消すことのできる権利をもっている、「大衆」に絶えず反応する国家官僚制をつくり出す制度――の樹立に進むことであった。要するに、毛沢東はこの制度を永久革命の完全な媒介物としてとらえていた。毛沢東は一九六六年春に北京大学で発生した決起を、新しいコミューン形式のきざしとして歓迎した。彼は文革の目的を総括したとき、コミューンについて再び言及した。そして今度は上海での情勢の発展をそのようにとらえた。そこでは造反派がパリ・コミューンの中国版をつくり出す準備をしていたとみたのである。

しかし、上海コミューンと名づけられたこのコミューンは、深い陣痛の苦しみを味わい、結局、未熟児を生んでしまった。最大の数にのぼる造反派のグループは、各グループがそれぞれコミューンの中枢的委員会に代表を送ることを要求したため、団結することができなかった。それぞれの造反派は権力を求めて騒ぎ立てながら、互いに敵対し合い、果てはコミューンをまとめるというありがたくない仕事の責任を負った、この地方の毛沢東派指導者である張春橋にも反対した。この混乱のさなかで、新しい組織の結成は一日また一日と延期されて、二月五日になってやっと、その結成が、喧騒をきわめた集会で発表された。だが、すでにこの時までにコミューンの精神は死滅していた。なぜなら造反派が確固とした指導を与えられないかぎり、救いようもない手のつけられないものであったことは、毛沢東をはじめ、だれの目にも明らかであったのだから。すぐ後で毛沢東は、上海の情勢を〈無政府状態さながら〉と述べ、〈われわれは幹部や専門家なしでやっていくことはできない〉と説明した。パリ・コミューンは──おそらく遠い将来は例外としても──もはや彼の理想ではなかった。彼は今度はそれに代わって、いわゆる「三結合」の結成を唱えたが、この結成は初めは、崩壊していく党機関を補充するために、山西省と黒竜江省の軍が押しつけたものであった」（スタンレー・カーノウ『毛沢東と中国』下、六八〜七〇頁）。

〈追記〉

①原稿に目を通してくれた友人Nの疑問は、一方で「造反の不十分さ」をいいながら、他方で「造反のゆきすぎ」(極左派)を語るのは矛盾ではないか、というものであった。私の答えは、工場レベルでの造反の「不十分さ」の故にこそ、街頭レベルでの「ゆきすぎ」が生じたのではないか、である。実は極左派の労働者組織がいかなる工場を基盤としていたのか、いわゆる極左派に対して、旧実権派がどの程度影響を与えていたのか、などの点がいまのところよくわからないので、最終的な判断はやはり留保して、今後の研究に委ねるほかはない。

②本稿の執筆は、もう一人の友人Nの煽動によるものである。Nの「失業の自由」と友情のために。

(初出:「継続革命と毛沢東思想——上海コミューンの意味するもの」『国家論研究』第七号、一九七五年一二月、八二〜九八頁)

文化大革命

中国現代史を語るにおいて文革は必須のアイテムである。しかして文革を論じる書は一〇〇冊を優に超えるが、多角的視点からとらえるという点で本著作は傑出している。毛沢東（思想）は何を誤ったのか。大衆路線を忘れた幹部を修正主義者として批判した文革所期の目的を達成できなかったのはなぜか。過渡期社会主義中国における文革失敗の原因はどこにあったのか。社会主義が崩壊に向かい、資本主義が勝利するかにみえるなか、文革の世界史的意味とは何か。文革失敗の原因を剔抉せんとする本著作は、八九年一〇月に刊行され六四事件にも触れるが、今日の中国を理解するにも数多の示唆を与えてくれる。

第一部　文化大革命

一　文革とは何か

私と中国

一九八九年四月、私は生まれて初めてアメリカを訪れた。胡耀邦《こようほう》の死はワシントンのホテルで知った。訪米の目的はミシガン大学で講義するためである。親しい友人が客員教授として日本のマスコミ論を講義しており、その助っ人に招かれたのである。私は「戦後の日中関係」にテーマをしぼった。アメリカの一流大学の学生はよく勉強しているし、おまけに私の講義を聞くのは日本学専攻の大学院生十数人である。なまはんかなことを話したら恥をかくにきまっている。そこで「私の個人的体験から見た日中関係」をテーマに選んだ。これなら、どんな勤勉な学生でも参考書と同じだと軽蔑することにはなるまい。

私は特別な個人的体験をもっているわけではないが、一人の平凡な大学教師の中国認識の試行錯誤の過程を率直に話したのであった。学生たちの反応は悪くなかったと、客員教授氏が喜んでくれた。

私は一九三八年十月一日に生まれた。盧溝橋《ろこうきょう》事件の翌年である。国民学校に入学した一九四五年に戦争が終わり、まもなく小学校と名が変わった。四年後に中華人民共和国が成立した（私は新中国よりも十一歳「年長」である）。一九五八年中国では「人民公社」が組織され、全中国が大躍進の熱気に包まれていたが、私はこの年に大学に入り、中国語を第二外国語に選んだ。中国の熱気に「感染」したのである。私は一九五七年にポーランド映画「地下水道」を見ている。スターリン型の社会主義モデルを懐疑し始めた知識人の卵に対して、毛沢東の追求する中国モデルは、その細部は不明ながら、清新な印象を与えていた。

一九五九年、ソ連のフルシチョフ第一書記が北京を訪れ、毛沢東と七時間会談したが、共同コミュニケを出せないほど、中ソ関係は冷えていた。私が「六〇年安保」のデモに明け暮れていた六〇年夏、ソ連は中国援助を一方的に打ち切った。

六〇年代の前半、私はある経済雑誌社で働いた。その頃、廖承志《りょうしょうし》・高碕達之助覚書きに基づいてLT貿易が始まり、日中記者交換も始まった。私は来日した第一陣の新聞記者たちとつきあい、彼らを少なからぬ工場に案内した。高度成長さなかの日本経済を知ってもらい、同時に私にとっては中華人民共和国人を知るよい機会となった。六六年夏、中国で文化大革命（原文＝社会主義文化大革命、のちに無産階級文化大革命。以下時に「文革」と略す）が発生した。「魂に触れる」と喧伝された熱気は再び私を強くとらえ、私は中国研究に専念するため、半官半民のある研究所に移った。

波及する文革の「熱気」

いま中国の「熱気」を繰り返したが、学生時代のそれと比べものにならないほど、文革のインパクトは大きかった。一つの例を挙げたい。

今回の旅行でデトロイト近郊のアナーバーを立った日。『ゼ・アナーバー・ニュース』(四月八日付)は、一九八九年四月七〜八日に開かれたある〝同窓会〟のことを報じていた。

この記事によると、二十年前の一九六九年四月九日、約三百名の学生がハーバード大学の本部ビルを占拠した。翌日早朝ネイザン・プシー総長は四百人以上の警官隊を導入し、学生を排除した。四十五人が負傷し、百九十七人が逮捕された。三日間の授業ボイコットは、四月二十五日までの十五日間のストライキに発展し、期末試験は中止された。

二十年前の闘争を記念して、アメリカ全土から二百人の元活動家がハーバード大学に集まり、ティーチインやディベート、街頭劇、パーティなどが行われた。話題は過去のことだけでなく、現在の中央アメリカや南アフリカに対するアメリカの政策を含んでいた。

ハーバード大学本部ビルが占拠される数ヵ月前から東大の安田講堂はすでに占拠されており、六九年一月の攻防戦で機動隊は占拠学生を排除したものの、この春、東大は入学試験を中止せざるを得ないほどに混乱していた。

日本の「東大落城」は一九六九年一月十九日でハーバードよりも少し早い。しかし日本の学園闘争よりもさらに早く、フランスでは一九六八年五月、カルチェ・ラタンの闘争があった。これら世界的に拡大した学生や労働者、知識人の闘争は一方ではそれぞれの個別的な要求から出発しつつも、ベトナム反戦を共通項としており、しかもその運動は中国の文化大革命によって程度の差こそあれ、鼓舞されていたのであった。

ところが、本家本元の文化大革命の政治力学は意外な展開を見せ、毛沢東の後継者に擬せられた林彪《りんぴょう》が突如消息を絶ったのは一九七一年秋のことだ。私はこのニュースを遊学先のシンガポールの南洋大学（この大学はその後シンガポール大学に統合された）で知った。当時、中国は特定の友好人士を除いて、研究者を受入れなかったので、やむなく周辺から観察していたのである。これは隔靴搔痒《かっかそうよう》の感を否めなかったが、後から考えると、私にとっては、文革の「熱気」を相対的に受け止めるうえで有利であったかもしれない。

建国四十年、文革十年

中華人民共和国は今年建国四十年（一九四九～八九年）になるが、この間で文革の十年（一九六六～七六年）は、どのような位置を占めているであろうか。

図1をご覧いただきたい。中国現代史は文革の十年を間に挟んで、大きく三分される。文革前の十七年（一九四九～六五年）、文革十年、ポスト文革の十三年（一九七六～八九年）である。

文革前十七年と文革十年を合わせて、計二十七年は、毛沢東が中国に君臨した時代である。文革後の十三年は一九七六～七八年という短い過渡期（華国鋒時代）を経て、一九七九～八九年の十年は最高実力者の名をとって鄧小平《とうしょうへい》時代と称することができる。

文革前十七年は、経済建設の面から見ると、三年余の復興期（一九四九～五二年）、二つの五ヵ年計画期（第一次は一九五三～五七年、第二次は一九五八～六二年）、三ヵ年の調整期（一九六三～六五年）に分けられる。ここで、文革の直接的導火線となるのは、第二次五ヵ年計画期に行われた大躍進、人民公社政

図１　中国建国以来の路線の曲折　毛沢東時代から鄧小平時代へ

年	5ヵ年計画期	時代		路線 ⇦左へのブレ　右へのブレ⇨	
1949				【向ソ一辺倒】	49.10　中華人民共和国成立
50			50.10　抗米援朝運動	【朝鮮戦争】	
51			51.11　三反五反運動		
52					
53		復興期	53.8　過渡期の総路線 53.12　農業生産合作社		
54					
55	第1次計画		55.5　胡風批判 55夏　農業集団化		
56					56.5　百花斉放、百家争鳴 56.9　第８回党大会
57			57.6　反右派闘争		
58			58.8　人民公社運動		
59				【イギリスを追い越せ】	59.4　劉少奇、国家主席に ［劉少奇路線］
60	第2次計画	大躍進期			
61				［経済危機、餓死者あり］ 【中ソ断交】	
62					62.1　毛沢東、自己批判・階級闘争論
63			63-64　中ソ論争		62.?　鄧小平、白猫黒猫論
64	調整期		64　四清運動		
65			65.11　海瑞免官批判		
66			66.8　プロレタリア文化大革命の決議		
67		文化大革命の十年		【文化大革命】 ［劉少奇、鄧小平失脚］	
68	第3次計画				
69			69.4　第９回党大会 ［林彪、後継者に］		
70					

年	5ヵ年計画期	時代	路線 ⇦左へのブレ		右へのブレ⇨
71	第4次計画	文化大革命の十年			71.9 林彪、毛沢東暗殺未遂・逃亡墜死
72				【中米接近】	71.7 米国務長官訪中 72.9 日中国交正常化
73			73.8 孔子批判 [四人組、周恩来批判]		
74					74.10 鄧小平復活
75			72.8 水滸伝批判 [四人組、鄧小平批判]		
76	第5次計画		76.4 天安門事件 [鄧小平失脚、華国鋒後継者に]	[毛沢東死去]	76.1 周恩来死去 76.10 四人組失脚
77					77.7 鄧小平再復活
78				[鄧小平、主流派に]	78.12 11期3中全会
79		鄧小平時代	79.4 鄧小平、四つの現代化堅持	【四つの現代化】 【対外開放、対内活性化】	79.7 経済特区設置
80			79.12 「民主の壁」禁止		80.5 劉少奇、名誉回復
81	第6次計画		81.4 白樺「苦恋」批判		81.6 11期6中全会、歴史決議
82					82.9 12回党大会 [胡耀邦総書記、鄧小平軍委主席]
83			83.10 整党決議、反精神汚染		
84					84.4 14都市対外開放 84.10 経済体制改革決議
85					85.9 党全国代表大会
86	第7次計画		86.10 精神文明決議		
87			86.12 学生デモ 87.1 胡耀邦失脚 反ブルジョワ自由化		87.10 第13回党大会 趙紫陽総書記、指導部若返り
88			88.9 13期3中全会経済調整		88.1 沿海地区経済発展戦略
89					89.4-6 天安門事件 [趙紫陽失脚、江沢民総書記就任]
90			89.10 建国40周年国慶節		

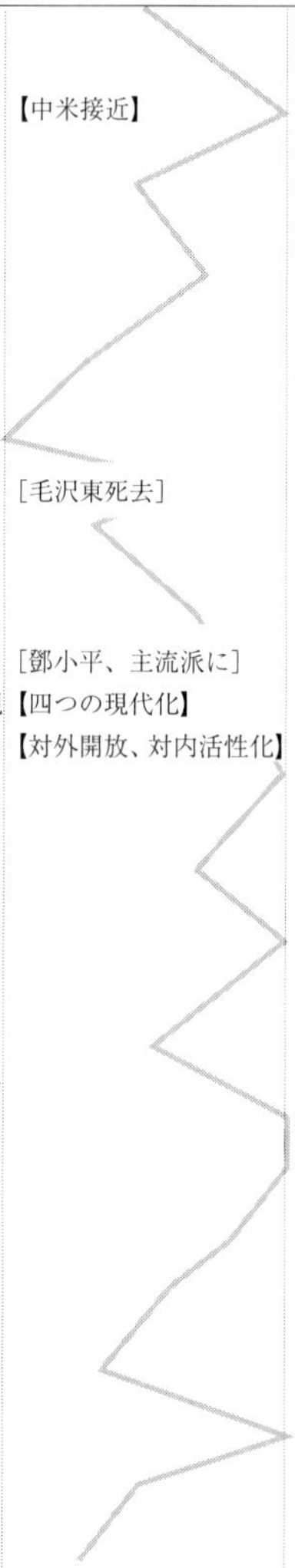

策とその挫折である。

大躍進、人民公社の失敗によってもたらされた経済危機からの回復を目指す「三ヵ年の調整期」に、人民公社は解体の危機に瀕《ひん》した。毛沢東はこの現実に強い危機感を抱いて「修正主義の発生」と受け止め、修正主義反対を目指した一大政治運動を決意した。これこそが文化大革命にほかならない。

文革とは何か——文革派の立場から

文革の目的、理念、方法は、文化大革命の綱領的文献とされた「五・一六通知」(一九六六年五月十六日)、一九六六年八月、八期十一中全会で採択された「プロレタリア文化大革命についての決定」(略称「十六ヵ条」)、一九六七年十一月六日の『人民日報』『紅旗』『解放軍報』共同社説「十月社会主義革命の切り開いた道に沿って前進しよう」に盛られた「プロレタリア独裁下の継続革命の理論」などに示されている。これらは第九回党大会の政治報告(林彪報告)で総括的に要約されている。その核心はつぎのようなものである。

党、政府、軍隊と文化領域の各分野には、ブルジョア階級の代表的人物と修正主義分子がすでに数多くもぐりこんでおり、かなり多くの部門の指導権はもはやマルクス主義者と人民の手には握られていない。党内の資本主義の道を歩む実権派は、中央でブルジョア司令部をつくり、修正主義の政治路線と組織路線とをもち、各省市自治区および中央の各部門に代理人をかかえている。これまでの闘争はどれもこの問題を解決することができなかった。実権派の奪いとっている権力を奪いかえすには、文化大革命を実行して、公然と、全面的に、下から上へ、広範な大衆を立ち上がらせ、上述の暗黒面をあばきだすよりほかはない。これは実質的には、一つの階級がもう一つの階級をくつがえす政治大革命であり、今後とも何回も行わなければならない（「林彪政治報告」）。

文革とは要するに、党機構などの指導部内に発生した実権派を打倒するための、「下から上への」政治大革命である、とする考え方である。

文革とは何か——実権派の立場から

これに対して、打倒の対象とされた実権派の立場から見ると、問題はどう理解されるか。造反派による「修正主義」批判や「奪権闘争」（造反派が実権派から権力を奪うことを「奪権」と称した。造反派は実権派から奪権したあと各単位において「革命委員会」を構成した）は、実権派からすれば、つぎのように論駁《ろんばく》さるべきものであった。

まず修正主義批判に対して。

〝文化大革命〟（ここで文化大革命に引用符が付されているのは、その正統性を認めないという用語法に基づく。以下同じ）において、修正主義あるいは資本主義とみなされて批判された多くのものは実際にはマルクス主義の原理と社会主義の原則である。

実権派批判について。

〝文化大革命〟において打倒された実権派は党と国家の各級組織の指導幹部であり、社会主義事業の中核勢力である。党内には〝ブルジョア司令部〟などは存在しなかった。劉少奇《りゅうしょうき》同志にかぶせられた〝裏切り者、敵の回し者、スト破り〟（原文＝叛徒、内奸、工賊）の罪名は完全にデッチ上げである。〝文化大革命〟は〝反動的学術権威批判〟によって多くの才能ある、業績のある知識人に打撃を与え迫害した。

文革の方法について。

〝文化大革命〟は建前は大衆に直接的に依拠するとしていたが、実際には党の組織から離脱し、広範な大衆からも離脱していた。運動が始まると、党の各級組織は衝撃を受けてマヒ状態に陥り、広範な党員の組織生活は停止し、党が依拠してきた積極分子や大衆は排斥された。文革の初期には、毛沢東同志と党に対する信頼から運動に巻き込まれた人々もごく少数の極端な分子を除けば、党の各級指導幹部に対する残酷な闘争に賛成しなかった。

文革の歴史的評価について。

〝文化大革命〟はいかなる意味でも革命や社会的進歩とはいえない。中国では社会主義的改造が完成し、搾取階級が階級としては消滅したあと、社会主義革命の任務はまだ最終的には完成しないとはいえ、革命の内容と方法とは過去のものとはまるで異なるべきである。党と国家機構には確かに若干の暗い面が存在しており、むろん憲法や法律にしたがって解決する必要があるが、断じて〝文化大革命〟の理論や方法はとるべきではない。〝文化大革命〟は指導者が誤って発動し、反革命集団に利用され、党と国家、各民族人民に重大な災難をもたらした内乱であった（「歴史決議」）。

文革を推進した毛沢東派あるいは文革派にとっては「革命」であり、打倒され、後に復権した側からみると「内乱」である。ここで価値判断は全く対立している。一方は「修正主義に対する革命」であると言い、他方は「マルクス主義を堅持した者に対する内乱」だとしている。ここで「修正主義」の実態とは何か、「マルクス主義の堅持」とは何かが問われなければならないであろう。

文革の時期区分――第一段階

文革派と実権派の文革像が相反する理由はさまざまであるが、一つは時期区分とも関係している。文革派は概して、実権派打倒に決起して成功した第九回党大会まで文革理念の発揚期ととらえ、その後は継続革命〔原文＝継続革命、その前身は不断革命〕すなわち文革体制の堅持を主張する傾向がある。これに対して、実権派の描く文革像は林彪事件で林彪派が失脚し、毛沢東の死とともに失脚した〝四人組〟粉砕までを含めて、文革期としている。前者はいわば狭義の文革期であり、後者はいわば広義の文革期である。

まず広義の文革期は十一期六中全会で採択された「建国以来の党の若干の歴史問題についての決議」（以下「歴史決議」と略称）に習って、つぎの三段階に分けることができよう。

(1)第一段階。文革の発動から第九回党大会まで。

文革の開始をどこで押さえるかについてはいくつかの捉え方がありうるが、一九六六年五月の政治局拡大会議、そして同年八月の八期十一中全会によって文革が始まったとみてよい。前者によって「五・一六通知」が採択され、彭真《ほうしん》・羅瑞卿《らずいけい》・陸定一《りくていいつ》・楊尚昆《ようしょうこん》〝反党集団〟（当時「四家店」と呼ばれた）が摘発された。後者によって「プロレタリア文化大革命についての決定（十六ヵ条）」が採択され、劉少奇《りゅうしょうき》・鄧小平司令部に対する闘争が始まった。

六六年五月、キャンパス内に誕生した「紅衛兵」は、八月一日、清華大学付属中学紅衛兵に対する毛沢東の支持を契機として「造反」に決起し、八月十八日、毛沢東の天安門での接見には全国から百万の紅衛兵が集まり、紅衛兵パワーを見せつけた。九月五日の中共中央、国務院の「各地の革命的教師学生が北京に来て参観学習することについての通知」以後「授業を中止して革命をやる」〔原文＝停課鬧革命〕運動が発展し、全国的な経験交流〔原文＝大串連〕が始まった。六六年十一月二十六日までに毛沢東は前後八回、紅衛兵を接見したが、その数は千三百万に上る。

他方、党中央の指導機構が改組され、中央文革小組が成立し（六六年五月二十八日、組長＝陳伯達《ちんはくたつ》、副組長＝江青《こうせい》、顧問＝康生《こうせい》）、政治局に代わって権力を行使するようになった（「五・一六通知」では中央文革小組は政治局常務委員会の下に置かれると明記されているが、「十六ヵ条」では「プロレタリア文化大革命の権力機構」と格上げされ、「二月逆流」以後、政治局と中央書記処にとって代わるほどの権力を行使することになった）。

「一月革命」の熱狂

毛沢東個人崇拝は熱狂的なほどに高まり、これによって集団指導が個人指導にすり替えられていったのである。文革を推進する側に立ってこれを進めたのは、林彪、江青、康生、張春橋《ちょうしゅんきょう》らであった。造反の波が上海「一月革命」（上海市の造反派が上海市党委員会、人民政府の権力を奪権した事件）にまで高まったとき、すなわち一九六七年二月前後に実権派の反発も爆発した。譚震林《たんしんりん》、陳毅《ちんき》、葉剣英《ようけんえい》、李富《りふ》春《しゅん》、李先念《りせんねん》、徐向前《じょこうぜん》、聶栄臻《じょうえいしん》ら政治局委員および軍事委員会委員たちが六七年二月十四日、十六日に中南海懐仁堂で開かれた政治局碰頭会《ポントウ》（非公式の打合せ）で中央文革小組のやり方を鋭く批判した。しかし、毛沢東はこれを「二月逆流」と逆に批判し、二月二十五日〜三月十八日、政治局の政治生活会（党員の生活作風などを点検する会議）を七回開かせ、実権派の活動を封じ込めた。

上海「一月革命」以後、各部門各地方の党政指導機関は奪権闘争され、あるいは改組された。省レベルでの奪権闘争の波は全国的に拡大し、六七年一月三十一日黒竜江省革命委員会が成立したのを皮切りに、省レベルでの奪権闘争が推進された。頻発する武闘を対立する諸組織の「大連合」で妥協させ、「軍幹部、旧幹部、造反派代表」からなる「三結合」による革命委員会の成立を急いだ。六八年九月五日、チベットと新疆《しんきょう》ウイグル自治区の革命委員会成立をもって、全国に革命委員会が成立し、奪権闘争の段階は一段落し、翌年四月、第九回党大会を迎える運びとなった（図2　省レベル革命委員会の成立）。

武漢事件起こる

解放軍は六七年一月二十三日、毛沢東の指示により革命的左派大衆の支持のために介入した。三月十九日軍事委員会が「三支両軍」（左派、労働者、農民の三者を支持し、軍事管制、軍事訓練という二つの軍を行うこと）の決定を行った。以後、解放軍は学校、機関、工場などに進駐し、奪権闘争を支えた。

しかし、奪権闘争は六七年七月二十日の武漢事件によって大きな壁にぶつかった。文革派の謝富治《しゃふじ》、王力《おうりき》が武漢の造反派支援のためにかけつけたところ、実権派を支持する大衆組織「百万雄師」によって彼らが監禁される事件が発生した。実はこのとき毛沢東もまた宿舎の東湖賓館を包囲され、身動きできなくなっていた。周恩来の調停工作によりことなきを得たが、その後武漢軍区司令員陳再道らは反革命事件として処分された（七八年十一月名誉回復）。事後の弾圧により死傷した幹部、軍人、大衆は十八

図2　省レベル革命委員会の成立

1　黒竜江省　67.1.31
2　山東省　2.3
3　貴州省　2.13
4　上海市　2.23
5　山西省　3.18
6　北京市　4.20
7　青海省　8.12
8　内蒙古自治区　11.1
9　天津市　12.6
10　江西省　68.1.5
11　甘粛省　1.24
12　河南省　1.27
13　河北省　2.3
14　湖北省　2.5
15　広東省　2.21
16　吉林省　3.6
17　江蘇省　3.23
18　浙江省　3.24
19　湖南省　4.8
20　寧夏自治区　4.10
21　安徽省　4.18
22　陝西省　5.1
23　遼寧省　5.10
24　四川省　5.31
25　雲南省　8.13
26　福建省　8.19
27　広西自治区 8.26
28　チベット自治区　9.5
29　新疆自治区　9.5

万四千人に上る大惨事となった。武漢事件に衝撃を受けた江青は七月二十二日、「文で攻撃し、武で防衛する」〔原文＝文攻武衛〕のスローガンを提起し、武闘を煽る結果となった。

武漢事件を間に挟む六七年七〜九月、毛沢東は華北、中南、華東地区を視察し、以後、「左派支持」を事実上撤回し、「大連合」を呼びかけるようになった。この前後に、毛沢東の文革構想をまとめたものが「偉大な戦略配置」である。①文化大革命の四つの段階、②革命的大連合、三結合、③造反派の世界観改造、④中国は世界革命の兵器廠たれ、と呼びかけたものである。

第二段階から第三段階へ――周恩来排撃・鄧小平失脚

⑵第二段階。第九回党大会から第十回党大会まで。

三結合による大連合により奪権闘争が一段落した一九六九年四月に開かれた第九回党大会で選ばれた中央委員の構成は、約四割が軍人、三割が旧幹部、三割が造反派代表であった。

第九回党大会で文革派が権力を掌握したが、これはいわば奪権連合であり、林彪《りんぴょう》派と江青ら〝四人組〟との間、そして周恩来グループとの間に深刻な権力闘争が発生した。七〇年から七一年にかけて、林彪派は武装クーデタ（「五七一工程紀要」）を計画するところまで追い詰められた。七一年九月十三日、林彪らを乗せたトライデント機がモンゴルに不時着、炎上し、文革はきわめて重大な局面を迎えた。

周恩来が党中央の日常工作を統轄するようになり、七二年周恩来は極左思潮を批判しようとしたが、毛沢東は「極右」を批判対象とすべきだとして、これを妨げた。七三年八月第十回党大会が開かれ、江青、張春橋《ちょうしゅんきょう》、姚文元《ようぶんげん》、王洪文《おうこうぶん》が政治局内で〝四人組〟を組んだ。

(3)第三段階。第十回党大会から一九七六年十月まで。

第十回党大会以後、周恩来は経済の再建に取り組もうとしたが、一九七四年初め、江青ら〝四人組〟が「批林批孔《ひりんひこう》」運動（林彪批判、孔子批判。孔子とは周恩来を指す）を始めた。これは元来は林彪グループ摘発の運動として始められたものだが、運動の矛先を周恩来にまで拡大したものであった。毛沢東は初めは「批林批孔」運動を許可したが、その後江青らを逆に批判した（〝四人組〟を組むなかれ、江青には組閣の野心がある、など）。一九七五年周恩来のガンが重くなり、鄧小平が党中央の日常工作を統轄するようになった。鄧小平は一連の重要会議を開き、各方面での工作を整頓し脱文革を図った。毛沢東はこれを許さず、〝鄧小平批判、右傾巻き返しに反撃する〟（原文＝批鄧、反撃右傾翻案風）運動を発動した。中国は再び混乱に陥った。七六年一月、周恩来が死去し、四月五日周恩来を追悼する天安門事件が起こった。この事件の黒幕が鄧小平だというデッチ上げにより、鄧小平は再失脚した（江西ソビエト時代を含めれば、三度目の失脚であった）。

文革十年を歴史決議のやり方にならって三段階に分けた。この分け方は、まず妥当なものであろう。ただ、ここで一つの欠点は、どうしても結果からすべてを解釈する偏向に陥ることである。なるほど政治的行動は結果がすべてであると言ってよいのだが、問題を分析するに際しては、もう少し余裕をもって多面的に考察する必要があろう。

文革の評価

文革はなぜ失敗したのであろうか。文革とは、何よりもまず毛沢東の煽動により、紅衛兵がまず造反し、ついで労働者たちが造反した社会的大衆運動である。ここで問題は二つの側面から考察できよう。一つは毛沢東のイデオロギー、そして具体的な政治的指導の問題である。もう一つは、造反に決起した大衆の側の問題、すなわち擬似大衆運動の限界である。両者は毛沢東個人崇拝〔原文＝個人迷信〕を媒介として結合されていた。造反の帰結は既成秩序の崩壊であり、各種造反派は際限なく武闘を続け、ついに解放軍の介入によって辛うじて秩序を維持する形になった。

文革を「社会的進歩ではなく、内乱にすぎない」とする現在の中国当局の否定的評価（「歴史決議」）はすでに紹介した。この否定的評価は、文革を肯定的に評価することによって自らの政治的地位を保とうとする「すべて派」〔原文＝凡是派、華国鋒らを指す〕を打倒し政策転換を行うべく、復活した旧実権派が提起した評価であるから、そういう政治的文脈における評価であるにすぎない。「歴史決議」と銘打たれているが、過渡的な文書であることは明らかである。そのような政治的立場から独立した自由な隣国の研究者として、もう少し自主的な評価を試みたい。

社会主義経済の試行錯誤

一九八九年五月十五〜十八日、ソ連のゴルバチョフ書記長が訪中し、三十年ぶりに中ソ和解が成立したことは文革評価に対しても考察の有力な視点を与えるものである。

鄧小平路線がかつて「修正主義的」と非難された政策よりは数倍も「修正主義的」な経済改革路線を

採用し、ゴルバチョフもこれに追随しようとしているかに見える。これは現代社会主義諸国における商品経済を排除した計画経済（指令性経済）型社会主義経済が破産したことを示唆している。

文革は商品経済の排撃を極端まで進めようとしたが、物質的刺激を排除し、精神的刺激を一画的に強調して経済を運営しようとする試みは失敗した。文革期の経済建設の失敗に鑑みて、毛沢東型経済発展戦略が否定され、文革期に批判された鄧小平流の「白猫黒猫」論〈色を問わず鼠を捕まえる猫はよい猫だとしてイデオロギーにとらわれず生産向上政策をとることを強調〉が復権した。他方、ソ連では文革のような試行錯誤を経験せず、計画経済を堅持してきたが、やはり経済改革を迫られている。歴史におけるif、すなわち仮定は無意味だとよくいわれるが、考えるヒントとしては重要である。つまり中国で仮りに文化大革命が起こらなかったとすれば、計画経済が堅持され、発展してきたはずだが、やはり経済改革が必要とされたであろう。ゴルバチョフ改革はこのことを示唆しているものと解釈できるのである。

この文脈で歴史を回顧すると、一九三〇年代に成立したスターリン型の計画経済体制が原点である。五〇年代末にはすでにその限界が意識されていた。中国ではその限界を克服すべく毛沢東型社会主義建設が模索された。この毛沢東モデルを肯定するか否定するかをめぐって文化大革命が発生したといえるわけである。ソ連ではフルシチョフ時代に経済改革が試みられるが、まもなく挫折し、以後ブレジネフ時代の長い停滞を経て、ゴルバチョフ時代になってようやく再び改革が舞台に登場したことになる。

二　大いなる損失

文革の経済的損失

鄧小平時代が始まってまもなく、李先念《りせんねん》（当時政治局常務委員）が「全国計画会議」で講話（七九年十二月二十日）してこう指摘したことがある。

大躍進のときに、広範な大衆の熱情は高かったが、われわれが指導において過大な目標〔原文＝高指標〕、デタラメ指揮〔原文＝瞎指揮〕、共産風を吹かせる誤りを犯したので、その結果、損失はたいへん大きかった。ある同志の推計では、国民所得を千二百億元失った。〔中略〕文化大革命の動乱の十年には、政治上国家と人民にもたらされた災難は別にして、経済上、ある同志の推計によれば国民所得で見て五千億元失った。

この金額はどの程度の損失なのか。一九五九年、六〇年当時の中国の国民所得は約千二百億元であったから、およそ一年分の国民所得の損失に当たる。文革期の六〇年代後半の国民所得は約千六百億元であるから、五千億元という数字は国民所得のおよそ三年分である。李先念は推計方法については説明していないが、おそらくは大躍進や文革がなかったとしたら、この程度の成長率で成長したはずだと計算したものと現実の数字とのギャップがこれだけになるということであろう。

アジア・ニーズとの経済的ギャップの拡大

中国が大躍進期に一年、文革期に三年、足踏みをしていた間に、中国周辺の国家・地域はすばらしい高度成長を遂げた。日本の高度成長はいうまでもなく、日本を見習うかのごとく、台湾、香港、シンガポール、そして韓国が高度成長を遂げた。

たとえば、中国が文革の動乱に明け暮れ、その後一息ついた時期である六五~八六年の二十余年に、アジア・ニーズの一人当りGNPがどうなったかを見ておこう。中国の八六年の一人当りGNPは三百ドルにしかすぎないのに対して、シンガポール七千四百十ドル、香港六千九百十ドル、台湾三千七百八十四ドル、韓国二千三百七十ドルとなった。中国はシンガポールの二十四分の一、韓国の八分の一である(資料は世界銀行の『世界開発報告一九八八』、台湾のみ『台湾統計年鑑一九八七』)。

六五~八六年の成長率を見ると、中国が年平均五・一パーセント、シンガポール七・六パーセント、台湾六・九パーセント、韓国六・七パーセント、香港六・二パーセントである。いずれも中国のそれを上回っている。ただし、年平均成長率自体の差はそれほど大きくない。六五年当時にすでに差が開いていたこと、その後に人口爆発が起こったことを指摘しておく必要があろう。いずれにせよ八六年当時の人口は、中国十億五千四百万人、韓国四千百五十万人、台湾千九百四十五万人、香港五百四十万人、シンガポール二百六十万人であったが、貿易額は中国七百四十三億ドル、香港七百八億ドル、韓国六百六十三億ドル、台湾六百三十九億ドル、シンガポール四百八十億ドルであり、似たような規模であった。これらの数字は、東アジア地域における中国の著しい立ち遅れを浮き彫りにしている。

文革期の経済成長

文革期の経済発展について、もう少し詳しく説明しているのは李成瑞《りせいずい》(当時国家統計局局長)である

（『経済研究』八四年一期）。一九六七、六八、六九年の三ヵ年は、国家レベルの総合統計工作は、ほぼ完全に停止した。国家統計局の大部分の幹部が下放労働（原文＝下放労働）に行かされたからである。省レベル、県レベル、各部門レベルの統計工作は完全に中断したわけではないが、統計機構の責任者が「実権派」とされて闘争にかけられ、多くの統計制度が修正主義として批判されていた。七〇年五月以来、国家計画委員会の通知によって、工業、農業、基本建設、職員労働者数、賃金総額などの定期統計報告制度が復活され、過去三年の数字を整理したり、補う作業が行われた。七一年八～九月に国家計画委員会が全国統計工作会議を開いて、国民経済基本統計報告制度を回復した。

李成瑞はさらに統計工作が中断された三ヵ年においても、つぎの三つの部門は混乱しなかったとしている。すなわち①銀行、財政、納税の系統。②鉄道、交通、郵電の系統。③商業、糧食、外国貿易の系統。各国営企業は人民銀行に口座をもつ制度になっているし、また基層単位には元帳や伝票が残されていたので、これらをもとにして三ヵ年の数字の空白を埋めたとしている。

こうして推計した各年ごとの国民所得数字が公表されたのは、『中国統計年鑑一九八三』（中国統計出版社）においてであった。その数字をもとに四九年以来四十年の国民所得の推移を対前年比で見ておけば、図3のごとくである（その後の数字は『中国統計年鑑一九八八』で補った）。

文革前半の第三次五ヵ年計画期（六六～七〇年）の年間成長率は八・三パーセントである。文革後半の第四次五ヵ年計画期（七一～七五年）の年間成長率は五・五パーセントである（平均して六・九パーセントになる）。これは鄧小平時代の七九～八七年の九・〇パーセントよりは低いが、五三～八七年の六・八パーセントとほぼ同じである。つまり、文革期にも「平均並みの経済成長」は行われていたこと

図３　国民所得の成長率（対前年成長率および各時期の平均成長率）

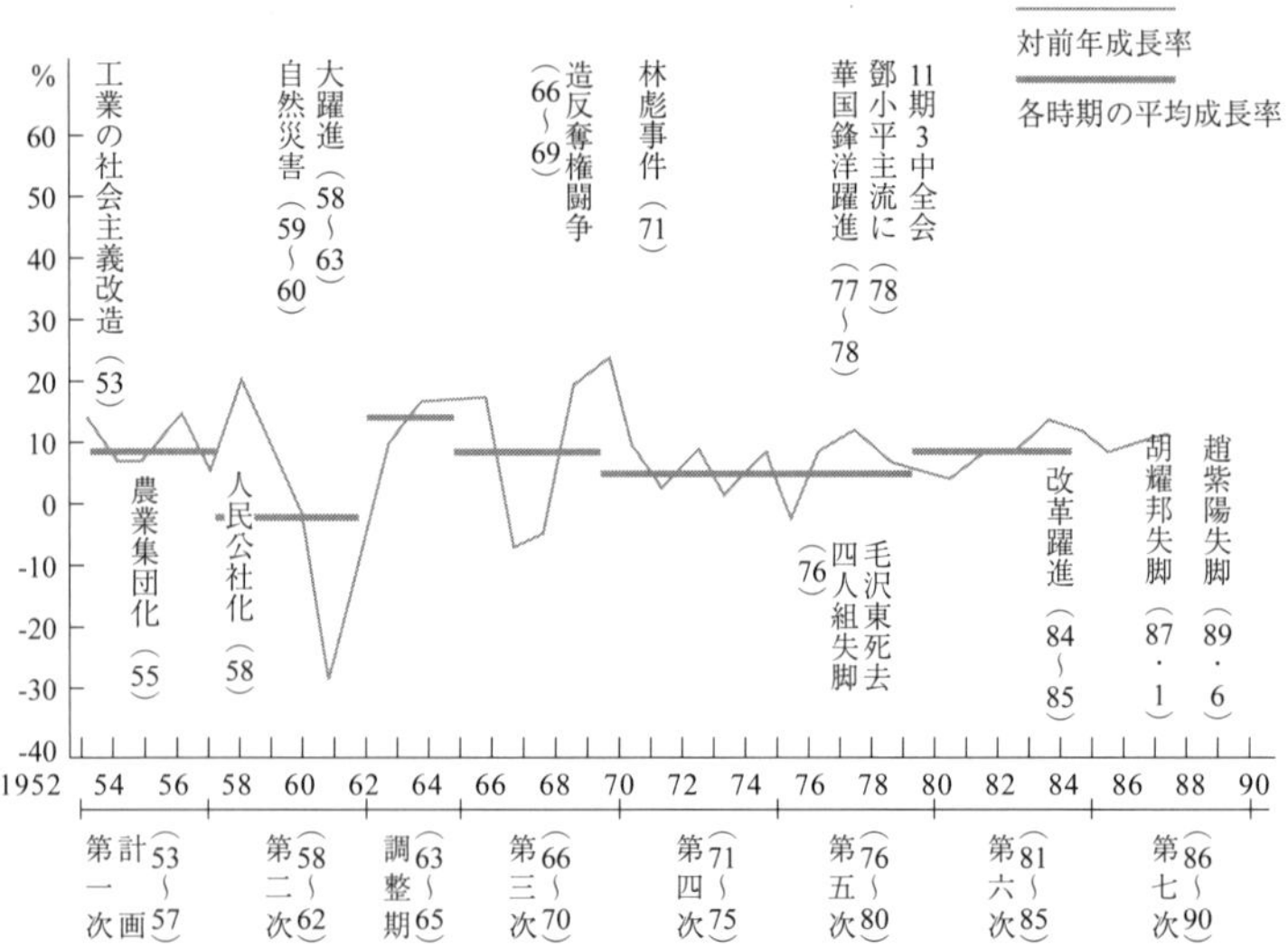

がわかる。

食糧生産の伸び

文革期の十年の変動を各年について見れば、こうなっている。文革期の十年、経済は三つの山と谷を経験した。第一次ピークは一九六六年前半で、経済は勢いよく発展した。しかし、一九六七、六八年は造反、奪権闘争、武闘の頻発によって大混乱に陥った。第二次ピークは一九六九年から一九七三年までである。第九回党大会により、いちおう秩序が再建され、経済は回復し、発展に向かった。しかし、一九七四年には「批林批孔」によって周恩来が攻撃されるに及び、経済は再び混乱に陥った。第三次ピークは一九七五年の整頓以後である。経済は三たび成長に転じた。しかし、一九七六年の「右傾巻き返しに反撃する」〔原文＝反撃右傾翻案風〕闘争によって、経済は三たび混乱に陥った。

文革期の経済成長率が意外に高かった第一の理由

は、農業が食糧生産を中心に安定的に増産されたことである。これを支えたのは、農業用投入財の増加と集団労働による農地基盤整備事業の実施である。

たとえば、トラクターやハンドトラクター、灌漑排水用ポンプ、化学肥料などである。これらの投入を背景として農業生産の伸び率は年平均三・九パーセントに達した。食糧は安定的に伸び、七六年には二・八六億トンに達した。こうして文革期の人口増にもかかわらず、一人当たり食糧占有料は二七二キログラムから三〇八キログラムに増えた。その他の農産物も総生産量は増えたが、人口一人当たりで見ると、ほとんど増えず、油料、綿花は六五年よりもそれぞれ一五パーセント、二五パーセント減少した。つまり「食糧をもってカナメとする」政策のもとで食糧だけが目標を達成しえたのであった。

国防戦略のコスト

第二に工業・交通面で特に目立つのは、石油の増産と内陸の鉄道建設である。

まず石油は大慶油田の連年大増産を中心に勝利油田（山東省）、大港油田（天津市）も加わって、七六年の原油生産量は八七〇〇万トンに達した。六五年の六・七倍である。こうして中国は石油の自給を達成した。原油生産の伸びに伴って石油化学工業も発展した。

つぎに内陸の鉄道建設だが、成昆線（成都・昆明を結ぶ一〇八五キロ）は一九七一年に全線の営業が始まった。湘黔線《しょうけん》（湖南・貴州を結ぶ八二〇キロ）は七四年に主要区間が完成した。焦枝線《しょうし》（河南省焦作・湖北省枝城を結ぶ七六〇キロ）は六五年に着工し、七〇年七月に完成した。この線は北は更に五陽（山西省）まで伸び（太焦線二〇九キロ）、南は柳州（広西自治区）まで伸びた（枝柳線八八五キロ）。こ

図4　内陸の鉄道網

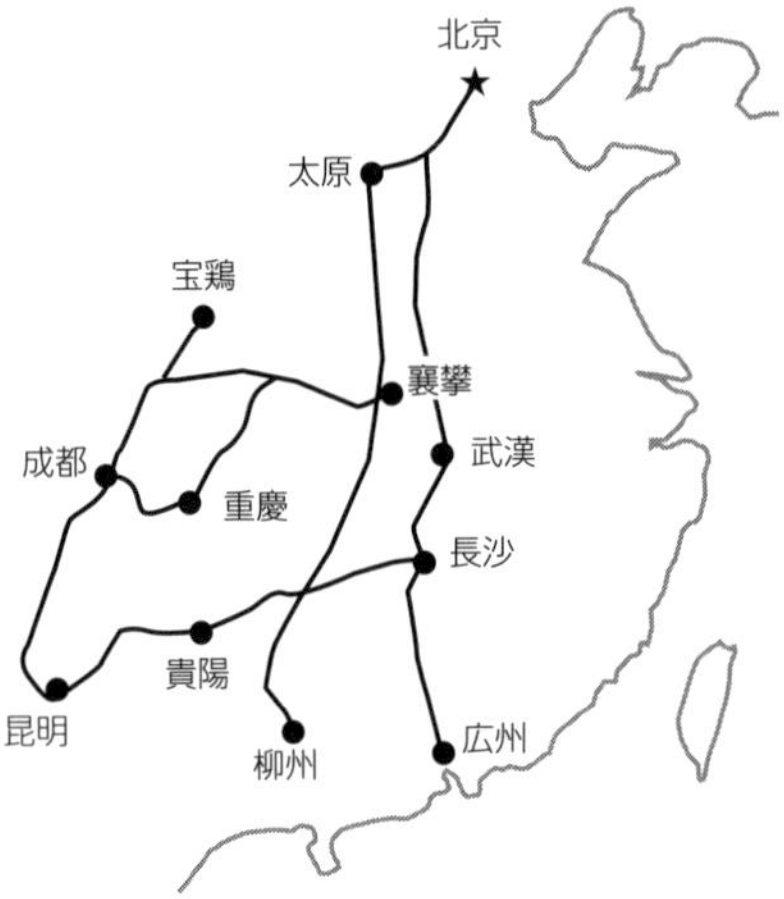

うして太原から柳州までが結ばれ、京広線（北京・広州を結ぶ）と並行する第二の縦断鉄道が完成した。このほか、襄攀《じょうはん》（湖北省）・重慶間の襄渝《じょうゆ》線、同上線の安康と宝成線の陽平関を結ぶ陽安線が建設された。重慶を中心として、内陸にこのような鉄道網が建設されたのは、いわゆる「三線建設」〈本書一九三頁一一行～参照〉のためである。文革期の経済建設の柱が「三線建設」であったとみてよい（図4）。

　さらに、核開発の発展がある。一九六四年十月十六日に最初の原爆実験に成功したあと、六六年五月九日熱核材料を含む核実験を行った。ついで六七年六月十七日に最初の水爆に成功した。六九年九月二十三日地下核実験に成功した。六六年十月二十七日、ミサイル核兵器の実験に成功し、予定目標に命中させた。七〇年四月二十四日、人工衛星（一七三キロ）の打ち上げ実験に成功した。七一年三月三日、化学実験用人工衛星（二二一キロ）に成功した。七五年十一月二十六日、人工衛星を正常に運行させたあと、予定通り回収することに成功した。

「三線建設」の具体的内容については、第二部で紹介するが、ここであらかじめ結論だけを述べておけば、経済効率の側面から評価すれば、たいへんなムダであった。むろん事は国防の問題であり、コスト面からのみ論ずるのは、一面的である。ただ、この間、日本やアジア・ニーズは高度成長を続けていた。中国がひたすら国防に備える戦略を採ったことと、経済的立ち遅れには深い関係がある。

過度な危機意識

いま三線建設の実態を簡単に素描したが、これらの輪郭だけからでも、毛沢東ら中国共産党の指導部がアメリカ帝国主義の侵略、そして後にはソ連「社会帝国主義」の侵略を現実的可能性のあるものと受け止め、それに対する措置を実際に採っていたことが知られるであろう。こうした国際情勢認識はその後の事態の経緯に照らして、侵略の危険性を誤って過度に評価したものと中国側自身によって批判されている。

しかし、これはむろん事後の智慧である。こうした危機意識が文化大革命の発動を毛沢東が決意する上で大きな役割を果していたわけである。毛沢東は死ぬまで第三次世界大戦不可避論に立脚していた。「世界大戦の問題についていえば、二つの可能性しかない。一つは戦争が革命を引き起こすこと、もう一つは革命が戦争を制止することである」(「第九回党大会林彪政治報告」に引用)。要するに、革命によって帝国主義が打倒されないかぎり、戦争はなくならないとする見解である。戦争の勃発はただ遅らせることができるだけだと彼はあくまでも信じていた。

政治的損失

ソ連や東欧諸国と同じく、中国にもノーメンクラツーラ〔原文＝幹部職務名単制〕と呼ばれる高級幹部たちがいる。中国の党政軍幹部は、いずれも一～七級からなる超高級幹部〔大臣級以上の幹部、軍なら兵団級以上）、八〜十三級からなる高級幹部（局長級以上、軍なら師団級以上）、十四〜十七級の中級幹部（課長級以上、軍なら連隊大隊級）、十八〜二十四級の一般幹部に分かれている。ここで問題は十三級以上の高級幹部である。幹部は約二千万人（人口の約一・八パーセント）いるが、このうち高級幹部は約十万人（人口の〇・〇一パーセント）である。文革が打倒対象とした実権派とは、まさにこの階層にほかならない。しかし彼らは一時的に権力から外された〔原文＝靠辺站〕ものの、現実の文革が破産したのち、死者は別として文革後そっくり復権し、文革以前と同様に特権を行使している。この意味では、大衆路線を忘れた幹部を修正主義者として批判する文革は所期の目的を全く達成できなかったことで大失敗であったわけである。

しかしこのような観点からの文革評価はほとんどない。大部分は復権した実権派があたかも慰謝料請求の資料とするかのように、われもわれもと被害者の仲間入り認定におおわらわであった。実権派名誉回復路線のもとで、つぎのような被迫害者調べが広く行われた。

(1)文革期に迫害を受けた「党と国家の指導者」を数えると、まず政治局委員レベルでは、八期政治局委員および候補委員三十三人のうち、逝去者三人を除いて被害者二十人であった。つぎに中央書記処十七人のうち被害者十四人である。軍事委員会副主席七人のうち被害者五人、三期全人代常務委員会委員長副委員長十八人のうち被害者は七人、国務院副総理十五人のうち被害者十二人、各中央局第一書記六人のうち逝去者一人を除き、被害者四人、八期中央委員および候補委員百九十四人のうち、病気、死亡者三十一人を除き、被害者九十六人であった。北京市の幹部、大衆のうち冤罪で死んだ者〔原文＝冤獄而死〕九千八百四人に上る（譚宗級「〝無産階級専政下継続革命〟的理論必須批判」『十年後的評説――〝文化大革命〟

史論集』中共党史資料出版社、一九八七年。なお次頁表1「党のトップ集団」を参照）。

(2)知識人の被害。文化部の直属単位の被害者二千六百余人、著名な作家、芸術家では老舎、趙樹理《ちょうじゅり》、周信芳《しゅうしんほう》、蓋叫天《がいきょうてん》、潘天寿《はんてんじゅ》など九十余人が殺された（原文＝整死）。一七省市の統計によれば、教育界の幹部、教師で被害を受けた者十四万二千余人、死んだ者（原文＝致死）七千六百八十二人。中国科学院の直属単位、第七機械工業部の二つの研究院と一七省市の科学技術人員のうち、五万三千余人が被害を受けた。著名な物理学者趙九章《ちょうくしょう》、冶金学者葉渚沛《ようしょはい》、昆虫学者劉崇楽《りゅうすうらく》、理論物理学者張家燧《ちょうかすい》などが痛めつけられ死んだ（原文＝折磨而死）。衛生部直属の一四医科薬科大学の教授、副教授六百七十四人のうち被害者五百五十六人、死んだ者（原文＝致死）三十六人である。

(3)一般民衆の犠牲

一般民衆がどの程度被害を受けたかを書いた資料はほとんどない。各地で頻発した武闘による死者数が問題だが、これらを含めて「文革時の死者四十万人、被害者一億人」と推計する解説が十一期三中全会（七八年十二月）に行われた（『毎日新聞』七九年二月五日）。しかし、中国当局の公式資料には文革時の死者数の推計数字はない。たとえば〝四人組〟裁判の起訴状では「国家と民族にもたらした災難は推計困難なほどに大きい」と述べるにとどまっている。「歴史決議」では「建国いらい最大の挫折と損失をこうむった」としているが（決議第十九項）、具体的な数字はない。『解放軍報』の「迫害狂・江青」（八〇年十二月九日）では、「連座（原文＝株連）した者は一億人に上る」とされている。家族の一人が反革命と認定されると、家族全員が反革命家族扱いされる。したがって仮りに二千万戸の場合、一家族五人と見て一億人が連座することになる。

表1　党のトップ集団（8回大会から13回大会まで）

	8回大会 1956年	9回大会 1969年	10回大会 1973年	11回大会 1977年	12回大会 1982年	13回大会 1987年
政治局常務委員	毛沢東 J　劉少奇 周恩来 J　朱徳 J　陳雲 J　鄧小平 （6名） 林彪＊58	毛沢東 B　林彪 周恩来 B　陳伯達 B　康生 （5名）	毛沢東 周恩来 B　王洪文 B　康生 B　張春橋 朱徳 董必武 葉剣英 李徳生 （9名） 鄧小平＊74	華国鋒×81 葉剣英 鄧小平 李先念 陳雲＊78 汪東興×80 （6名） 胡耀邦＊80 趙紫陽＊80	胡耀邦×87.1 鄧小平 趙紫陽 李先念 陳雲 葉剣英†85 （6名）	趙紫陽×89.6 李鵬 喬石 胡啓立×89.6 姚依林 （5名） 江沢民＊89.6 李瑞環＊89.6 宋平＊89.6
政治局委員	（林彪） 林伯渠　病死60 J　董必武 J　陳毅 羅栄桓　病死63 J　李富春 J　彭真 J　彭徳懐 J　賀竜 J　劉伯承 J　李先念 （11名） 柯慶施＊58 病死65 J　李井泉＊58 J　譚震林＊58	B　江青 B　張春橋 B　姚文元 B　謝富治 B　黄永勝 B　李作鵬 B　呉法憲 B　邱会作 B　葉群 b　陳錫聯 朱徳 董必武 劉伯承 李先念 葉剣英 許世友 （16名）	B　江青 B　姚文元 b　紀登奎 b　呉徳 b　汪東興 b　陳錫聯 華国鋒 陳永貴 韋国清 許世友 李先念 劉伯承 （12名）	劉伯承 韋国清 烏蘭夫 方毅 許世友 紀登奎＊80 蘇振華 李徳生 呉徳×80 余秋里 張発廷 陳永貴 陳錫聯×80 耿飈 聶栄臻 倪志福 徐向前 彭沖 （18名） 陳雲＊78 鄧穎超＊78 王震＊78 彭真＊79	万里 習仲勲 方毅 楊尚昆 楊得志 余秋里 胡喬木 倪志福 彭真 廖承志 王震†85 韋国清†85 烏蘭夫†85 聶栄臻†85 徐向前†85 鄧穎超†85 李徳生†85 宋仁窮†85 張発廷†85 （19名） 田紀雲＊85 喬石＊85 李鵬＊85 呉学謙＊85 胡啓立＊85 姚依林＊85	万里 田紀雲 江沢民 李鉄映 李瑞環 李錫銘 楊汝岱 楊尚昆 呉学謙 宋平 胡耀邦病死 89.4 秦基偉 （12名）
政治局候補委員	J　烏蘭夫 J　張聞天 J　陸定一 陳伯達 康生 J　薄一波 （6名）	b　紀登奎 b　汪東興 李雪峰 李徳生 （4名）	呉桂賢 蘇振華 倪志福 賽福鼎 （4名）	陳慕華 趙紫陽 賽福鼎 （3名）	姚依林 秦基偉 陳慕華 （3名）	丁関根 （1名）

（注）＊印は補選による昇格、†は引退、×は解任を示す。定員は大会当時のもので、補選者を含まない。
①実権派Jの群像。8回大会の政治局メンバーのうち病死者3名（林伯渠、羅栄桓、柯慶施）を除くと23名である。このうちJ印の18名が実権派として攻撃された。文革を推進したのは毛沢東、周恩来、林彪、陳伯達、康生の5名であるが、周恩来の立場は微妙である。
②文革派Bの群像。9回、10回大会のメンバーのうち、のちに林彪“四人組”裁判で責任を追及された文革推進派をBで示し、80年に“小四人組”として解任された者をbで示した。なお同裁判で「被害者」として扱われている者は、周恩来、朱徳、董必武、李先念、葉剣英、鄧小平、蘇振華である。

(4) 失われた世代

より重大なのは、文革期に教育を受けられず、下放した青年たちである。これについては紅衛兵を扱った第三部一（二一六頁以下）を参照してほしい。

崩壊に向かう現代の社会主義

文革を歴史的視野から、つまり遠景から観察して見よう。文革がピークを迎えた第九回党大会当時、つぎのように声高に叫ばれた。「毛沢東思想は、帝国主義が全面的に崩壊に向かい、社会主義が全世界的勝利に向かう時代のマルクス・レーニン主義である」（第九回党大会党規約）。

この一句の「帝国主義」を「社会主義」と読み替え、「社会主義」を「資本主義」と読み替えてみよう。「社会主義が全面的に崩壊に向かい、資本主義が全世界的勝利に向かう時代」と読める。こう誰かが書いたとしても、ブラック・ユーモアにならないところに二〇世紀の悲喜劇があるのではないか。資本主義社会が大きく変貌し、かつて社会主義が主張していたほとんどすべてが、資本主義体制のなかに取り込まれた。たとえば完全雇用の達成や失業保護、社会保障などの政策がそれである。他方、現代社会主義世界は経済発展の著しい停滞のもとで、資本主義の原理を公然とあるいは密かに輸入せざるをえなくなり、いわばなしくずしに崩壊しつつある。資本主義もそれらしくなく、社会主義はもっとその名にふさわしくない――これが二〇世紀も終末に近い昨今の現実である。

根本的矛盾、根源的失敗

文革の世界史的意味とは何か。それは中国社会主義の根本的矛盾、そして部分的に現代社会主義の矛盾を極限の形で暴露してみせたこと、その限界を誰の目にもわかる形で示したことであろう。ここで現代社会主義の矛盾というのは、あれやこれやの小さな矛盾ではない。過渡期国家としての社会主義は、つねに共産主義への展望を明確に提起すべき義務を負っている。共産主義世界における全人類の最終的解放を約束することによって成立した社会主義は、共産主義への移行の展望を示すべき道徳的義務を負っており、これは避けて通れないのである。この点が現世の利益を是認する資本主義世界との根本的相違であり、それゆえに「社会主義の資本主義に対する優越性」が認められてきたわけである。しかしながら現代社会主義はこの共産主義への移行の可能性を提起する上でほぼ完全に失敗した。これは小さな失敗ではなく、おそらくは根源的な失敗である。

毛沢東は全世界の百余の自称共産党がこの課題を忘れたとする認識に基づいて、純正な共産主義者としてこの課題に応えようとした。結果はやはり大失敗であった。それは風車に立ち向かうドン・キホーテであったのか。それとも太陽に向かって火を盗もうとするプロメテウスの冒険であったのか。毛沢東自身は自らを孫悟空になぞらえて、孫悟空が天を騒がしたように「無法無天」に旧世界を破壊し、新世界を樹立しようとした。しかし、彼は旧世界の破壊には成功したが、新世界の樹立には失敗した。

毛沢東思想の誤り

失敗の理由は何よりもまず毛沢東自身の理論的欠陥にあるとみてよい。

文革は革命家毛沢東にとって決して一時の思いつきではなく、毛沢東固有の共産主義イメージに基づく壮大な実践であることは、第二部で述べる通りである。中国の理論家たちはいま毛沢東晩期思想のどこに欠陥があったのかを再点検しようとしている。たとえば『光明日報』(一九八八年五月九日)は「毛沢東晩期思想学術研討会紀要」を載せている。龔育之《きょういくし》(中共中央宣伝部副部長)は「毛沢東晩期思想」の定義の困難性に鑑みて、「プロレタリア独裁下の継続革命」理論によって文革の思想を代表させ、この誤りを批判するのがよいとしている(『在歴史的転折中』三聯書店、八八年、五八頁)。

石仲泉《せきちゅうせん》(中共中央文献研究室理論組組長)はマルクス主義理論の枠組みのなかで解釈して、毛沢東の所有制変革による共産主義移行論を「生産力基準を無視した空想論」と批判している。すなわち、毛沢東晩年の誤りは、①生産力の発展段階を超えようとした空想論、②社会主義段階と共産主義段階とを混同した「大過渡期論」にある(「社会主義の発展段階理論に対する毛沢東の貢献と誤り」『中共党史研究』八八年一期)と分析している。

一党独裁制と後進性

毛沢東晩年の思想のなかに「伝統文化の影」を見出す論者も少なくない。たとえば鄭謙《ていけん》(中共中央党史研究室)はこんな例を挙げている(「対〝文化大革命〟発生原因的再認識」『十年後的評説――〝文化大革命〟史論集』中共党史資料出版社、一九八七年、三〇八頁)。毛沢東が七三年元旦の『人民日報』社説で

「深く洞を掘って、広く食糧を蓄え、覇権《はけん》を唱えず」〔原文＝深挖洞、広積糧、不称覇〕のスローガンを提起したことはよく知られている。実はこのスローガンは、明朝朱升の「高く牆を築き、広く食糧を蓄え、ゆっくり王を称す」〔原文＝高築牆、広積糧、緩称王〕の換骨奪胎にほかならない。学校よりは実践のなかで真に教育される例として、孔子、秦始皇帝、漢武帝、曹操、朱元璋などを挙げて、彼らは大学に行かなかったとしばしば語った（たとえば一九七六年三月三日など）。このほか汪澍白《おうじゅはく》『毛沢東思想与《と》中国文化伝統』も毛沢東思想に対する伝統的文化の陰を強調している。

中国の理論家たちは「社会主義の初級段階」という概念を用いて、社会主義の枠を最大限に広げ、毛沢東型社会主義を相対化し、豊かな社会主義イメージを再構築しようとしているが、そこに明るい展望が開けているわけではない。「社会主義の初級段階」は「資本主義への過渡期」であるかもしれないのである（おそらくはその可能性のほうが強いであろう）。

毛沢東の「暴走」を食い止めることができなかった要因は二つ考えられる。一つは現代社会主義に固有の「民主集中制」という名の一党独裁制度である。トロツキーの「代行主義」をまつまでもなく、全人民の意思は党によって、党の意思は中央委員会、そして政治局によって、最後には書記長あるいは党主席によって「代行」されるシステムのもとでは、スターリン独裁、毛沢東独裁は不可避である。もう一つは中国社会の貧困、愚昧、後進性である。この中国的土壌のなかで大衆の自己解放を意図した文化大革命、「魂に触れる」文化大革命は、結果的には貧困、愚昧、後進性を拡大再生産することに終わった。

文革が播いた民主化「動乱」の種子

文化大革命は中国人民にとって一大悲劇であった。悲劇をもたらした直接的契機は、のちに詳論するように、毛沢東の空想的社会主義モデルである。毛沢東は一方では個人崇拝を利用しつつ、自らを神のように崇拝する中国人民のために、共産主義への大道を切り開かんと奮闘したが、結果から見ると、中国人民を大きな災難のなかに投げ込んだ。こうして最も麗しい理想のために立ち上がった中国人民は、最も苛酷な現実によって復讐されることになった。しかし、そこから「虎を恐れない若者」が生まれたことに注目すべきであろう。「われわれは虎に一度は食われたが、結局食いつくされず、呑みくだされもせず、生き延びた。顔には爪痕を残している」（李一哲大字報の一句、拙著『二〇〇〇年の中国』（論創社、一九八四年）第Ⅰ部一）。

文革という苦《にが》い果実を食べた若者のなかから、社会主義を根底から疑う者が続出したことが、文革の最大の成果ではないか。一九八九年四〜六月の民主化「動乱」の種子は文革期に播かれたのだと私は解釈している。

第二部　毛沢東思想の夢と現実

一　人民公社への夢

毛沢東の生家を訪ねて

毛沢東の故郷は湖南省湘潭《しょうたん》県韶山《しょうざん》郷韶山沖《しょうざんちゅう》にある。私は前から一度韶山参りをしてみたいと念じていたが、幸いにも一九八八年の夏休みに、中国現代史研究所のグループに加わって、この草深い農村を訪れることができた（竹内実編『中国現代史プリズム』蒼蒼社はその旅行記である）。

毛沢東自身は建国後、国務、党務に多忙なため、故郷に錦を飾ったのは、二回だけである。すなわち一九五九年六月二十五～二十七日、および一九六六年六月十八～二十八日である。しかしこの二回とも実に重要な政治的出来事の直前に当たるのが不気味である。前者は同郷の同志彭徳懐《ほうとくかい》国防部長を解任する（五九年七～八月の廬山会議）直前、後者は文化大革命の構想を実行に移し始めた時期である。また前者は人民公社という農村組織の矛盾が噴出し、混乱が表面化してきた時期である。後者は同郷の同志劉少奇《りゅうしょうき》らを「反党分子、修正主義者」として、追放することに乗り出した時期であることが興味深い。

韶山冲の龍盤山《りゅうばんさん》と虎踞山《こきょさん》に抱かれた中腹に、「滴水洞《てきすいどう》」と名付けられた毛沢東の別荘が建設されたのは一九六二〜六四年である。この滴水洞にはその後、第三次世界大戦に備えて山腹をくりぬいて核シェルターまで付設された。

私は二回（八八年八月二十九日および翌三十日）このシェルターに入った。「滴水洞」の湿っぽい空気を吸いながら、私はいささか興奮した。一つは少年時代に米軍の空襲を避けるため、何度も防空壕に閉じ込められた体験を想起したからであり、もう一つはこの記憶を通じて、毛沢東が備えようとしていた核戦争の脅威を実感できたように思えたからである。平均的日本人の一人として戦後四十数年、私は戦争をほとんど身近かなものとして意識することなく生活してきたが、毛沢東ら中国の人々にとって第三次世界大戦は遅かれ早かれ確実に発生するものなのであった。彼らはこの前提のもとに、すべての意思決定を行ってきた。

文革のナゾの核心

廬山会議で国防部長を解任された彭徳懐の生家は湘潭県石潭《せきたん》瓦子坪《がしへい》（烏石《うせき》）にある。韶山冲の南東の直線距離で約三〇キロのところである。文化大革命で粛清された劉少奇の生家は寧郷《ねいきょう》県花明楼《かめいろう》郷炭子冲《たんしちゅう》にあり、韶山冲の北東の直線距離でわずか一八・五キロに位置している。つまり地図で見ると、韶山冲の右上に劉少奇の生家、右下に彭徳懐の生家がある。

この小さな三角形のなかに、中国現代史のいわば核心が凝縮されている。中国はとらえどころのないほど大きな国だが、この小さな三角形の謎を読めば、文化大革命の秘密が解けるのではないかと私は興奮したのであった。

彭徳懐は毛沢東の提唱する人民公社の欠陥を批判して、失脚させられた。劉少奇は人民公社が失敗し、食糧危機、経済危機に陥った際に、経済再建の第一線で陣頭指揮した。ここで採用した自由化政策が「修正主義をもたらした」という理由で劉少奇は毛沢東から厳しく批判された。中国は地大物博、すなわち国土が広く、資源にも恵まれている。南と北、東と西では、きわめて大きな違いがある。だから、南北や東西で対立するのは、容易に理解できることである。しかし、いま私が説明しようとしている三人の場合はどうか。

毛沢東も彭徳懐も劉少奇も、湖南省のほとんど同じ地域の人民公社を実際に現地調査している。ほとんど同じ（場合によっては全く同じ）人民公社を視察して、一方は人民公社が成功したといい、他方は失敗したとする、全く逆の結論を導くことになったのはなぜか。毛沢東が大躍進期に彭徳懐を追放したのはなぜか。文革期に劉少奇を追放したのはなぜか。

この問に答えるためには、毛沢東の共産主義への夢を分析しなければならない。

「社会主義中国への道」の模索

一九五六年二月二十四日、フルシチョフは第二十回党大会でスターリンの誤りを激しく批判した（いわゆるフルシチョフ秘密報告）。このとき中共中央は政治局会議を開いて対応を協議し、「プロレタリア独裁の歴史的経験について」（『人民日報』五六年四月五日）、「再びプロレタリア独裁の歴史的経験について」（同上五六年十二月二十九日）を書いて、スターリンの誤りを個人崇拝の問題としてとらえ、こう分析した。

(スターリンは)誤って自己の役割を不適当な地位にまで誇張し、彼個人の権力を集団指導と対立する地位に置いた。

一方では人民大衆が歴史の創造者であること、党は大衆と永遠に結合すべきこと、党内民主主義を発展させるためには、自己批判と下から上への批判を発展させるべきことを認めたが、他方、個人崇拝を受容し奨励し、個人専断を実行した。

党と国家の民主集中制を徹底的に遵守し、大衆に真剣に依拠しさえすれば、全国的な長期の、重大な誤りは避けることができる。

毛沢東はスターリンが一九三〇年代に「反革命の粛清」を拡大してしまった誤りから教訓を学ぼうとした。一九五七年二月二十七日、毛沢東は「敵・味方」の二元論を止揚するために、「人民内部の矛盾」という考え方を提起した(講話「人民内部の矛盾を正しく処理する問題について」)。半年後の六月十九日に講演内容が公表されたときには、すでに反右派闘争が始まっていた。「百花斉放、百家争鳴」の自由化路線は「反右派闘争」へ暗転していた。そこで当時の政治的雰囲気に合わせ、「修正主義反対」や「プロレタリア階級とブルジョア階級のイデオロギー面での闘争は長期の、曲折した、時には激烈なものでさえある」との文言を挿入し、「階級闘争は基本的に収束した」という一句に「革命期の大規模な嵐のような、大衆的な」という形容句を付加したのであった。

皮肉なことに、毛沢東が講話で「嵐のような階級闘争は収束した」と語った直後に中国で嵐が発生し、彼は講話内容の修正を迫られたことになる。このとき、毛沢東は「百花斉放は毒草を発見するための手段であった」と弁解し、また陰謀ではなくて「陽謀」であるとも説明したが、これは本意ではあるまい。共産党に対する予想外の不満が噴出し、毛沢東ら指導部は驚愕したのであった。彼らはただちに反撃に転じたが、今日では「反右派闘争の拡大化」の誤りが反省されている。あれほどの「階級闘争」が必要であったのかどうか、疑問詞されているわけだ。というのは反右派闘争以後、知識人は口を閉ざすようになり、党の欠点を批判しなくなったのであった。「言う者に罪なし」と約束しておいて、「(右派分子には)〝言う者に罪なし〟は適用されない」とまるでペテン師のような言いわけをして、「右派分子」をデッチ上げたのであった(反右派闘争の被害者はおよそ二十万人に上る。ほとんどが鄧小平時代初期に、胡耀邦によって名誉回復された)。

大躍進——十五年でイギリスに追いつく

一九五七年秋、毛沢東はロシア革命四十周年式典参加のためにモスクワを訪れ、各国の指導者を前にして、中国は十五年以内にイギリスに追いつくと宣言した。「わが国は今年五二〇万トンの粗鋼を生産できる。五年後には一〇〇〇～一五〇〇万トンとなろう。さらに五年後には三五〇〇～四〇〇〇万トンとなる。こうして十五年後にはイギリスに追いつき、追い越すことができる」と彼は説いた。毛沢東にとって、粗鋼の生産量が近代化の基準なのであった。毛沢東は「社会主義への中国の道」の模索に本格的に取り組んだ。というのは第一次五ヵ年計画(一九五三～五七年)は基本的にソ連のやり方を模倣したが、不満が残ったからである。毛沢東は「あれは必要であった」、しかし「どうしてもしっくりしなかった。心がはればれしなかった」と証言している(『毛沢東思想万歳』丁本、三九五頁)。

毛沢東は一九五八年初夏、農業合作社の合併問題を研究していた。五五年以来の農業集団化運動のなかで成立した農業合作社をさらに飛躍的に発展させるために、「工、農、商、学、兵」を含む「大公社」に組織し、それを「社会の基本単位」にしようとする構想がひらめいた。新組織には「大公社」あるいは「人民公社」の名が浮かんだ。ちなみにパリ・コミューンは中国語では「巴黎公社《パリクンシャ》」と訳されている。公社はコミューンの意味である。ただし、毛沢東の場合には「兵」すなわち民兵の役割が大きく、人民皆兵によるゲリラ戦争のための根拠地コミューンの色彩が濃厚である。五八年八月十七日から三十日まで、避暑地北戴河で政治局拡大会議が開かれた。毛沢東はこの会議で人民公社の夢を語り、「人民公社設立についての決議」が採択された。「工、農、商、学、兵の結合した人民公社の樹立は、社会主義建設を速め、しだいに共産主義に移行するうえでとるべき基本方針である」「一般には一郷を一つの人民公社とし、規模は約二千戸が適当である」とされた。この決議が発表されるや、十一月初めまでの約三ヵ月間で全国農村に人民公社化が実現し、従来の七四万の農業合作社は二万六千の人民公社に改組された。人民公社加入農家は一億二千万戸に上った。

規模と公有化の問題点

人民公社は「共産主義への移行を目指す基礎組織」であり、行政権力と農業合作社が合体された組織〔原文＝政社合一〕であるとされた。そこでは「生産と生活と政権」の自主管理が目指された。人民公社では集団労働、そして労働点数制〔原文＝工分制〕による収穫の分配が全面的に行われた。生活の場では公共食堂が設けられた。農民は家庭での個別的な食事をやめて公共食堂で食事をとり、婦人はカマドから解放され、農場や水利工事に動員された。政権としての人民公社は、学校や養老院を経営するだけでなく、民兵による武装の任務をも担おうとしていた。

人民公社の成立はあまりにも準備不足であったために、極左偏向の誤りが少なからず見られた。第一は規模の問題である。いくつかの郷（中国農村は約五万の郷＝行政村から成っている）を一つの人民公社にし、戸数六千、七千という大公社さえ現れ、なかには県レベル（中国は約二千の県級単位によって構成されている）を単位とする「連社」を提唱する動きさえあった。第二に、公有化の程度である。貧しい生産隊と豊かな生産隊の所得を公社レベルで平均分配する偏向、公共蓄積の名において、過大な無償労働を強要すること、生産隊や農民の財産を無償で公社の所有に帰することなど、が広範に行われた。こうした偏向を批判する言葉が一に平均主義、二に徴発主義〔原文＝一平二調〕である。また私有制の残滓の一掃という名目で、自留地が集団経営に移され、家庭副業が禁じられ、自由市場も閉鎖された。

彭徳懐の人民公社批判

三ヵ月足らずで全中国に人民公社を作るという、ケタ外れに熱狂的な大衆運動のなかで極左偏向は免れえなかった。この偏向に毛沢東宛て「私信」（意見書）を書いて、問題提起したのは、国防部長彭徳懐《ほうとくかい》であった。

彭徳懐が大躍進に対して最初に疑問を抱いたのは、実は五八年十二月のことである。当時彼は故郷の湘潭県烏石やかつてゲリラとして戦った平江などを訪れ、農民の直訴に衝撃を受けたのであった。食糧不足のもとでムリな集団労働を幹部が強要するために、子宮下垂や月経停止などの婦人病が少なくなかった。また鍋や鉄器を破壊して製鉄原料として供出する例、家屋や樹木を破壊して製鉄の燃料とするなど、行き過ぎた大衆運動の欠点を目のあたりにしたのであった。しかし、彼は当時は疑問を抱きつつも、五九年四月のチベット反乱対策、その後の東欧訪問などに忙殺され、他方では毛沢東による政策の手直しに期待をつないでいたのであった。

さて五九年五月彭徳懐は東欧各国を訪問し、六月中旬に北京に帰った（アルバニアの首都チラナでフルシチョフと会っている）。帰国翌日、留守を預かる黄克誠《こうこくせい》（総参謀長）に国内情勢を聞くと、山東省の食糧不足はまだ解決されておらず、甘粛省は食糧余剰の省と報告されてきたが、いまや厳しい不足である。しかし輸送力が欠如しており、食糧を運べない。海軍も重慶まで食糧輸送に動員され、空軍も動員されている。これ以上に軍を動員することは「備戦」の建前からして不可能である。そのうえ、いまやガソリンの備蓄にも問題が出てきた、という惨憺《さんたん》たるありさまである。

増産数字の「虚報」

彭徳懐は東欧旅行の長旅のため、疲労しており、廬山会議への出席を黄克誠に代わってもらおうとしたが、黄克誠の勧めでやはり重い腰を上げたのであった。廬山に着くと、周小舟《しゅうしょうしゅう》（湖南省第一書記）が訪ねてきた。周小舟によると、昨五八年の食糧増産数字は誇大報告だという。上級が圧力をかけるので、下級の地方幹部が「虚報」（誇大報告）を行ったのだと彼が説明してくれた（たとえば『中国報道写真展』陝西日報社、共同通信社共編、八九年、一一三頁に大躍進期の三葉のフェーク写真がある。「子供が乗っても倒れない稲穂」の偽造された写真などである）。周小舟はさらに「いまは公共食堂なので、大釜飯〈機械的な平均主義〉であり、薪も労働力も節約せず、浪費している。そのうえ、公共食堂制度は家庭で茶を飲むにも不便なので、大衆は食堂に対して大きな不満をもっている」と訴えた。張聞天《ちょうぶんてん》（外交部副部長）とは廬山で宿舎が隣だったので、散歩のときにいろいろ意見を交換した。彭徳懐が「土法製鉄〔近代的方法によるものではなく、旧式製法による製鉄〕は得あり、失ありだ」と述べたのに対して、張聞天は現実はもっとひどい、「あなたの評価は甘すぎるほどだ」とたしなめた（『彭徳懐元帥豊碑永存』中国人民軍事博物館編、上海人民出版社、一九八五年、五九〇頁）。こうした経緯を経て、彭徳懐は七月十三日夜、三千字余りの私信を書いて、翌十四日朝に毛沢東のもとに届けた。

毛沢東の反撃

この彭徳懐私信に対する毛沢東の扱いは異様であった。毛沢東はこの私信に「意見書」の表題を付して印刷させ、十六日配付し討論させた。そして二十三日に意見書は「右傾日和見主義の反党綱領」だと厳しく批判し、「廬山で出現した闘争は、階級闘争であり、過去十年の社会主義革命の過程におけるブルジョア階級とプロレタリア階級という敵対する階級の生死をかけた闘争の継続である」と論断した。事の成り行きに驚いたのは、むしろ彭徳懐の方である。

廬山会議（七月二日〜八月一日の政治局拡大会議と、八月二日〜十六日の八期八中全会からなる四十五日間の大会議）の経緯をみると、政治局拡大会議の冒頭、毛沢東はまず、講話を行ない、「成績は偉大、問題は少なからず、前途は光明なり」の三句で総括した。会議で討論すべき課題として、情勢、五九年の任務、六〇年の任務など、先に文書にまとめておいた一九の問題を列挙して考え方を説明した。この講話のあと、会議は各地方別の小組討論に移った。彭徳懐は西北小組の討論に参加した。各小組会議の討論は、大躍進、人民公社のもたらした結果の評価をめぐって激論となった。そこで毛沢東は七月十日「情勢と任務について——廬山会議議定記録（修正草案）」を配付し、肯定論でまとめようとした。その基調に不満な彭徳懐は七月十三日朝、小組会議の模様および自らの見解を毛沢東に報告しようと出かけたが、ボディガードから「主席はいましがた就寝されたばかりだ」と伝えられ、安眠を妨げてはならないと思い直し、私信を書いたのであった。

「反面教師」として利用

毛沢東が同志彭徳懐の意見書を敵による人民公社の攻撃であるかのごとく扱ったのはなぜか。二つの理由が考えられる。毛沢東にとって人民公社はいわば「共産主義の夢」なのであった。毛沢東がその夢にかけていたことは、成都会議前後の一連の会議における毛沢東の精力的な活動を見れば、推測がつく。五七年十一月の訪ソ（十一月二日〜二十一日）から帰国した毛沢東は、五八年初めから大車輪で活動を始めた。一月、杭州会議で「工作方法六十ヵ条」構想を語り、南寧会議（五八年一月十一日〜二十二日、九省二市党委員会書記会議）で大躍進を呼びかけ、「六十ヵ条草案」を起草した。

続く成都会議（五八年三月九日〜二十六日、政治局拡大会議）で、社会主義建設の一連の問題を検討し、「地方工業の問題」など三七の文件を採択している。この会議で毛沢東は「ファイトを燃やし、高きを目指し、より多く、早く、立派に、ムダなく」〔原文＝鼓足幹勁、力争上游、多快好省〕社会主義建設を行う総路線を提起した。第八回党大会二次会議（五八年五月五日〜二十三日）では、工農業同時並進、中央地方工業の同時並進、大型企業中小型企業の同時並進からなる社会主義建設の総路線を決定している。こうした流れのなかで北戴河会議（五八年八月十七日〜三十日）が開かれ、人民公社設立と、一〇七〇万トンの鉄作り（五七年の生産量を五八年だけで倍増させようとするもの）が決定されたのであった。毛沢東はこの間、一貫して陣頭指揮を行った。自らが煽動して燃え上がった大衆運動の熱気のなかで、毛沢東はいささか頭に血が上っていたようである。彭徳懐の手紙はこうした毛沢東に冷水を浴びせたのであった。毛沢東は逆に、この機会をとらえて、彭徳懐を日和見主義者の代表に仕立て上げ、反面教師として利用しようとしたものと考えられる。「反面教師」というのは、悪い例を示すことによって、奮闘目標を明確にする手段とすることである。

人民公社路線への断固たる確信

もう一つの理由は、彭徳懐がチラナでフルシチョフと会ったことである。国防部長彭徳懐が「中ソ蜜月」時に同盟国のリーダーに会ったところで、何の不思議もない。しかし、毛沢東はこのとき、「社会主義への中国の道」を提起することによって、共産主義世界におけるフルシチョフの権威に挑戦しようとしていた。社会主義建設の総路線、とりわけ人民公社はその有力な武器なのであった。彭徳懐が人民公社にクレームをつけたとき、毛沢東は彭徳懐の背後にフルシチョフの顔を見たはずである。ただし彭徳懐がフルシチョフと組んで、毛沢東打倒を考えたなどというのは、憶測もはなはだしい。

彭徳懐は国防部長解任後、毛沢東を訪ねて、①私はいかなる情況下でも反革命はやらない、②いかなる情況下でも自殺しない（自殺は処分に対する「抵抗」の意志表示と受け取られる）、③今後は生産労働を行い、自力で生活する、の三ヵ条を誓約している。彭徳懐から見たボス毛沢東とのつきあい方がよくわかるであろう。

他方、毛沢東は彭徳懐解任六年後の六五年九月二十三日、彼と会って、「三ヵ条の誓約」を聞かされ、こう答えている。「あとの二ヵ条は私はまだ覚えている。〔廬山会議の論争において〕真理はあなたの側に在ったかもしれぬ」（彭徳懐元帥『豊碑永存』六三九頁）と。つまり、ここで毛沢東は彭徳懐の意見書の正しさを事実上認め、にもかかわらず彼を処分してしまった自己の誤りを示唆しているわけである。しかし、毛沢東は彭徳懐にシャッポを脱いだわけではない。総路線は基本的に断固として擁護さるべきものである。誤りは部分的なものにすぎないというのが、毛沢東の確信なのであった。これが人民公社問題をめぐる毛沢東と彭徳懐の対決物語である（なお蘇暁康《そぎょうこう》ほか「「烏托邦《ユートピア》」祭――一九五九年廬山之夏」『華人世界』八九年一期は、大躍進を批判した興味深い報告文学である）。

二　空洞化する人民公社

調整期における農業集団化の解体

五九年二月の第二次鄭州会議で「三級所有制、隊を基礎とする」方針が決定された。ここでいう「隊」とは、生産大隊であり、人民公社レベルでのドンブリ勘定をやめて、生産大隊レベル（二百〜三百戸からなる。旧高級農業合作社に相当する）に下ろしたのであった。六一年九月の毛沢東の「党内通信」

以後、「三級所有制、隊を基礎とする」方針の「隊」とは生産大隊ではなく、「生産隊」（二十〜三十戸からなる。旧初級農業合作社に相当する）を指すようになった。こうして、五八年の人民公社作りは人民公社という形は残ったものの、五九年初めにすでに手直しが始まり、六一年秋の時点では経済計算の単位〔原文＝基本核算単位〕に関するかぎり、五五年段階にまで後戻りしていたことになる。

劉少奇、鄧小平ら第一線の指導者たちは、毛沢東が後継者養成と理論工作に集中するため第二線に退いたあとを襲って、指導部の前面に立って、六一年一月、「調整、強化、充実、向上」の政策を掲げたのを皮切りに、大躍進の失敗をつくろう仕事に全力を挙げていた。

一九六二年一月、七千人大会で毛沢東は「社会主義建設において経験が不足していた」と自己批判するとともに、このような混乱がもたらされた原因が民主主義の不足にあるとして、民主主義の発揚を呼びかけている。

他方、劉少奇は経済困難は「三分が天災、七分が人災である」、「人民公社はやらない方がよかった」、「彭徳懐同志の意見書は、やはり事実に合致していた」（「七千人大会における講話」『劉少奇選集（下）』）などと述べた。鄧小平は「党内闘争に偏向が生じ、一部の幹部を誤って処分した」と反省した。こうした観点から劉少奇らは自留地、自由市場の復活、自己損益、生産の戸別請負〔原文＝自留地、自由市場、自負盈虧、包産到戸〕などの政策を容認した。これは「三自一包」と略称された。

大躍進や人民公社路線の失敗は明らかであった。食糧不足に起因する餓死者数は五八〜六一年の四年間で千五百〜千八百万人に上ったと推計される（宇野重昭・小林弘二・矢吹晋著『現代中国の歴史 一九四九〜一九八五』有斐閣、八六年、一八九頁）。毛沢東の指導権は大きくゆらいだ。こうした潮流を毛沢東は逆流と認識した。そして一九六二年九月、「絶対に階級闘争を忘れるな」と訴え、大躍進や人民公社を批判する同志を階級闘争の対象と考えるようになった。もはやスターリンの粛清の誤りという教訓は忘れられ、スターリンの階級闘争激化論と類似した社会主義社会における階級闘争論が主張されるようになった。つまり、五六年にスターリンの誤りを批判した毛沢東は、六二年には早くもスターリンの誤りを繰り返し始めたことになる。

人民公社の整頓——社会主義農業の動揺

毛沢東は人民公社の設立に共産主義への夢を託したが、矛盾に気づかなかったわけではない。早くも一九五八年末から人民公社の整頓運動〔原文＝整風整社〕に取り組んでいる。整頓運動の歩みはつぎの三つの段階に分けられる。

第一段階。一九五八年末の八期六中全会から一九五九年七、八月の廬山会議まで。この段階の整頓運動は平均主義、徴発主義、「共産風」によってもたらされた経済的混乱を是正することに重点が置かれた。幹部の作風や階級闘争の問題にも目が向けられたが、地主・富農・反革命分子・悪質分子・右派分子〔原文＝地富反壊右〕と同列視されることはなかった。

第二段階。一九五九年の廬山会議から一九六〇年冬の「十二ヵ条緊急指示」通達まで。この段階になると、整風整社運動は右傾日和見主義運動反対と同時に行われ、人民公社の基層幹部の問題と社会的な階級闘争とが結びつけて扱われるようになった。

基層幹部の官僚主義をあばくだけでなく、幹部の「組織不純」問題に注意が向けられ、農村基層政権には反革命分子、富農分子、悪質分子が少なくない、それゆえにこそ一部の生産隊は貧困隊になったのだと認識されるようになった。こうして人民公社（生産大隊、生産隊）を三種類に分類し、三類の人民公社の幹部は政治的に信用できないとした。しかし、この段階では運動の中心は平均主義、徴発主義是正という経済闘争に置かれていたために、基層幹部問題での極左的政策はまだ登場しなかった。

第三段階。一九六〇年十一月の「緊急指示十二ヵ条」から一九六三年二月の中央工作会議まで。人民公社整頓運動の中心が経済から政治に移り、基層幹部と基層政権に対する懐疑が深まり、「奪権闘争」が提起され始めた。単幹風《たんかんふう》（集団農業を戸別経営に戻すこと）批判と奪権闘争が結びつけて論じられ、人民公社整頓運動は政治運動化した。

「社会主義教育運動」の展開

一九六三年五月の杭州会議から文革の開始まで三年にわたって「社会主義教育運動」が行われた。これも三つの段階に分けられる。

第一段階。一九六三年五月から一九六四年五月まで。

党中央は二つの重要会議を開いて、この問題を討論した。一九六三年五月二日～十二日、毛沢東は杭州で一部の政治局委員と大行政区書記（当時全中国を六つの行政区＝協作区に分けていた）の参加する小型会議を開いた。この会議で「当面の農村工作における若干の問題についての決定（草案）」（いわゆる「前十条」）が採択され、社会主義教育運動の綱領的文件とされた。このなかで先鋭な階級闘争の状況が九ヵ条にわたって列挙され、こう断言された。「一部の人民公社、生産大隊の指導権は、実際には階級敵の手中にある。その他の機関の一部の枢要ポストにも彼らの代理人がいる」。また「前十条」には毛沢東のつぎのコメントが引用された。「（階級闘争をつかまなければ）地主、富農、反革命分子、悪質分子、妖怪変化が一斉に飛び出してこよう。多くの者は敵味方の区別がつかず、敵に腐蝕させられ、瓦解させられ、引きずりだされ、殴りこまれる」「少なければ数年、十数年、長くとも数十年のうちに不可避的に全国的な反革命復活が行われ、マルクス・レーニン主義の党は必ず修正主義の党に変質し、全中国が変色してしまうだろう」（この一句は中ソ論争の第九論文にも引用された）。

まもなく党中央は九月五日～二十七日、北京で中央工作会議を開いた。会議は「農村の社会主義教育運動における若干の具体的政策についての決定」（「後十条」）を採択し、「前十条」の補充とした。たとえば「前十条」は「九五パーセント以上の幹部と団結し、九五パーセント以上の大衆と団結することが前提条件である」としていたが、この点について「後十条」は「誤りを犯した幹部に対しては教育を主とし懲罰を輔とする。（資本主義）復活を行う階級敵とぼんやりして敵に利用された後れた大衆とは区別する。投機活動と正当な自由市場活動は区別する」など政策の境界を明らかにしている。ここで注目すべきことは、この段階では社会主義教育運動はまだ地域を選んでの試行にとどまっていたことである。

奪権闘争の提起

第二段階。一九六四年五月から一九六四年末まで。

この段階で運動は試行の段階から全国的に拡大され、矛先は主として幹部と党内に向けられるようになった。一九六四年五月十五日〜六月十七日、党中央は北京で工作会議を開いて、「中華人民共和国貧農下層中農協会組織条例（草案）」を採択した。毛沢東はこの会議で六月十六日に「農村と都市の約三分の一の権力はわれわれの手ではなく、敵の手に握られている」と述べて、中央にも修正主義が現れると危惧し、もし現れたら抵抗しなければならないと問題を提起した。

劉少奇《りゅうしょうき》は一年来の運動が浸透しない原因は上層幹部が下を庇《かば》っているからだとし、農村革命の「妥協風」を批判し、大衆を発動して奪権闘争を行う必要があると述べた。六四年八月下旬、劉少奇は各中央局第一書記を集めた会議で「後十条」を修正した。これに毛沢東が朱筆を加える過程で、階級敵は「反革命の両面政権を樹立しようとしている」など状況認識はますます激しくなり、「今回の運動は土地改革よりも広範で深刻な大衆運動である」とされるに至った。九月十八日、「後十条」の修正草案が下達され、「すべての運動は工作隊の指導により」「大兵団作戦」によって行われることになった。すなわち各省では地区レベルを単位として工作隊を重点県に集中し、上下左右から同時に点検を行うわけである。

工作隊による指導

毛沢東が奪権闘争を提起すれば、下からはこれに呼応する動きが出てくる。六月二十三日に党中央は甘粛省党委員会から来た報告「白銀有色金属公司の指導権奪還についての報告」を全党に通達したが、そこには白銀公司が地主ブルジョア階級グループの統治する独立王国になり、社会主義所有制はブルジョア所有制に変質していたと書かれていた。この事件では数百名の幹部と大衆が冤罪《えんざい》に連座する結果となった。

天津市南郊外の小站地区では三つの党支部が反革命集団とされ、二百五十余人がメンバーにデッチあげられ、残酷な闘争にかけられた。これは陳伯達《ちんはくたつ》が捏造《ねつぞう》したものとされている。十月二十四日、党中央は「社会主義教育運動の奪権闘争の問題についての指示」を発出し、敵に指導権を簒奪《さんだつ》されたところ、堕落変質分子が指導権を握っているところでは「奪権闘争を行うべし」と指示した。十一月十二日、党中央は「問題の重大な地区で貧農下層中農協会が権力を行使することについての批示《コメント》」を発出し、さらに翌十三日には「農村の社会主義教育運動の工作団の指導権限についての規定(草案)」を通知している。工作隊の所在している県では、県党委員会および県人民政府は工作隊党委員会の指導に従い、県内の各公社もその指導に従うべきものと決めたものである。これ以後、工作隊による奪権闘争が運動の主な内容となった。

運動参加者の増大

毛沢東は十二月五日、あるコメント(瀋陽《しんよう》冶煉工場での謝富治の蹲点《そんてん》〈指導幹部による末端現場調査〉報告に対する批示)のなかで「われわれの工業は経営管理の面で結局どれほど資本主義化しているのであろうか。三分の一か、二分の一か、それとももっと多いのか。一つ一つ調査し改造して初めてわかる」と書いている。

社会主義教育運動はどの程度の規模で行われたのか。工業面では六四年五月の中央工作会議以後、各級党委員会が十三万人の工作隊を組織して千八百余の企業で四清運動(政治、経済、組織、思想の四つを清くする意。のち社会主義教育運動と総称)を行い、運動参加者は職員労働者の三・九パーセントに達した。農村では全国三分の一の県で行われ、二百万人の幹部がこの運動に参加した。

第三段階。一九六五年一月から一九六六年前半まで。

六四年十二月十五日から六五年一月十四日まで政治局の全国工作会議が開かれ、「農村の社会主義教育運動のなかでいま提起されている若干の問題」（略称「二十三ヵ条」）が採択された。「この運動の重点は党内のあの資本主義の道を歩む実権派をたたくことにある」という規定はこれに書き込まれた（魏維鈞「社会主義教育運動を論評する」『党史研究』八四年六期）。

こうして、人民公社の整頓を行う過程で、「修正主義者による指導権の奪権」という観念が生まれ、マルクス主義者による再奪権の闘争が構想されたのであった。

中ソ論争・中ソ対決の展開

中国農村の指導権の三分の一が修正主義者の手に奪われたとする実態認識は穏やかなものではない。社会主義体制のもとで平和的な資本主義復活がなしくずしに進行しているとする事実認識はどのような経緯で生まれたのであろうか。ここで見落とすことのできないのは中ソ論争、中ソ対決である。

毛沢東の「修正主義」認識はまずソ連外交批判から出発した。すなわち盟友の中国社会主義を裏切り、アメリカ帝国主義に屈伏するソ連は修正主義者によって、指導権を奪われたからだと毛沢東は考えたのであった。こうした観点から社会主義教育運動下の中国の現実を見直すと、「内なる修正主義」現象があふれていた。毛沢東曰く、全国の約三分の一はすでに修正主義に変質している。指導者も中央レベルから基層レベルまで約三分の一が修正主義に堕落した、と。

毛沢東が人民公社のアイディアを自負しつつ、ソ連のコルホーズ、ソフホーズの不徹底さを批判し、翻って中国の幹部たちをゴリゴリの官僚主義者〔原文＝死官僚主義者〕と難詰したのは、一九六〇年後半から六一年にかけてである。

一九六三年九月六日、中ソ論争の第一評「ソ連共産党指導部とわれわれとの分岐の由来と発展」の発表に前後して北京では中央工作会議が開かれていた。毛沢東はこう述べた。

農村の社会主義教育運動と都市の五反《ごはん》運動（賄賂、脱税、資材窃盗、原材料のごまかし、経済情報の窃盗に反対する運動）は、国内の反修正主義の基礎を固めるものであり、国際的な反修正主義、国内の階級闘争拡大と結合しなければならない。

これ以後、社会主義教育運動を通じて、修正主義発生の社会的基礎をなくすという言い方が党内文件にしばしば登場するようになった。このとき毛沢東は、階級闘争をカナメとするスローガンを提起している。ユーゴが官僚ブルジョア階級によって支配されるに至ったと非難したのは「ユーゴスラビアは社会主義国か」（三評、六三年九月二十六日）においてである。「フルシチョフのエセ共産主義とその世界史的教訓」（九評、六四年七月十四日）では特権階層なる概念を提起している。

国内党幹部への矛先

第九評発表の一ヵ月前に開かれた中央工作会議（一九六四年五月十五日〜六月十七日）では劉少奇《りゅうしょうき》が現代修正主義反対の報告を行い、すべての社会主義国家において修正主義あるいは資本主義の復活がありうるとする考え方を提起しているが、皮肉なことに劉少奇自身がまもなく現代修正主義者扱いされることになる。一九六四年十二月、陳正人《ちんせいじん》の蹲点報告へのコメントのなかで、毛沢東は官僚主義者階級という言葉を提起している。

官僚主義者階級と労働者階級および貧農下層中農とは、鋭く対立する二つの階級である。資本主義の道を歩むこれらの指導者たちは、労働者の血を吸うブルジョア分子に変わり果てたか、あるいは変わりつつある。

これらは闘争対象であり、革命対象である。

「二十三ヵ条」（六五年一月）は、実権派が運動の重点であるとして、こう指摘している。

今回の運動の重点は、党内のあの資本主義の道を歩む実権派である（原文＝党内那些走資本主義道路的当権派）。党内の資本主義の道を歩む実権派は四清運動の打撃の重点対象である。ある者は下におり、ある者は上にいる。地方にいるだけでなく、中央にもいる。党の各級組織のどこにもいる。

こうして階級闘争の矛先は党中央の幹部にまで向けられた。鄧小平が文革後に証言したところによれば、毛沢東は北京には二つの独立王国すなわち劉少奇の政治局と鄧小平の中央書記処があると批判し始めた（『鄧小平文選　1938～1965』人民出版社、二六〇頁）。

以上からわかるように、毛沢東は中ソ論争におけるソ連修正主義を見る眼で、中国を見直し、国内の情勢を実権派との「階級闘争」と見るようになった。もう一つ例をあげれば、「レーニン主義か、社会帝国主義か」（『人民日報』一九七〇年四月二十二日）では官僚独占ブルジョア階級の用語を用いている。一九七五年にはこれを中国国内に適用して、「ブルジョア階級は（共産）党内にいる」と断定したのであった。

緊迫する国際情勢

毛沢東が修正主義者による権力の簒奪《さんだつ》という危機感を深めていた、まさにこのときに、中国は「四面楚歌」の状況に直面していた。

中ソ対決に伴う中ソ国境の緊張はいうまでもない。中国インドの国境では、一九六二年十月、中印国境紛争は双方の武力衝突にまで発展した。台湾当局による武装特務の派遣も頻繁になった。台湾の国民党当局は経済困難と中ソ関係断絶の機に乗じて、一九六二年初めからしばしば武装特務を大陸に派遣し、ゲリラ活動を行い、台湾海峡が緊張した。こうしたなかで、トンキン湾事件が発生した。一九六四年八月二日、米国防総省は北ベトナム沿岸で米駆逐艦が攻撃を受けたと発表し、アメリカによる北ベトナム攻撃が始まった。中国は「唇亡びて歯寒し」と危機感を強めた。ベトナム戦争における北爆が中国にまで拡大される危機が懸念された。

中国は国防対策を再検討して、国防三線建設の構想を固めた。国防を第一線（沿海地区およびソ連国境）、第二戦（第一戦に対する兵站地域および主要な戦場）、第三線（第一線、第二線が破壊された場合の最後の抵抗ライン。四川省を中心とする内陸部に設けられた。大三線ともいう）に分ける計画が具体化した。

一九六四年八月十七日および二十日に、毛沢東は中央書記処会議を開き、内地建設問題についてこう指摘した。

帝国主義が侵略戦争を発動する可能性があるので、準備しなければならない。現在、工場は大都市と沿海地区に集中しているのは戦争に備えるうえで不利である。工場は急いで内地に移す必要がある。各省とも引越しし、自らの戦略的後方を建設する必要がある。工業交通部門が引越しするばかりでなく、学校、科学院、設計院、北京大学も引越しする必要がある。成昆《せいこん》（成都・昆明）、湘黔《しょうけん》（湖南・貴州）、滇黔《てんけん》（雲南・貴州）、これら三本の鉄道建設を急ぐべきである。レールが足りないならば、他の路線から外したらよい（『中華人民共和国経済大事記　一九四九〜八〇』房維中主編、中国社会科学出版社　八四年内部発行、三七九頁。以下『経済大事記』と略す）。

大戦に備える建設投資

六四年十二月七日、毛沢東の許可を得て国家計画委員会が関係部門に下達した「長期計画編制案」は第三次五ヵ年計画（一九六六〜七〇年）の当初計画変更についてこう指摘した。①攀枝花《はんしか》（四川省渡口市）、酒泉、重慶を中心とする建設（いわゆる「大三線建設」）を速めるために投資を三八億元増やす。②成昆鉄道など戦略的鉄道建設の投資を四十二億元増やす。③省レベルの「後方建設」（大三線に対して「小三線建設」という）のために、三十億元増やす。このほか関連産業の建設のために二〇〇億元投資を増やし、結局総投資規模を五ヵ年で約千二百億元とする。そして基本建設投資において旧来のノルマで計算するのではなく、設計革命、技術革命を重んずること、農業は大寨《だいさい》精神に、工業は大慶《だいけい》精神に学ぶよう呼びかけたのであった（『経済大事記』三八五頁）。

一九六五年二月二十六日、中共中央、国務院は三線基地たる西南建設の体制問題について、こう決定した。①地域建設にかかわる総合プロジェクトは大慶油田式の集中指導を行い、中央の国務院主幹部が責任をもって統一指揮をとり、各省レベルと国務院の他部門が協力して行う。②攀枝花《はんしか》特区党委員会、現地指揮部は冶金工業部が統一指導を行う。③重慶地区を中心とする部品建設指揮部は主管の機械工業部が統一指導する。④西南建設の指導を強化するために、西南建設委員会を成立させる。西南建設委員会の主任は李井泉《りせいせん》、副主任は程子華《ていしか》、閻秀峰《えんしゅうほう》であった。

一九六五年八月二十一日、国家建設委員会は北京で全国移転〔原文＝搬遷〕工作会議を開き、第三次五ヵ年計画期の移転問題を討議した。大戦に備え、早期戦に備える〔原文＝準備大打、早打〕、分散、隠蔽などの原則が決定された。一九六五年九月十八日〜十月十二日、北京で中共中央工作会議が開かれ、三線建設の加速が決定された（『経済大事記』三八九頁。『中共党史大事年表』中共中央党史研究室編、人民出版社、一九八一年内部発行、八七年公開発行三三八、三四〇頁）。

国防関連工業への重点

一九六五年十月十三日〜十一月十五日、全国計画会議が開かれ六六年の国民経済計画が討論された。鉄鋼業は、攀枝花、酒泉、武漢、包頭、太原の五大鉄鋼コンビナートを重点的に建設すること、国防工業に服務する一〇箇所の移転および継続建設プロジェクトが決定された。炭鉱建設の重点は六枝、水城、盤県（いずれも貴州）など一二鉱区に置かれること、水力発電所、火力発電所九九箇所（容量は一五三万キロワット）の建設が決定された。重点は四川の映秀湾、襲咀《きょうそ》、甘粛の劉家峡などの水力発電所、四川の夾江、湖北の青山などの火力発電所である。さらに四川の天然ガス、華北油田と大慶油田の建設に力が入れられた。機械工業の重点は四川の徳陽重機械工場、東風電機工場、貴州ベアリング工場および通常兵器の部品工場である。化学工場も国防関連が優先された。

一九六五年十一月十三～十九日、毛沢東は山東、安徽、江蘇、上海などを視察し、戦備工作を強調した。

中国内外の修正主義者による奪権、そうした状況のもとでの国防の危機こそが文化大革命発動の客観的情勢である。国際的に危機が存在するから国内的に団結すべきだとする見解を毛沢東は排する。国際的な敵が存在する状況のもとで、国内に隠れた敵が存在するならば、そのほうがもっと危険ではないかと考えたはずである。むしろ、国際的な危機が深まったときこそ、それと真に対決するのか否かをめぐって、革命家か修正主義者かが識別できると毛沢東は考えたごとくである。

三　毛沢東の文革理念

毛沢東思想を「大きな学校」に

毛沢東の考えた文化大革命とは、いったい何であったのか。文化大革命の綱領的文件とされているものはいくつかある。たとえば「五・七指示」、「五・一六通知」、「十六カ条の決定」、「継続革命の理論」などである。これらのうち毛沢東の発想の原点が明確に現れているものと、毛沢東の発想を踏まえて文革派の理論家たちが理論化したものと二つの系統に分けられる。ここで「五・七指示」は毛沢東の発想の原点が色濃く現れており、後三者は中共中央の決定あるいは『人民日報』の社説として書かれているため、内容がより整理されている反面、毛沢東の発想は輪郭が曖昧になっている。そこでまず「五・七指示」から毛沢東の文革構想をとらえて見よう。

これは解放軍総後勤部の農業副業生産についての報告に対する批示（コメント付き決裁）として、毛沢東が林彪《りんぴょう》宛て書簡の形で書いたものであるが、これはむろん単なる私信ではない。私信の形をとって毛沢東の政治的抱負を示したものであり、林彪はいわば側近として、この私信の公表を命じられたに等しい。これは六六年五月十五日に全党に「通知」されたが、その際に歴史的意義をもつ文献であり、マルクス・レーニン主義を画期的に発展させたものと説明されていた。そして六六年八月一日付『人民日報』社説（「全国は毛沢東思想の大きな学校になるべきである」）のなかで、その基本的精神が説明された。社説はいう。

毛沢東同志はわが国社会主義革命と建設の各種の経験を総括し、十月革命以来の国際プロレタリア階級とプロレタリア独裁の各種の経験を研究し、とりわけソ連フルシチョフ修正主義集団が資本主義復活を実行した重大な教訓を吸収し、資本主義の復活をいかに防ぎ、プロレタリア独裁を強固にし、逐次共産主義に移行するのを保証するかの問題に、科学的な答案を創造的に作り出した。

毛沢東同志の提起した各業各界が工業も農業もやり、文も武もやる革命化した大きな学校とする思想こそがわれわれの綱領である。

この社説から当時の「五・七指示」の意義付けが知られる。

「五・七指示」の描いた共産主義モデル

「五・七指示」は毛沢東の共産主義イメージを語った最も重要な文献の一つである。短いものであるから、段落に分け、タイトルをつけて全文を引用して見よう。

(1)世界大戦の有無にかかわりなく「大きな学校」を作ろう。

世界大戦が発生しないという条件のもとで、軍隊は大きな学校たるべきである。第三次世界大戦という条件のもとにあっても、大きな学校になることができ、戦争をやるほかに各種の工作ができる。第二次世界大戦の八年間、各抗日根拠地でわれわれはそのようにやってきたではないか。

(2)軍隊は「大きな学校」たれ（共産主義への移行形態としての「大きな学校」）。

この大きな学校は、政治を学び、軍事を学び、文化を学ぶ。さらに農業副業生産に従事することができる。若干の中小工場を設立して、自己の必要とする若干の製品、および国家と等価交換する製品を生産することができる。この大きな学校は大衆工作に従事し、工場農村の社会主義教育運動に参加し、社会主義教育運動が終わったら、随時大衆工作をやって、軍と民が永遠に一つになることができる。また随時ブルジョア階級を批判する文化革命の闘争に参加する。こうすれば軍であって学、軍であって農、軍であって工、軍であって民であることは全て可能となる。むろんどこまでやるかは適切でなければならず、主従が必要である。農、工、民の三者のうち、一つの部隊ではこれらの一つあるいは二つは兼ねうるが、同時にすべてを兼ね備えることはできない。こうすれば、数百万の軍隊の果たすことができる役割はたいへん大きくなる。

(3)労働者のやるべきこと。

同様に労働者もこのようにすべきであり、工業を主とし、兼ねて軍事、政治、文化を学ぶ。社会主義教育運動をやり、ブルジョア階級の批判もしなければならない。条件のあるところではたとえば大慶油田のように、農業副業生産に従事する必要もある。

(4)農民のやるべきこと。

（人民公社の）農民は農業を主とし（林業、牧畜、漁業を含む）、兼ねて軍事、政治、文化も学ばなければならない。条件のあるときには集団で小工場を経営し、ブルジョア階級も批判する。

(5)学生のやるべきこと。

学生も同じである。学を主とし、兼ねて別のものも学ぶ。文を学ぶばかりでなく、工を学び、農を学び、軍を学び、ブルジョア階級の批判もする。学制は短縮し、教育は革命する必要がある。ブルジョア知識人がわれわれの学校を統治する現象をこれ以上続けさせてはならない。

(6)第三次産業のやるべきこと。

商業、サービス業、党政機関工作人員は条件のある場合にはやはりこのようにしなければならない。

(7)この構想の性格について。

以上に述べたことは、なんらかの新しい意見だとか、創造発明だとかではなく、多くの人間がすでにやってきたことである。ただ、まだ普及されていないだけなのである。軍隊に至ってはすでに数十年やってきたが、いまもっと発展しなければならないだけのことである。

分業廃棄、商品経済廃絶

「五・七指示」の思想を分析してみよう。第一は分業の廃棄である。マルクスは『ゴータ綱領批判』のなかで、分業から解放され、個人が全面的に発展する社会を構想している。毛沢東はここでマルクスにならって、分業の廃棄を強く打ち出していることは、これらの引用に明らかであろう。ただし、マルクスは資本主義社会の到達した高度の生産力を前提として分業の廃棄を考えたが、毛沢東の場合は中国の遅れた経済、自然経済を多分に残した段階でそれを提起した点が大きな違いであろう。この生産力の発展段階を軽視した点でいえば、毛沢東は空想的社会主義者であったとする非難もありうる。ただし、毛沢東自身は生産力の発展を追求しなかったわけではない。生産関係の変革を通じてこそ生産力を飛躍的に発展させうるのだというのが毛沢東の信念であった。

第二は商品経済廃絶の思想である。社会的分業が廃絶されれば、分業に伴う労働生産物の交換すなわち商品経済は不要になる。この意味で分業の廃棄と商品経済の廃絶とはメダルの両面ではあるが、過渡期においていずれを戦略的課題として提起するかはまた別の問題である。一九六六年に毛沢東が提起した「大きな学校」という観念は、彼が一九五八年に提起した人民公社構想と酷似している（都市人民公社は最終的に放棄されたが、構想としては存在していたことに留意しなければならない）。すなわち両者ともに共産主義へ至る過渡期の組織形態である。ところが「人民公社」と「大きな学校」の間に大きな違いが少なくとも一つある。それは人民公社が「工・農・商・学・兵」の五つを備えたコミューン構想であったのに対して、「大きな学校」は「工・農・学・兵」の四つであり、商業が除外されている。ここに、毛沢東の思想的変化が反映されていると見る論客もある（王禄林「〝五・七指示〟初探」『党史研究』八七年二期）。

生産力の発展段階を軽視

　大躍進期における毛沢東の商品経済観点は二転三転している。五八年十一月には賃金制度の廃止、供給制度の復活、すなわち月給による消費財の購買ではなく、消費財の貨幣によらざる分配を主張している（『毛沢東思想万歳』丙本、二五〇頁）。しかしまもなく、経済困難に直面して商品生産は多すぎるのではなく、少なすぎるとも述べている（『毛沢東思想万歳』丙本、二一二頁）。

　その後、六〇年代初期の思索と研究を経て、共産主義への移行を早めるためには、商品生産と貨幣交換制度を逐次《ちくじ》廃止しなければならないと考えるに至った。ここで登場したのが自給自足（あるいは半自給自足）による「大きな学校」構想であった。一九六六年に五・七指示によってこの構想にたどりついて以後、毛沢東はもはや動揺することなく、断固として商品経済の廃絶の道を彼なりの歩き方で歩み始めた。それから十年後の一九七五年二月、毛沢東は有名な理論問題についての指示を発表した。「八級賃金制、労働に応じた分配、貨幣交換、これらは旧社会といくらも違いがない」（『人民日報』七五年二月九日）。この問題について毛沢東がいかに一貫していたかを端的に示す重要証拠である。

　商品経済は自然経済から発展し、商品による商品の生産にとって代わられる。やがて商品形態が廃絶され、商品経済は商品の外被を失った産品経済によって代替されるというのがマルクス主義の正統的な考え方であることを毛沢東が理解しなかったわけではない。しかし、中国の遅れた現実を観察すると、そうしたプロセスで共産主義への移行を考えるならば、移行を単に将来に引き延ばすだけのことになり、ほとんど現実性がない。そこで毛沢東は一方では商品経済の不足、すなわち商品経済の発展を論ずるとともに、他方で商品経済の制限を論ずるという二正面作戦を展開した。毛沢東の頭脳のなかでも両者は矛盾を引き起こしていたが、それが具体的な政策として展開されるや、混乱は必至であった。現実には商品経済の廃棄こそが共産主義への道であるとする認識から、事実上はこの路線をひたすら走り、生産力の発展を軽視する結果に終わった。

中国共産党の理論家たちが商品経済の十分な発展は、飛び越えることのできない発展段階であると認識し、それを党中央の公認見解としたのは、一九八四年十月「経済体制改革についての決定」においてである事実に注目したい。毛沢東のドグマはその後二十年近くにわたって彼らの思考を束縛していたことになる。

平等主義の陥穽

第三の特徴は平等主義〈原文＝平均主義〉である。毛沢東が社会的分業を廃棄し、商品経済を廃絶しようとした根本的目標は、労働者と農民、都市と農村、肉体労働と精神労働の差異を逐次縮小していく（『人民日報』六六年八月一日社説）ためであった。これらの「三大差異」の消滅した社会こそが共産主義社会であると理解されていた。これが共産主義の理想であることは確かであろう。問題はそこへ至る道筋である。正統的なマルクス主義は、三大差異の根拠を生産力の発展段階と結びつけているから、三大差異の廃絶をただちに提起することはしなかった。しかし、実践的な革命家たる毛沢東はこうした見解を日和見主義として排し、生産力の十分な発展を待つことなしに三大差異の廃絶が可能であると考えた。

貧しきを憂えず、等しからざるを憂うるという平等主義が社会主義の理念として強調された結果、生産力の発展よりは、悪平等主義〔原文＝平均主義〕に政策の重点が置かれ、結果的には生産力の発展が大いに損なわれたわけである。

空想的社会主義

毛沢東がこのような共産主義モデルに到達したのはなぜか。まず第一にマルクス主義の共産主義文献の読み方、そして変革対象たる資本主義世界の認識の問題がある。マルクスは資本主義のもとでの生産力の高度な発展を前提として共産主義を構想していたが、中国の現実はあまりにも異なっていた。ここで決定的なのは、毛沢東が第二次大戦以後の資本主義世界の実情をよく知らなかったことである。それどころか彼はレーニンの帝国主義論を金科玉条としており、第三次世界大戦不可避論を死ぬまで信じていた。毛沢東の外国体験はソ連を二度（一九五〇年、一九五七年）訪問しただけであり、資本主義諸国は一度も訪れたことがなかった。これらの情報不足が毛沢東の認識にとって大きな制約となったことは明らかである。

第二に中国革命の成功の経験に眩惑されたことが挙げられよう。ここから客観的法則を軽視する主観主義が生まれた。主観能動性論は、毛沢東哲学の真骨頂だが、これが現実から遊離し空想的社会主義に陥った。

五・七指示の末尾で、毛沢東は「以上に述べたことは、なんらかの新しい意見だとか、創造発明だとかではなく、多くの人間がすでにやってきたことである。ただ、まだ普及されていないだけなのである。

軍隊に至ってはすでに数十年やってきたが、いまもっと発展する必要があるだけのことである」と書いているが、ここには延安時代の経験を全中国に拡大しようとしていること、抗日戦争時代の経験を社会主義建設に適用しようとしていることが端的に示されている。

第三に、毛沢東のこの発想は社会的分業と商品経済が未発達である中国の現実を根拠として成立したものである。つまり、毛沢東は中国の遅れた現実から出発して社会主義を構想したために、その社会主義モデルは「自然経済」と「平均主義」によって特徴づけられることになったのである。すなわち商品経済を止揚した後に来る産品経済のイメージと商品経済以前の自然経済とが混同されたわけである（この点については王琢《おうたく》・劉国光《りゅうこくこう》論争を見よ。拙著『中国開放のブレーン・トラスト』蒼蒼社、一九八七年、一二六頁）。

「五・一六通知」

文革の初期に「旧世界をたたきつぶせ」「新世界を建設せよ」というスローガンが声高に叫ばれた。同じ趣旨は「破旧立新」の四字で表現され、後には「破私立公」の四字でも表現された。毛沢東が文革を発動した目的は、単なる権力闘争をはるかに越えており、旧世界（中国）をたたきつぶし、中国に新世界を建設するという気宇壮大《きうそうだい》なものであった。しかも「中国は世界革命の兵器工場たれ」（『毛沢東思想万歳』丁本、六七九頁）というアピールと連動していたことからわかるように、毛沢東のいう新世界とはさしあたりは中国における新世界ではあるが、それは世界革命の基地としての中国なのであり、この意味では毛沢東の文革構想は地球レベルの新世界を対象としていたことになる。

毛沢東の発想を破壊と建設との二元論でとらえるならば、「五・一六通知」こそが破壊の綱領であり、「五・七指示」は建設の綱領であった（王禄林「〝五・七指示〟初探」『党史研究』八七年二期）。

作成経緯

では旧世界はなぜ破壊されなければならないと毛沢東が考えたのかを「五・一六通知」に探ってみよう。これは六六年五月の政治局拡大会議（五月四日～二十六日）の途中の五月十六日、毛沢東が主宰して制定した「中国共産党中央委員会通知」だが、毛沢東自身はこの会議には出席していない。彼は舞台裏でこの会議を動かした。まず四月中旬に康生《こうせい》、陳伯達《ちんはくたつ》が主持して起草し、毛沢東が幾度か修正したのち、四月二十四日の政治局常務委員会拡大会議で基本的に採択され、五月政治局拡大会議に提起されたものであった。

この「通知」の直接的狙いは、「二月提綱」の破棄にあった。すなわち彭真《ほうしん》を組長とする文化革命五人小組が、「当面の学術討論についての匯報提綱《わいほうていこう》」（略称「二月提綱」）を作成したのは六六年二月三日である。翌々日二月五日に劉少奇《りゅうしょうき》が在北京の政治局常務委員を招集してこれを討論した。彭真がこれに手を加え、二月七日に武漢滞在中の毛沢東に電報で知らせた。翌八日、彭真、陸定一《りくていいっ》、康生は武漢へ行き、毛沢東に内容を報告した。二月十一日、彭真が武漢で中央に代わって「文化革命五人小組の「当面の学術討論についての匯報提綱」を承認する中央の批語《コメント》」を書いて、十二日朝、北京に電報で伝えた。在北京の政治局常務委員間で回り持ち承認したのち、中共中央文件として発出したものであった（『関於建国以来党的歴史問題的決議注釈本』中共中央文献研究室、人民出版社、八三年内部発行、八九頁）。

「われわれの身辺に眠るフルシチョフ」

「五・一六通知」は「二月提綱」を攻撃の対象として、こう難詰《なんきつ》した。二月提綱は実際には彭真同志一人のものであり、彭真同志が康生とその他の同志に背いて自分の意見によりデッチあげたものだ。彭真はきわめて不正当な手段で武断的専横的に職権を乱用し中央の名義を盗んであわてて全党に発出した、と。「五・一六通知」はさらに、プロレタリア文化大革命の大きな旗を高く掲げて、①反党反社会主義のいわゆる学術権威のブルジョア的反動的立場を徹底的に暴露し、②学術界、教育界、新聞界、文芸界、出版界のブルジョア反動思想を徹底的に批判し、これらの文化領域における指導権を奪取するよう呼びかけた。そしてこれをやり遂げるためには、党、政府、軍隊、文化領域に紛れ込んだブルジョア階級の代表を批判し、洗い清め、一部は職務を変える必要があるとしていた。というのは、反革命社会主義分子は一度機会が成熟するや、政権を奪取し、プロレタリア独裁をブルジョア独裁に変えようとするからである。

要するに、ブルジョア知識人批判、党、政府、軍隊、文化領域のブルジョア階級の代表の粛清である。ここには中国共産党の指導部がすでに修正主義者によって奪権されているとする事実認識があった。われわれの身辺に眠るフルシチョフという不気味な表現も、ここで現れた。

「十六カ条の決定」

もう一つの綱領たる「十六カ条」は、八期十一中全会（八月一日〜十二日）さなかの八月八日に採択された。毛沢東は文革について、修正主義反対、修正主義防止〔原文＝反修防修〕の演習だと語っている（江青への手紙、六六年七月八日）。十六カ条はいわばこの演習のためのプログラムであった。十六カ条は冒頭で、文革は人々の魂に触れる大革命であると指摘し、ついでわれわれの目的は資本主義の道を歩む実権派を打倒し、ブルジョア的反動的学術権威を批判し、ブルジョア階級と一切の搾取階級のイデオロギーを批判し、教育を改革し、文芸を改革し、社会主義の経済的基礎に合わないすべての上部構造を改革し、これによって社会主義制度を鞏固にし、発展させることであるとしている。要約すれば、実権派の打倒と上部構造の改革である。

では、この目的をどのようにして達成しようとするのか。党の指導部が思い切って大衆を立ち上がらせるか否かが文化大革命の運命を決するとして、党の各級指導部の状況をつぎのように分析している。①運動の最前線に立つ指導部、②闘争を理解できない軟弱無能な指導部、③常日頃あれやこれやの誤りを犯しており、大衆を恐れている指導部、④資本主義の道を歩む実権派が握っている指導部、の四種類に分けている。

そして党中央の各級党委員会に対する要求は、②の状態を改め、③の誤りを改めるよう激励し、④の実権派を解任することである、としている。つまりここでは党中央は正しいが、各級党委員会にはさまざまの問題があると認識されている。

大衆との団結、自己解放

大衆を立ち上がらせる方法としては、「大鳴《だいめい》、大放《だいほう》、大字報、大弁論」の「四大」（これは「大民主」

とも呼ばれた）の方法が打ち出された。文化大革命の主力軍は、広範な労働者、農民、兵士、革命的知識人、革命的幹部であるとされた。大衆に対してはプロレタリア文化大革命において、大衆が自分で自分を解放することを求め、大衆の解放を誰かに委ねることはできないと強調していた。大衆を信頼し、大衆に依拠すること、革命運動のなかで自分で自分を教育することが呼びかけられ、最終的には九五パーセント以上の幹部、九五パーセント以上の大衆と団結することが党の指導部に求められていた。

文化大革命の推進機関としては、党の指導のもとに大衆が自分で自分を教育する組織形態である「文化革命小組、文化革命委員会、文化革命代表大会」を設けるものとした。これは党と大衆を結びつける最良のかけ橋であり、文化大革命の権力機構であるとされた。しかもこれらの組織は長期の常設の大衆組織として、学校、機関、工鉱企業、街道、農村に設けるものとし、そのメンバーの選出においてはパリ・コミューンのような全面的選挙制を実行するものとされていた。

十六カ条の矛盾

この十六カ条はいうまでもなく毛沢東の強いリーダーシップのもとに執筆されたものであるが、このとき毛沢東は党の指導と大衆運動との関係、党の上級と下級との関係をどう考えていたのであろうか。党中央と各級党委員会との関係については、上からの指導として処理できるであろうが、そうなると大衆の自己解放との関係はどうなるのか。党中央内部に実権派がいるとすれば、党中央の改組あるいは奪権を党中央の指導のもとで行うという自己矛盾に逢着してしまう。また、文革の推進機関はパリ・コミューンのような選挙制によるというが、その場合党の指導をいかにして確保するのか。党の指導とパリ・コミューン理念（たとえば全面選挙制）はそもそも矛盾しているのではないか……。

このように、十六カ条に描かれた文革の理念は大きな矛盾をはらんでいた。なかでも資本主義の道を歩む実権派の概念の曖昧性は最大の欠陥であった。しかし、これらの矛盾、欠陥にもかかわらず、この理念は大衆の琴線《きんせん》に触れるものを含んでいた。党の指導が命令主義、強圧主義に転化するなかで窒息しそうになっていた中国の大衆、なかでも感受性の豊かな学生たちは、大衆の自己解放というアピールに大きな魅力を感じたようである。

「プロレタリア独裁下の継続革命」論の形成過程

「プロレタリア独裁下の継続革命」論は文革の理論的根拠であるとともに、文革の経験の総括でもあるとされていた。ここでこの理論の形成過程を整理しておく。

この理論の一つの核心は、党内の実権派がブルジョア司令部を形成したとする認識であり、もう一つはこの司令部を覆《くつがえ》すための政治革命が必要だとする考え方である。ブルジョア司令部という発想の原点には、最も純潔な、完全な社会主義という毛沢東の発想がある（胡縄《こじょう》「マルクス主義と中国の国情」『紅旗』八三年六期）。毛沢東のこうした考え方からすれば、劉少奇ら党中央の第一線指導部のやり方は我慢のならないものであった。一九六六年八月四日の政治局常務委員会拡大会議で毛沢東はこう語って出席者を驚かせた。

「北洋軍閥や国民党が学生運動を弾圧しただけでなく、いまやわが党内に学生運動を鎮圧する者がいる。これは路線の誤りだ」（『毛沢東思想万歳』丁本、六五〇頁）。

八月五日毛沢東は「司令部を砲撃せよ」と題した大字報を書いて、ブルジョア司令部の批判を呼びかけたが、私の意見は（八期十一中全会で）過半数をわずかに上回る支持を得たにすぎなかったと毛沢東自身が一九六七年五月に語っている（『毛沢東思想万歳』丁本、六七四頁）。八期十一中全会から一九六六年末まで文革の中心内容は、ブルジョア反動路線の批判であった。六六年十一月三日、林彪は天安門楼上から毛沢東の校閲を得た講話をこう読みあげた。

毛主席の路線は大衆をして、自分で自分を教育し、自分で自分を解放する路線である。大衆を信頼し、大衆に依拠し、思い切って大衆を立ち上がらせる路線である。これは党の大衆路線の文化大革命における運用であり、新発展である。

大衆の自己解放に対置されているのは、これまで行われてきた党の指導という名の党による支配である。支配からの逸脱の自由を与えられ、しかも支配する側を反動路線と批判する自由を与えられた大衆は、やりたいようにやる無政府主義に走っていく。大衆を信じ、依拠することに伴う天下大乱は、やがて大衆自身のエネルギーにより天下大治に至るとする革命的楽観論は、現実にはたちまち吹き飛び、軍事管制によるほか収拾不可能な天下大乱に陥ってしまった。

高まる毛沢東崇拝

ブルジョア反動路線の批判の過程で生じたきわだった特徴は、毛沢東個人崇拝が極限まで高まり、事実上党中央の集団指導体制に代替したことである。ただし、十一中全会の時点では、ブルジョア反動路線批判やその路線の執行者としての劉少奇批判が決定されたわけではない。毛沢東個人崇拝の高まりのなかで、紅衛兵運動が現れ、紅衛兵が決定に先立って事実上の劉少奇批判を展開していくという構造であった。

一九六六年十二月三十一日、毛沢東は（一九六七年は）全国で全面的に階級闘争が展開される一年となろうという見通しを明らかにした。まもなく上海の造反派が奪権闘争に着手するや、これは一つの階級が一つの階級を覆したもので、一場の大革命であると断定し、全国的に全面的に奪権闘争に取り組むよう呼びかけた。こうしてプロレタリア独裁下の継続革命論がほぼ骨格を整えた。いまや文革の対象は、劉少奇の修正主義政治路線と組織路線であり、劉少奇の各省レベル、中央各部門における代理人と標的が定められた。

継続革命論の核心

一九六七年十一月六日、『人民日報』『解放軍報』『紅旗』の共同論文「十月社会主義革命の切り開いた道に沿って前進しよう」は、継続革命論の核心を六ヵ条にまとめた。これは陳伯達《ちんはくたつ》、姚文元《ようぶんげん》が中心となって起草したものだが、毛沢東自身が校閲している。

(1)マルクス・レーニン主義の対立統一の法則を用いて社会主義社会を観察しなければならない。

(2)社会主義社会は相当に長い歴史段階であり、階級・階級闘争・階級矛盾が存在し、社会主義と資本主義の二つの道が存在し、資本主義復活の危険性が存在している。平和的変質を防ぐために、政治戦線、思想戦線における社会主義革命を最後まで行わなければならない。

(3)プロレタリア独裁下の階級闘争は、依然政権の問題すなわちブルジョア階級がプロレタリア階級を覆す問題である。プロレタリア階級はプロレタリア独裁を強固にしなければならない。プロレタリア階級は各文化領域を含む上部構造においてブルジョア階級に対して全面的独裁を行わなければならない。
(4)党内の資本主義の道を歩む実権派とは、ブルジョア階級の党内における代表である。彼らに奪われた権力をプロレタリア階級の手中に奪回しなければならない。
(5)継続革命にとって最も重要なことは、プロレタリア文化大革命を展開することである。
(6)文革の思想領域における根本的綱領は、私と闘争し、修正主義を批判すること〔原文＝闘私、批修〕である。

晩年の毛沢東

毛沢東は七一年春から、病いに悩まされるようになったが、七一年秋の林彪《りんぴょう》事件以後、急速に老いこんだ。晩年を見守ったある女性秘書（張玉鳳《ちょうぎょくほう》は当初は「生活秘書」であったが、のちに「機要秘書」になった。一部では愛人と見られている）が、神格化された毛沢東ではなく、生身の人間としての痛々しい毛沢東の姿について、こう証言している。

このとき彼はすでに七十七歳の高齢であり、人々が想像するような元気溌剌《はつらつ》では全くなく、髪は白く、明らかに老衰していた。人々がこの方に〝限りないご長寿を〟とどんなに祈ろうと、自然法則の発展には抗しようがなく、彼も普通の老人と同じく、老年のさまざまな疾病に悩まされていた。

われわれの国家指導者たちの身体状況は、なべて秘密にされている。毛主席の場合はなおさら厳しい秘密にされており、通常はきわめて小さな範囲の者しか主席の病気を知らない。病気の程度を知る者はなおさら少なかった（寧天「迫害狂江青と看護婦」『炎黄子孫』八九年一期）。

では病はどの程度であったのか。張玉鳳の証言が続く。七一年春以来、気管支炎を患い、咳のため寝られず、日夜ソファに坐り続けるありさまであった。張玉鳳と看護婦長呉旭君《ごきょくくん》が昼夜を問わずつきそった。七二年一月六日、陳毅《ちんき》元帥が死去し、十日午後、陳毅の追悼会が開かれた。毛沢東は突然時間を聞いて、パジャマ〔原文＝睡衣〕の上にガウン〔原文＝睡袍〕をはおり、オーバーを着て、五〇年代にソ連政府から贈られたジスに乗って八宝山に向かった。毛沢東はこの追悼会に出席したシアヌーク殿下を通じて、三ヵ月前の林彪事件を洩らし、「林彪は私に反対したが、陳毅は私を支持した」と陳毅を再評価し、同時に鄧小平復活を示唆したのであった。

七二年一月、毛沢東は肺炎と酸素不足のためにショックで倒れた。主治医が注射し、心臓専門家の胡旭軍が毛主席、毛主席と呼びつづけ、ようやく意識を回復した。七四年春から毛沢東は書類が読めなくなった。八月に武漢の東湖賓館で検査したところ、老人性白内障とわかった。七五年八月中旬のある夜唐由之医師が手術を行い、片目が見えるようになり、六百余日の見えない状態から解放された。この間、張玉鳳が文件、報告、手紙などを読み、代筆した。元来はこの仕事は「機要秘書」徐業夫《じょぎょうふ》の仕事であったが、徐業夫が不治の病を得て入院したため、張玉鳳にその仕事が回ってきたのであった。

七六年一月八日、周恩来が死去した。張玉鳳が総理の追悼会に出席されますか？　と聞くと、毛沢東は片手で文件を置く間もなく、片手で腿をさすりながら、わしはもう歩けないよと言った。毛沢東は第十回党大会（七三年八月）以後、老いた身を人々に見られるのを望まなくなり、避けるようになっていた。周恩来死後は、両手が震え、文件を手に持つ力も失われた。そこで張玉鳳らが本や文件を支えてやった。この頃は書類や文件を読むときにだけ、病の苦痛から逃れるごとくであった――。

これが張玉鳳の描く晩年の毛沢東である。この間、政治の流れを表面から見るとどうなっていたであろうか。

周恩来と鄧小平のあいだで

一九七三年七月には、米中和解、日中国交正常化に活躍した周恩来は現代の孔子として批判されている。毛沢東は夫人の江青をはじめとする〝四人組〟の讒言《ざんげん》を容れて、周恩来批判を指示したのである。すでに、三月には周恩来と代える意図で鄧小平を復活させている。しかし、一年後の七四年、やはりわれわれの総理であると周恩来支持を語り、七四年十二月二十六日、八十一歳の誕生日の夜は寝室で周恩来と長い間語り合っている。

その一年後の七五年八月には『水滸伝』批判にこと寄せた〝四人組〟の鄧小平批判を許し、七六年四月の天安門事件では、その黒幕として鄧小平処分を決定している。鄧小平は党内外の一切の職務を剥奪された。最晩年の毛沢東は左派の〝四人組〟と右派の周恩来の間で、右へ揺れ、左へ揺れていたのであった。

結末はどうか。毛沢東の死後一ヵ月を経ずして、軍事委員会を握る葉剣英《ようけんえい》（軍委副主席）が華国鋒《かこくほう》（当時公安部部長、党副主席、国務院総理）を押し立てて、〝四人組〟を逮捕してケリをつけた（この間の経緯は范碩《はんせき》「風雷激蕩の十月」『党的文献』八九年一期が詳しい）。

しかし、まもなく鄧小平が復活するや、華国鋒はしだいに権力から外されていく運命をたどった。七八年十二月の十一期三中全会で鄧小平が権力を掌握した。

夢の崩壊

毛沢東の夢の崩壊過程はあまりにも無残である。五四年から七六年九月の死去まで二十二年にわたって毛沢東の侍医を務めた李志綏《りしい》（六十九歳、中華医学会副会長）の証言が興味深い。

毛主席は早くから神経衰弱と不眠症に悩まされた。彼に施された医療の一つは、毎晩睡眠薬を大量に与えることであった。

（毛沢東の死因について）七六年には五月、六月、八月と三回にわたって心臓発作を起こした。これで体が弱り、肺炎と喘息を併発し、九月九日に死去した。

彼の頭脳は息をひきとる最後の瞬間まで完全に機能していた。しかし、最後の段階で彼の脳裏にあったのは、国や家族というより自分自身のことだったと思う。

彼は自分は神でも聖人でもない普通の人間だと言っていた。一般の人間と同様に毛主席にも長所と短所があった。自分の敵、とくに鄧小平氏や右派にたいしては残酷なまでに容赦せず、こうした性格が文化大革命時の大弾圧につながった。

鄧小平氏は毛主席に二度非難され、二度失脚した。毛主席は鄧小平氏を信頼していなかったが、いつかは彼が権力を握るだろうと考えていた（『読売新聞』八九年八月二日付）。

第三部　文革の推進者たち、被害者たち

一　紅衛兵——権力闘争に利用された若者たち

知識人の「自己批判」

六六年春の時点で中国の政治的環境がいかに緊張していたかの一例は、郭沫若《かくまつじゃく》の「自己批判」によって、その一端が知られる。六六年四月十四日に行われた全国人民代表大会常務委員会拡大会議の席上、彼はこう発言して皆を驚かせた。

今日の基準からいえば、私が以前書いたものにはいささかの価値もない。すべて焼き尽くすべきである。

私はもう七十歳であるが、泥にまみれ、油にまみれたい。いや仮にアメリカ帝国主義がわれわれを攻めてくるならば、血まみれになって手榴弾を投げつけたい（『光明日報』六六年四月二十八日、『人民日報』五月五日）。

中国科学院院長として中国知識界の頂点に立つ人物、しかも日本にもなじみの深い郭沫若の爆弾発言は日本にも大きな衝撃波となって押し寄せてきた。作家三島由紀夫、安部公房らは文化弾圧に抗議声名を発した。声明の起草者は三島であり、『全集』第三十五巻に収められている。

紅衛兵の登場

緊張が極度に高まるなかで凝縮されたかのように、文化大革命の申し子ともいうべき紅衛兵（原文＝紅衛兵）が北京に誕生したのは五月下旬のことである。「紅衛兵運動」は『中国現代史詞典』（李盛平主編、中国国際広播出版社、一九八七年）にこう説明されている。

〝文化大革命〟期に林彪、江青反革命集団に利用された全国的な青年学生運動である。紅衛兵は一九六六年五月下旬北京に現れ、まず首都の青少年の間に紅衛兵運動が起こった。ごく少数の悪質なリーダーを除けば、圧倒的多数は党と毛沢東への信頼から天真爛漫に自分たちは〝毛主席を防衛し〟〝反修防修〟の闘争に参加するものと考えていた。

毛沢東は青年学生を〝文化大革命〟を全面的に展開する突撃勢力と考え、同年八月一日清華大学付属中学紅衛兵に手紙を書いた。彼らの行動は〝反動派に対する造反には道理があることを示すものだ〟とその〝造反〟に支持を表明した。ここから紅衛兵運動は迅速に全国に発展した。八月十八日、毛沢東は軍服を着て紅衛兵の腕章をつけて、天安門で全国各地から来た百万の紅衛兵と人民大衆を接見し、再度紅衛兵運動を支持すると表明した。

九月五日、中共中央、国務院が「地方の革命的教師学生が北京に来て文化大革命運動を参観するのを組織することについての通知」を発して以後、全国各地の教師学生が〝授業をやめて革命をやる〟（原文＝停課鬧革命〕ようになり、全国的な大経験交流〔原文＝大串連〕が始まった。十一月二十六日までに毛沢東は前後八回全国各地から来た千三百万人の教師学生と紅衛兵を接見した（三六五頁）。

以上の記述から、紅衛兵が青年学生運動であること、毛沢東の呼びかけに応えて社会主義を防衛するために立ち上がったこと、毛沢東が天安門上から接見した紅衛兵の数が千三百万人の多きにのぼること、など紅衛兵についての基本的事実は理解できよう。

しかしなんとも味気ない説明ではある。理想に燃えた青年たちの運動がここでは、いわば燃えカス同然の姿で描かれている。これを読んでやりきれない思いにとりつかれているときに、八九年四〜六月の民主化「動乱」が勃発した。民主化「動乱」とは、奇妙な言い方だが、学生たちは「愛国民主の学生運動」と自称し、政府側は「動乱」ついには「暴乱」と断定して、八九年六月三〜四日、武力鎮圧に踏み切った。

この圧倒的なデモの隊列をテレビ画面で見つめ、私はかつての文革当時の興奮を追体験し、あれやこれや当時の印象を鮮明に反芻した。

高揚する文革の気運

前述のように一九六六年八月十八日、天安門広場で文化大革命を祝う百万人の集会が行われた。このなかに初めて紅衛兵が参加して注目を集めた。二日後の八月二十日、北京の紅衛兵たちは四旧の打破を叫んで、街頭に繰り出した。彼らは北京の銀座通りともいうべき王府井のデパートや宝石店、クリーニング店、写真館などの看板をとり外し、東方紅、紅旗、北京、文革などの革命的看板に取り替えた。彼らは非革命的な名称を旧文化、旧風俗だとして打倒しようとしていた。街には大字報や修正主義批判ビラがあふれ、三角帽子をかぶせられた〔原文＝戴高帽子〕実権派〔原文＝当権派〕、反革命分子が引回しされる姿も随所で見られるようになった。この際に「ジェット機を飛ばす」〔原文＝搞噴気式〕姿勢〔両手を後にあげさせたままひざまづかせる姿勢〕を強制されることも少なくなかった。紅衛兵たちはまた実権派の自宅に押し掛け、家宅捜索〔原文＝抄家〕をやり、反革命資料なるものを持ち去った。ついでに「ブルジョア的なもの」を戦利品として持ち去ることも少なくなかった。紅衛兵から造反の対象とされた実権派は職務を外され〔原文＝靠辺站〕、牛小屋のような粗末な場所〔原文＝牛棚〕に押し込められたり、便所掃除などの屈辱的な仕事を押しつけられた。

たとえば文学者の老舎は、たまたま作家協会の責任者（北京市文学芸術界聯合会主席）であったために、つるし上げ〔原文＝批闘〕の対象とされ（八月二十三日）、二日後に死体で発見される事件も起こった。老舎のほか、作家の趙樹理、京劇俳優の周信芳なども迫害のなかで死んだ。紅衛兵の街頭行動はまもなく上海、天津、杭州、南京、武漢、長沙、南昌など全国各地に急速に拡大した。

「造反有理」のスローガン

中共中央、国務院はこの紅衛兵運動を支持し、九月五日「各地の革命的学生が北京を訪れ、革命運動の経験交流を行うことについての通知」を出し、汽車賃を無料とするほか、生活補助費と交通費を国家財政から支出する方針を決定している。

こうして授業をやめて革命をやる運動〔原文＝停課鬧革命〕と全国的な大経験交流〔原文＝大串連〕が

始まった。六六年十一月下旬までに、毛沢東は天安門楼上から八回の紅衛兵接見を行い、全国各地から北京を訪れた計千三百万人の若者たちを激励した。無賃で天安門参りをした紅衛兵たちは、故郷に帰るや「造反有理」のスローガンを武器として、まず学校当局に、ついで地方各級の党委員会に造反した。

紅衛兵はなぜ造反に立ち上がったのであろうか。ある紅衛兵は「父母への公開状」のなかで、こう書いている。

十数年来、あなたたちは優遇されて、長いこと事務室から出ませんでした。あなたたちの〝もとで〟はとっくに使いきっているのです。あなたたちの革命的英気は、とっくに磨滅《まめつ》しているのです。労働人民から隔たることとあまりにも遠いのです。事務室を出て、大衆運動の大風浪のなかに来て、あなたたちの頭を入れ替え、体の汚れを洗い落とし、新しい血液を注ぎ、徹底的にこのような精神状態を改めるべきです。そうでないと、この大革命のなかで淘汰されることになるでしょう（『人民日報』六六年八月二十六日）。

これは中央直属機関に勤める父母をもつ紅衛兵の手紙である。恵まれた高級幹部の子弟であろうと推測される。彼らは社会主義の理想、文化大革命の理念を文字通りに素直に理解し、この理想に照らして、現実の中国に存在する負の現実を厳しく批判したのであった。ひとつはやり言葉を紹介しよう。「鳳凰から鳳凰が生まれ、龍から龍が生まれる。ネズミの子に生まれたら土を掘るばかり」（原文＝鳳生鳳、龍生龍、老鼠生児、打地洞）。中国社会主義のもとで、特権幹部の子と庶民の子との間には、龍とネズミほどの運命の差があるという諷刺である。

紅衛兵の天下

北京の紅衛兵が旧文化、旧思想、旧風俗、旧習慣〔原文＝四旧〕の打破を叫んで街頭へ初めて繰り出した八月二十日を契機として、赤い八月が始まった。六六年末には紅衛兵運動がピークに達した。やがて造反の主流が労働者にとって代わられるようになるまで、六六年後半から六七年は紅衛兵の天下であった。

紅衛兵に襲撃され、北京市内の各教会が破壊され、外国籍の尼僧は国外へ追放された。カラフルなスカートや旗袍《チーパオ》を身につけた女性は鋏で切り裂かれただけでなく、時には陰陽頭〔頭髪を半分だけ剃り落とすもの〕にされた。粤劇《えつげき》の女優紅線女《こうせんじょ》もこの辱めを受けた。紅衛兵はまたソ連大使館のある通りを反修路、東交民巷を反帝路と改称し、北京の銀座といわれる王府井大街はまず革命路、ついで人民路と改められた。ついには赤は良い色であるから、赤信号で前進すべきであり、青信号で停止すべきだとする主張さえ登場した。しかもこれらは各紅衛兵組織が勝手にやるものであるから、混乱は必至であった。ロックフェラー資金で建設された協和病院は反帝病院、ついで首都病院と改称された。ペキン・ダックの全聚徳は北京烤鴨店となった。紅衛兵はまた反革命修正主義分子の家を勝手に捜索し〔原文＝抄家〕、胸にプラカードを下げさせて、頭に三角帽子をかぶせて、街頭を引き回した。なかでも彭真《ほうしん》（北京市長、政治局委員）の引回し姿を写した写真は外国の新聞にも報道され、衝撃を与えた。

鄧拓《とうたく》（一九一二年～六六年五月十八日）は自殺した。呉晗《ごがん》（一九〇九年～六九年十月十一日）は、獄死した。呉晗の妻袁震《えんしん》は病弱であったが、反革命の家族として労働改造隊に送られ、六九年三月十八日死去した。長女呉小彦《ごしょうげん》は一九七六年九月二十三日自殺した。結局四人家族のうち長男呉彰《ごしょう》だけが生き残った。

この種の悲惨な例は少なくなかった。党内では、延安時代に毛沢東秘書を務め、彭徳懐事件に連座した周小舟が自殺し、さらに文革直前まで毛沢東秘書を務めていた田家英も自殺している。

紅衛兵の分裂

紅衛兵は元来は毛沢東の唱える文化大革命のイデオロギーに共鳴して立ち上がったものだが、やがてある派閥は中央文革小組に操縦され、他方はこの指導を受け入れず、むしろ実権派を擁護し（とりわけ実権派の子弟からなる紅衛兵）、対立するようになった。北京の大学生からなる政治意識の高いグループは、聶元梓《じょうげんし》（北京大学「新北大公社」）、蒯大富《かいだいふ》（清華大学「井岡山兵団」）、韓愛晶《かんあいしょう》（航空学院「紅旗戦闘隊」）などをリーダーとする天派と王大賓《おうだいひん》（地質学院「東方紅公社」）、譚厚蘭《たんこうらん》（師範大学「井岡山公社」）をリーダーとする地派に分裂して、武闘を繰り返した。W・ヒントンは清華大学における内戦さながらの百余日間の武闘を活写している。実権派打倒のためには彼らのエネルギーを利用した毛沢東は、頻発する武闘に手を焼いて、六八年七月二十八日早朝、これら五人の指導者を呼びつけ、引導を渡した。曰く「君たちを弾圧している〝黒い手〟は実は私である」（『毛沢東思想万歳』丁本、六八七頁）。

こうして毛沢東から見てその利用価値のなくなった紅衛兵たちは、農村や辺境へ下放させられることになった。その後の紅衛兵の姿の一端を描いてみよう。

混乱する教育機関

一九六七年春には、中共中央は外地への経験交流を停止し、教室に戻って革命をやるよう呼びかけた。

しかし、この指示は徹底せず、紅衛兵による各級指導機関の襲撃や武闘流血事件が絶えず、六七年七〜九月の三ヵ月は混乱が極点に達した。

一九六七年十月十四日、中共中央は「大学、高校、中学、小学校で教室に戻り革命をやることについての通知」を正式に発し、全国の各学校が一律に授業を開始し、授業を行いつつ、改革を進めるよう要求した。とはいえ、多くの学校では大連合〔原文＝大聯合〕は実現できておらず、武闘は不断に発生していた。中学高校の授業再開にとって重大な問題の一つは、大学入試を停止したために、一九六六、六七年度卒業生が中学でも高校でもあぶれており、授業再開の障害となっていることだった。一九六七年十月二十二日、教育部は卒業生の就職配分〔原文＝分配〕が喫緊《きっきん》の課題であるとして、こう報告した。「卒業生を分配しなければ、新しい学生を入学させられない。しかも今年の卒業生と新入生は例年の二倍以上である。これは教師と校舎の限界である」。

卒業生の分配問題は緊急であったが、当時社会は大混乱しており、多くの地域でまだ革命委員会が未成立の情況〔一五二頁の図2「省レベル革命委員会の成立」参照〕のもとで、分配工作は進めようがなかった。こうしたなかで一九六七年十一月三日、『人民日報』が毛沢東の教育革命の指示を伝え、こう述べた。プロレタリア教育革命を行わなければならない。学校のなかの積極分子に依拠して、プロレタリア文化大革命を最後まで行うプロレタリア革命派にならなければならない。つまり、六七年までは、大量の中学、高校卒業生は依然学校に留まっていたのであった。

下放運動起こる

一九六八年になると、中学卒業生の分配問題はいっそう深刻化した。各学校には一九六六、六七年の卒業生に加えて、六八年度の中学高校卒業予定者を加えて、一千万人以上があふれていた。他方、六八年前半には大多数の地域で革命委員会が樹立された。卒業生の分配工作は解決しないわけにはいかないし、また解決する条件もできてきた。六八年四月、中央は黒竜江省革命委員会の「大学卒業生分配工作についての報告」を承認し、毛沢東の指示を伝えた。卒業生の分配は大学だけでなく、中小学校においても普遍的な問題であるとして、この文件は各部門、各地方、各大中小学校が①農村、②辺境、③工場鉱山、④基層、の四つに向かい、卒業生の分配工作を立派にやるよう要求していた。

文件にいう四方面のうち、③工場鉱山と④基層では、秩序が混乱しており、新規労働力を受け入れる余裕はまるでなかった。そこで卒業生は事実上、①農村と②辺境に分配された。一九六八年七、八月から紅衛兵への再教育が叫ばれ、つぎの毛沢東最新指示が繰り返された。「われわれは知識分子が大衆のなかへ、工場へ、農村へ行くよう提唱する。主として農村へ行くのである……。そして労働者農民兵士〔原文＝工農兵〕の再教育を受けなければならない」。六八年末に毛沢東はこう呼びかけた。「知識青年が農村へ行き、貧農下層中農の再教育を受けることはとても必要である」。これを契機として、下放運動が巻き起こり、紅衛兵運動は終焉した。

毛沢東による教育改革

こうして起こった下放運動は、毛沢東特有のイデオロギーによって支えられていた。それは青年学生に対して再教育を行うことによって修正主義を防ぐという考え方であり、再教育の内容として強く意識されていたのは、三大差異〈原文＝三大差別〈労働者と農民、都市と農村、肉体労働と精神労働の差異〉〉の縮小に代表される極度に平等主義的な社会主義思想であった。また階級闘争を極端に重視し、書物は読めば読むほど愚かになる。学校のカリキュラムは半減してよい。学制は短縮してよい、など教育内容を単純化しつつ実践の場における再教育を重視していた。政治、経済、文化などの面で三大差異の存在することが修正主義の生まれる根源であるとする毛沢東の平等主義的社会主義論がその根本にあった。毛沢東は五・七指示に見られる思想によって教育を改革しようとしていた。

一九六八年、六九年の二年間で約四百万余りの都市卒業生（六六～六八年度）が農村や辺境に下放させられた。青年たちは現地でさまざまの問題に直面した。生活面では自給自足の生活になじめず、食糧〈原文＝口糧〉、住居、医療などの面でとりわけ問題が大きかった。

一九七三年、福建省の李慶林《りけいりん》が息子の生活問題を直訴したのに答えて毛沢東はこう返信を書いた。「三百元を送ります。食費として下さい。全国にこの種の例ははなはだ多く、いずれ統一的に解決しなければなりません」。問題の所在には気づきつつも、毛沢東自身いかんともしがたく、この手紙を書いたようである。

下放工作の難題

この年に全国知識青年下放工作会議が開かれ、長期計画が検討されたが、この計画は実現されるに至らず、政策は依然混乱していた。ある年は工場で募集したかと思えば、つぎの年は下放させる。下放した者のなかから、工場で募集するなどという具合に、地方当局によってマチマチの政策〔原文＝土政策〕が行われた。

一九七六年二月、毛沢東は再び知識青年の問題についての手紙にコメントを書いて、「知識青年の問題は専門的に研究する必要があるようだ。まず準備し、会議を開き、解決すべきである」と指摘した。しかし、毛沢東の死まで彼らの問題は解決されなかった。

一九七八年の全国知識青年下放工作会議紀要はこう指摘している。一九六八～七八年の知識青年下放運動は、全体的計画を欠いており、知識青年の工作はますます困難になった。下放青年の実際的問題は長らく解決されていない、と。これこそが鳴物入りで大々的に展開された下放運動の総括なのであった。

下放運動がいかに絶対化されたかは、つぎの記事に一端が示されている。曰く、「下放を望むか否か、労農兵と結合する道を歩むか否かは、毛主席の革命路線に忠実であるか否かの大問題である。下放は修正主義教育路線と徹底的に決裂し、ブルジョア階級の〝私〟の字と徹底的に決裂する具体的な現れである（『人民日報』一九六八年十二月二十五日）。

しかもある青年が革命的であるか、非革命的であるか、反革命であるかの唯一の基準は、下放に対する態度であるとしたのであった。下放地点の選択においても現実にそぐわない例がしばしば見られた。

一部ではより困難な地域ならば、ますますそこへ行かなければならない、と絶対化された。都市近郊で多角経営に成功した青年農場は、下放しても都市を離れないもの、下放したが農業に務めないもの、大方向に違反したもの、などと批判された。一部の地域では、下放青年の生活に必要な食料や石炭などをわざわざ都市から運んだ。国家、青年の所属単位、家長などの中には、下放青年一人当たり年間千元もの費用をかけるケースさえあった。

人材の欠落と経済的損失

では下放運動はいかなる帰結をもたらしたのであろうか。第一は人材の欠落である。文革期に養成を怠った大学生は約百万人余り、高校生は二百万人以上に上る。このために人材の欠落がもたらされた。一部の地域では中学卒業生はすべて下放し、高校は閉鎖した。一部の地方では中学高校の一、二年生も、卒業生とともに農村へ下放した（『中国教育年鑑』人民教育出版社）。

一九六八年から七八年までの十年間に全国で下放した知識青年は約千六百二十三万人である。一部の青年はのちに学習して学力を取り戻したが、大部分は中学かそれ以下の学力しかない。下放運動は三大差異の縮小に役立たなかっただけでなく、中国と世界の教育水準の格差を拡大し、近代化にとっての困難をますます増やすことになった。

下放運動は経済的にもマイナスであった。文革期に国家や企業は下放青年の配置のために約百億元あまり支出した。これらの一部は開墾事業に貢献したけれども、経済効率ははなはだ悪かった。また一九七九年大量の下放青年が都市へ帰るに際して、すでに結婚した者も含めて、就業問題は経済建設への大きな重圧となった。

下放青年を受け入れたことによって、農民も損失をこうむり、また青年の家長たちも仕送りのために経済的負担を余儀なくされた。

青年が農村の現実を知ったことにはプラスの面もあるが、人生の黄金時代に正規の教育を受ける機会を失した損失は取り戻すことができない。紅衛兵——下放青年の体験をもつ世代はまさに現代中国の失われた世代である。この世代の空白は彼ら自身にとっての損失であるばかりでなく、中国の近代化にとって人材の面での大きな痛手となって、その後遺症は長く続いている。

「失われた世代」から「思考する世代」へ

こうして紅衛兵たちは、修正主義路線打倒を目指して決起したものの、まもなくある者は武闘に倒れ、ある者は辺境開拓に追いやられ、総じて権力闘争に利用される結果に終わった。この意味では、六〇年代後半に十代、二十代であった紅衛兵世代は失われた世代である。しかし、文化大革命という苦《にが》い果実を味わった若者たちのなかから、思考する世代が生まれることになった。その嚆矢《こうし》は「中国はどこへ行くか」(別名「極左派コミューン成立宣言」六八年一月六日付)を書いた湖南省プロレタリア階級革命派連合指揮部(略称=省無聯)のリーダー楊曦光《ようぎこう》(本名=楊小凱《ようしょうがい》)らであろう。当時彼は反革命罪で逮捕され、生命が危ぶまれたが、十七歳という若さのゆえに、懲役十年の刑で済んだ。彼はその後〝監獄大学〟でエコノメトリックスを学び、出獄後アメリカに留学した。いまはオーストラリアのある大学で講師をしている。「虎に食われ損なって生き延びた」この若者は、暴力革命を断固として否定し、広い視野から社会主義を再考するよう呼びかけている。

〝四人組〟失脚を予言した大字報として話題になった李一哲《りいってつ》「社会主義の民主と法制について」（初稿、七三年九月十三日）の三人の筆者の一人たる王希哲《おうきてつ》のその後の思想的発展は、『王希哲論文集』（香港・七十年代雑誌社、八一年六月）などによって知ることができる。

民主化への遠い道程

こうした非体制、反体制的思想に目覚めた若者たちが七六年四月の天安門事件を経て、七九年の「北京の春」を担ったことはよく知られている。彼らの一部はたとえば『探索』の編集者魏京生《ぎきょうせい》のように投獄された。しかしたとえば中国人権連盟の活動家任畹町《にんえんちょう》は、出獄後も活動を続け、八九年動乱後ふたたび逮捕されている。七九年「北京の春」の活動家の一部は、アメリカなどに留学したあと中国民主聯盟を組織し、雑誌『中国之春』を発行して国内の民主化運動を続けている。八九年の運動に対しても、ニューヨークから連帯のメッセージを送っている（拙編訳『チャイナ・クライシス重要文献　第一巻』蒼蒼社、一九八九年、所収）。

彼らの思想はさまざまであるが、中国の近代化にとって最大の壁が政治の民主化、政治改革にあるとする一点では共通していると言えよう。当局の掲げた「四つの近代化」に対して、魏京生はこれに「政治の近代化」を加えた五つ目の近代化（原文＝第五個現代化）を提唱していた。当時はこれが過激な主張であるとして投獄されたが、その後、十年政治改革の必要性はほとんど共通の了解事項になっている。

しかし、実際に学生たちが政治改革を要求した場合に、権力の側がどう対応したかを今回の武力鎮圧が端的に示している。

中国民主化の道は遠い。しかし、中国の若者たちは、スターリン批判直後の民主化運動で一部が、そして紅衛兵運動のなかでは大衆的な規模で政治的に覚醒した。この意味で損失のきわめて大きかった紅衛兵運動にも苦い果実は実ったことになる。

二　二つの妖花（江青と葉群）

文革の拠点――中南海、毛家湾、釣魚台

北京の中心部の地図を頭に描いて見よう。天安門前を西長安街に少し目を移すと、左隣に中南海がある。これは中海と南海を合わせた呼称である。南海の入口が新華門である。天安門が中華人民共和国の象徴であるのに対して、新華門は党中央の象徴である。ここには中共中央の弁公室があり、国務院弁公室がある。新華門の入口には「人民に服務せよ」と書かれている。中共中央主席毛沢東は六六年八月以降、俗称遊泳池の一角に居住していた（それまでは豊沢園の付属建築たる菊香書屋に住んでいた）。国務院総理周恩来の事務室は西花庁に置かれていた。劉少奇《りゅうしょうき》もむろん中南海に住んでいたから、劉少奇に対するつるし上げ大会〔原文＝批闘会〕はまずここで行われた。

文革期に重要な役割を果たした建物があと二つある。一つは西城区西四大街にある毛家湾、ここには林彪《りんぴょう》と妻の葉群《ようぐん》が住み、軍事委員会弁公室と代替した軍事委員会弁事組が置かれていた。

もう一つは釣魚台である。これは西城区にある旧清朝の園林だが、解放後は修理して迎賓館としていた。文革が始まると、中央文革小組がここを占領し、彼らの司令部として使った。釣魚台十一号楼の女主人が江青《こうせい》（毛沢東夫人）、十五号楼の主人が陳伯達《ちんはくたつ》（中央文革小組組長、九期政治局常務委員）、八号楼の主人が康生《こうせい》（中央文革小組顧問、八期九期政治局常務委員）、十六号楼に中央文革小組の事務所が置かれていた。

つまり、文革のドラマは中南海（毛沢東、周恩来）、毛家湾（林彪）、釣魚台（江青）の三ヵ所四機関（中共中央、国務院、中央軍委、中央文革）から出る指令によって展開されたわけである。以下で、文革の推進派として、「四人組」と林彪、標的として劉少奇の場合を描き、最後に、周恩来と鄧小平について若干触れることにしたい。

四人組の最重要人物・江青

〝四人組〟という言い方は、彼らが失脚してからの呼称である。文革期には文革精神の担い手として、大きな政治的影響力をもつかに見えた。しかし、毛沢東の死後、一ヵ月も経ずして粉砕されてしまった。〝四人組〟のメンバーは、江青《こうせい》、張春橋《ちょうしゅんきょう》、姚文元《ようぶんげん》、王洪文《おうこうぶん》である。このうち最重要人物は江青であり、他の三人は江青夫人の指図で動く形で政治局委員にまで昇格した印象が強い。つまり〝四人組〟といっても実は、江青プラスその他なのである。したがってここでは江青に焦点を当てることにしよう。

まず手許の『中華人民共和国資料手冊』（社会科学文献出版社、八六年）を開いてみると、こう紹介してある。〔 〕内は私の注釈である。

江青（女）、一九一五年生まれ（文革開始の六六年には五十一歳であった）。山東省諸城県の人、一九三三年青島で中国共産党に（十八歳で）入党した。山東実験戯曲学校の実験京劇団で学び、青島大学図書館で働いたことがある。

その後上海に移り、業余（業余とは、業務の余暇のこと）劇社などの劇団、映画界に入り女優となる。上海で逮捕され、脱党したことがある。抗日戦争以後延安へ行って、魯迅芸術学院で教えた（ここで当然毛沢東と恋愛して結婚した事実が記載さるべきであるが、故意に省略されている）。

建国初期に文化部映画事業指導委員会委員を務めた。一九六四年三期全国人民代表大会の代表となる。一九六六年文化大革命が始まるや「中央文革小組第一副組長」および「解放軍文革小組顧問」となる。中国共産党九期、十期政治局委員を務めた。

文化大革命においては、人民民主主義独裁を転覆する目的をもって、リーダーとして反革命集団を組織し、指導した。反革命集団事件の主犯であり、国家と人民にきわめて甚大な危害を与えた（一九七六年十月六日逮捕の記載はない）。七七年七月十期三中全会で「ブルジョア階級の野心家、陰謀家、反革命両面派、叛徒江青の党籍を永遠に剥奪し、党内外の一切の職務を解任する」ことを決定した。一九八一年一月二十五日、死刑判決を受けた。ただし八三年一月、無期懲役に減刑された（『中華人民共和国資料手冊』七五一頁）。

江青の権力

江青について知るには、二冊の伝記がある。一冊はアメリカの女性ロクサーヌ・ウィトケの書いた

『江青同志（*Comrade Chiang Ch'ing*）』である（邦訳『江青（上・下）』パシフィカ、七七年）。もう一冊は珠珊『江青秘伝』である。後者はまず「江青野史」として、香港『新晩報』に連載され（八〇年）、その後増補して『江青秘伝』となった。著者珠珊は朱仲麗《しゅちゅうれい》の筆名であり、彼女は王稼祥《おうかしょう》夫人である（『中国老年』八八年八期）。朱仲麗は医者としてモスクワの精神病院に押し込められていた賀子珍《がしちん》（毛沢東の長征時代の夫人）を救出した経緯などから、江青を個人的にもよく知る立場にあった。

江青はかねてから政治的野心をもっていたといわれるが、具体的な政治活動を始めたのは一九六三年十二月、毛沢東が文芸問題についての指示を出して以来である。江青は当初北京で活動しようとしたが、彭真《ほうしん》以下の北京市委員会の妨害に遇って果たせなかった。まもなく上海市委員会第一書記柯慶施《かけいし》の支持を得た。柯慶施は部下の張春橋《ちょうしゅんきょう》を江青の助手につけ、さらに姚文元《ようぶんげん》もこのグループに加えた。こうして姚文元によって、呉晗《ごがん》の「海瑞罷官《かいずいひかん》」〈明代の官吏を描いた新作京劇。彭徳懐を擁護するものとされる〉に対する批判論文が執筆されることになった。この活動はむろん毛沢東の支持のもとで行われた。江青は第二の仕事として、「部隊文芸工作座談会紀要」をまとめたが、この作成過程で、毛沢東は三度にわたって朱筆を入れている。この文書は「林彪の委託によって、江青がとりまとめた」とされている。ここに文革推進の両輪、すなわち林彪の軍事力と江青の口を通じて下達される毛沢東の文革イデオロギーとの結合という構図の原点が見られる。

江青が中央文革小組の第一副組長（まもなく組長陳伯達に代わって、事実上の組長の役割を演ずる）になったことについては、むろん毛沢東の賛同を得ている。これらの事実は毛沢東が江青夫人を積極的に起用したことを示している。この意味で江青の行動は基本的に毛沢東の責任であると見なければならない。

迫害狂——江青

毛沢東個人崇拝の高まるなかで、毛沢東夫人の地位は単に虎の威を借る狐にとどまるものではなく、神格化された毛沢東から出される最高指示、最新指示の伝達者として否応なしに重要なものとならざるをえなかった。江青はまた元女優として、この政治的舞台で自らの役者としての武器を最大限に利用して、文革を推進して行ったのである。

江青を中心とするグループは当初は「海瑞罷官《かいずいひかん》」批判、〝三家村〟〈北京市委刊行の『前線』コラム執筆者の鄧拓・呉晗・廖沫沙を指す〉批判、周揚《しゅうよう》批判などから知られるように、文革理論のスポークスマン的役割を果たしたが、陶鋳《とうちゅう》批判前後から文革が高度に政治的な奪権闘争に発展するに及んで、打倒すべきブラックリストを紅衛兵組織に指示して、紅衛兵運動の一部を操り人形のごとく操作するようになった。こうして一見大衆運動的偽装のもとに、実は中央文革小組——首都紅衛兵第三司令部〈略称三司〉という秘密のホットラインが運動を操作するというカラクリができたのであった。

〝四人組〟裁判の起訴状公表に合わせて書かれた『解放軍報』〈八〇年十二月九日〉のルポは「迫害狂——江青」と題して主な迫害ケースを紹介している。たとえば六八年七月二十一日、康生《こうせい》〈中央文革小組顧問〉が絶対秘密の手紙〈原文=絶密信〉を江青に届けた。その手紙は、第八回党大会で選ばれた中央委員のブラックリストであった。それによると、中央委員百九十四名のうち、すでに死去した者、病弱な者三十一名を除いて、九十六名すなわち六割弱に×がつけられていた。罪状は「叛徒、特務、外国と結託した分子」などであった。このリストに基づいて、一方では実権派たたきを拡大し、他方では第九回党大会の中央委員リストを作成したのであった。

毛沢東夫人としての強力な権限

かつて魯迅は「暴君のもとでの臣民」と題したエッセイを書いて、暴君の臣民は「残酷さをもって娯楽となす。他人の苦悩を賞翫し、〔自らの〕慰安とする」と書いたことがある。江青はまさに魯迅の書いたような暴君の臣民であったと非難された。六七年七月十八日、中南海で劉少奇《りゅうしょうき》、王光美《おうこうび》夫妻を闘争にかけ、六九年十月十七日に劉少奇を開封に護送したのは、江青の直接操縦するグループであったともいう。

江青はまた劉少奇冤罪《えんざい》事件をデッチ上げるために、解放前に王光美の学んでいた輔仁大学教授であった楊承祚《ようしょうそ》、同大学の代理秘書長であった張重一《ちょうじゅういつ》などを迫害して死に至らしめ、さらに劉少奇が華北局書記であった当時の連絡部長王世英《おうせえい》を死なせている。これらの事件について、「人面獣心の江青」は「冷酷残忍」であった、随意に他人をして死に至らしめることを無上の権力の象徴であると彼女はみなしていたと告発されている。

このルポに代表されるように、〝四人組〟裁判当時の江青非難は、彼女を「迫害狂」だとし、彼女の性格が「冷酷残忍」だから、こうした悲劇がもたらされたのであるかのごとく説明している。何が彼女をそうさせたのか。

彼女が生来、迫害狂なのかどうか、冷酷残忍なのかどうかは調べる手立てがない。しかし、おそらく問題はそこにはない。毛沢東夫人であるというそれだけの理由で、彼女は中央文革小組の副組長になることができたこと、この中央文革小組がまもなく政治局の機能に代替するほどの強力な権限をもつに至ったこと、がポイントであろう。そしてこれはまさに文化大革命を発動したためなのであり、おそらくほとんどの責任は毛沢東にあるといえよう。

文革のテロリズムは先祖返り現象

もう一つは中国の権力者がほとんど無限に近い権力をもつことである。私的なリンチは別として、正式に投獄し、裁判にかけるとすれば、その処理は司法当局に委ねられなければならない。しかし、現代中国においては、「共産党の指導」「プロレタリア独裁」の名において、共産党が直接的に裁判に介入する。共産党の指導にしても、プロレタリア独裁にしても、革命の過程での一時的措置として、やむをえず容認されたものであるはずだが、こうした革命時の非常手段がその後長きにわたって受容されたことに中国社会のしたたかな古さを痛感させられる。革命的暴力ならば許されるという雰囲気が文革を包む中国の「小気候」であったわけである。

明朝の宦官《かんがん》独裁の時代には、東廠《とうしょう》や錦衣衛《きんいえい》といったテロ組織が体制を批判する者を手当たりしだいに殺害した。文革はこうした政治の先祖返り現象でもあるとする見方もある〔周明編『歴史在這里沈思』二巻、八七年、三二四頁。抄訳に袁梅里訳『沈思』原書房、九〇年〕。ただしスターリンの粛清が秘密警察を用いた国家テロであったのに対して、文革は大衆独裁〔原文＝群衆専政〕という大衆によるテロであった事実に注目する必要があろう。

ここでは中国共産党の誇る大衆運動〔原文＝群衆運動〕は大衆操作〔原文＝運動群衆〕に堕落し、ついには大衆テロに堕落したのであった。

林彪派と江青派

〝四人組〟は林彪《りんぴょう》グループの目から見ると、単なるモノカキにすぎなかった。林彪派の「五七一工程紀要」は、自らのグループに対して銃をもつ者〔原文＝槍杆子〕を自称し、江青らをペンを持つ者〔原文＝筆杆子〕、トロツキスト集団と表現していた。江青らがトロツキストであるかどうかはさておき、四人組がモノカキの理論家中心であったことは確かである。そして、これはまさに文化大革命の初期、中期においては重要な役割を果たした。しかし毛沢東の支えを失ったときに一挙に瓦解せざるをえなかった。彼らは毛沢東の文革理念を論文にまとめる側近グループ、あえていえば皇帝毛沢東の宦官としての役割を果たしたのであった。

では銃をもつ林彪グループとペンをもつ江青グループの関係はどうであったのか。張雲生《ちょううんせい》の『毛家湾紀実――林彪秘書回憶録』〔邦訳『林彪秘書回想録』蒼蒼社、一九八九年〕は、興味津々の事実にあふれている。林彪の妻葉群《ようぐん》はしばしば釣魚台十一号楼の江青宅を訪れ、密談しているが、林彪自身は江青に対して、かなりの警戒心を抱いていた。六七年二月には毛家湾で林彪と江青が激論していたことを林彪秘書が証言している。

葉群は江青との連絡を密にするだけではなく、中央文革小組顧問陳伯達《ちんはくたつ》宅もしばしば訪れている。七〇年秋の九期二中全会で、陳伯達は林彪グループの尖兵の形で処分されるが、イデオローグの陳伯達と林彪グループを結合させたのは、葉群なのであった。しかもそこには三文小説的なエピソードさえある。

葉群は延安時代に教わったとの理由で、釣魚台十五号楼の陳伯達宅を訪れたが、寝室に押し掛け、ベッドで密談したことまで秘書に広言している。これが理由で陳伯達夫妻が別居する騒ぎになった。武漢事件（六七年七月）で王力《おうりき》、関鋒《かんほう》、戚本禹《せきほんう》らが隔離処分されたのち、中央文革小組内で孤立し始めた陳伯達は林彪の助けを借り、林彪もまた理論家陳伯達の力を必要としていた。そこで葉群は空軍機を飛ばして上海蟹を運ばせ、陳伯達に届けてごきげんをとり結んだりしている。

権力者たちのプライバシー

林彪は康生（中央文革小組顧問）を当初は警戒していたが、六八年初夏あたりから、林彪と康生の関係が改善された。これを陳伯達が嫉妬するようになったと林彪秘書が書いている。葉群自身は陳伯達に親しみをもち、「先生」と尊敬していたが、康生に対しては親しみよりは畏敬していた。陳伯達と康生の関係は必ずしもよくなかったが、葉群は極力バランスをとってつきあおうとしていた。

第九回党大会以後、毛家湾と釣魚台との関係はますます複雑微妙になった。たがいにだまし合いこそすれ、譲り合うことはなくなった。政治的傾向としてはどちらかというと釣魚台に不利だったが、彼らは他の人々の近寄ることのできない特殊な条件（毛沢東夫人としての立場）をもっていると自負していた。毛家湾と釣魚台との緊張関係は九期二中全会（七〇年八月二十三日～九月六日）の頃には白熱したものとなった。「このバカ騒ぎの内幕はすでに世に知られたものよりもはるかに複雑である」と秘書が暴露している。

なお、これまた三文小説的エピソードだが、葉群が秘書の張雲生《ちょううんせい》に肉体関係を迫ったいきさつも、生々しく描かれている。葉群と総参謀長黄永勝《こうえいしょう》とのアイマイな関係については、七〇年秋に二人が交わした愛の電話を葉群の長男林立果《りんりつか》が盗聴録音したというエピソードも伝えられている（『在歴史的檔案里――文革十年風雲録』）。中国権力者たちの私生活にも、奇々怪々なプライバシーがあったことがよくわかるが、私がもっと興味を抱くのは、失脚後にこれらのプライバシー〔原文＝隠私〕が容赦なく暴露されることである。逆に権力を握った者たちは、その権力を用いて、歴史を改竄《かいざん》することはもちろん、真実を知る者の口を封じるために、殺害することさえ行っている（江青は上海時代の友人を迫害致死に至らしめた）。こうした権力者の横暴が文化大革命のもう一つの側面であった。

周恩来・鄧小平批判へ

概していえば、江青ら文の宦官《かんがん》と林彪ら武の宦官との関係は、実権派の勢力が強かった初期段階では相互扶助であった。林彪は江青に「部隊文芸工作座談会紀要」のとりまとめを委託し、江青は中央軍事委員会文革小組の顧問となり、のちには解放軍文化工作の顧問も務めた。六七年十一月に第九回党大会についての意見を集めた際に、林彪が毛沢東の「親密な戦友」であり、「後継者」であると大会決議に書き込むよう強調したのは、江青であった。彼らはこうして林彪グループを支持し、その見返りを期待していた。しかし、第九回党大会以後は「権力の再配分」の矛盾が熾烈《しれつ》となった。九期二中全会で陳伯達が失脚し、葉群らが批判されたのは両者の権力闘争が爆発したことを示している。

ところで、林彪事件によって林彪グループが壊滅したのち、江青のライバルは周恩来を中心とする実務派になる。江青らは「批林批孔」運動を通じて、現代の孔子すなわち周恩来批判に努めた。

一九七四年一月二十四日および二十五日、軍隊系統の「批林批孔」動員大会と党中央、国務院直属機関の「批林批孔」動員大会が開かれた。これは〃四人組〃裁判の前後に江青が毛沢東の意思に背いて開いたものとする解釈も行われたが、この会議の前後の毛沢東発言を点検した金春明《きんしゅんめい》は、毛沢東が周恩来の政治局工作、葉剣英《ようけんえい》の軍事委員会工作に不満を抱いていたことは明らかであり、矛先は彼らに向けられていたと書いている（金春明『〃文化大革命〃論析』上海人民出版社、八五年、二〇〇〜二〇二頁）。

事柄は「鄧小平批判、右傾巻き返しへの反撃」〔原文＝批鄧反撃右傾翻案風〕闘争も同じであり、毛沢東は鄧小平を得難い人材と評したわずか十ヵ月後に、鄧小平を悔い改めない実権派として再び批判している。しかも、これは明確な批判であり、江青への暖かい忠告とは異なると解している。つまり文化大革命の正しさを確信する毛沢東からすると、鄧小平の反文革的な整頓は許しがたいものであり、これを批判する江青らの活動を文革路線の堅持の観点から支持したわけである。

四人組の実態は五人組

この意味では、まさに〃四人組〃グループは最初から最後まで毛沢東の手足であったと見てよいのである。つまり〃四人組〃ではなく、実態は毛沢東を含めた〃五人組〃なのであった。その事実を率直に広言できなかったのは、むろん中国共産党にとっての毛沢東の占める位置の大きさのためにほかならない。

もっとも、十年にわたる江青グループのすべての行動を毛沢東が支持していたということではない。たとえば江青は一九三〇年代の自らの醜聞をもみ消すために、趙丹《ちょうたん》ら関係者を少なからず死地に追いやったが、これは醜聞が敵の手を通じて毛沢東の耳に入ることを恐れたものであろう。

三　林彪事件の衝撃――「親密な戦友」の陰謀

林彪の功績

文化大革命のなかでも、最もドラマチックなのは、林彪《りんぴょう》の躍進と墜死事件であろう。六九年四月の第九回党大会では毛沢東の後継者としての地位を約束され、毛沢東の親密な戦友と讃えられたが、七一年九月には毛沢東暗殺に失敗し、ソ連に逃亡を図り、モンゴル領内で墜死するという奇怪な事件を引き起こしているのであるから、興味をそそられないわけにはいかない。

林彪《りんぴょう》（一九〇七年〜七一年九月十三日）は、北伐戦争（一九二六〜二七年）と南昌蜂起（一九二七年八月一日）を経て、最初のゲリラ根拠地である井岡山《せいこうざん》（江西省西部の山岳地帯）に立て籠もった。三五年夏以来の江西省を中心とするゲリラ地区から陝西省北部への二万五千華里の大長征に参加し、延安時代には紅軍大学、抗日軍政大学の指導者として幹部養成に貢献した。日中戦争期には平型関《へいけいかん》戦役（三七年九月二十五日）の勝利にも功績があった。遼瀋《りょうしん》戦役（四八年九月〜十一月）、平津《へいしん》戦役（四八年十二月〜四九年一月）の主要指揮員の一人でもあった。その後第四野戦軍を指揮して南下し、武漢を解放し、広東、広西に到り、一九五〇年に海南島を解放した――これが中国革命のなかでの林彪の功績である。革命活動の初期から毛沢東のもとで働いたために、重要な役割を与えられたわけである。

林彪批判の真偽

林彪の墜死以後、毛沢東暗殺を図った逆賊として、徹底的な林彪批判が展開された。その際の林彪への批判は彼の参加したほとんどすべての戦役について、林彪の功績が小さなものだと矮小化しようとするものであった。それらはそれなりになんらかの事実を踏まえたものであったことは確かだが、およそ牽強付会がはなはだしく、説得性を欠く批判であったといえよう。

墜死事件後十数年を経ると、行き過ぎた批判への軌道修正が行われるようになった。たとえばある論文（于南「林彪集団興亡初探」『十年後的評説——〝文化大革命〟史論集』中共党史資料出版社、一九八七年）は、前述のような林彪批判を斥け、つぎのように再評価して注目された。総じていえば、民主革命期（四九年までの時期を指す）の林彪派、林彪グループのその他のメンバーも含めて、功績が誤りよりも大きかった。つまり林彪は文革初期に一部の者が誇張した姿とも、事件以後の批判論文が非難した姿とも異なっているのであり、林彪の功罪は実事求是のやり方で解釈すべきである、と。

出世術・クーデタ術を研究

さて林彪が建国に際し貢献したことは述べたが、戦闘中に重傷を負った。モスクワに送られ治療したが完治しなかった。そこで建国以後、林彪はずっと病気療養していた。一九五三年十月、高崗（一九〇五～五四年、国家副主席、国家計画委員会主席）が杭州で療養する林彪を訪ね、中央の人選名簿、軍の第八回党大会代表名簿などの相談をもちかけた。林彪の妻葉群も林彪に代わって高崗を訪ねた。この行動が中央から批判されたのち、林彪の野心はしぼんだという。しかし一九五九年夏廬山会議で彭徳懐《ほうとくかい》が国防部長を解任され、林彪が後を襲うようになるや、政治的野心が頭を擡《もた》げてきたといわれる。一九六〇年から六四年にかけて、内外の歴史書、各王朝の演義、軍閥混戦の資料などを少なからず読み、曽国藩《そうこくはん》、袁世凱《えんせいがい》、張作霖《ちょうさくりん》などを調査した。要するに、出世術、クーデタ術を研究したのであろうか。

一九六六年五月十八日、林彪は政治局拡大会議でクーデタ問題を大いに論じている。たとえば一九六〇年以来六年間に世界で毎年平均十一回のクーデタが発生した、と述べ、また中国歴代王朝から蒋介石までの改変を一気にまくしたてている（クーデタ講話は『林彪事件原始文件彙編（増訂本）』袁悦編、台北・中国問題研究所、七六年、所収）。

一九六〇年以後、林彪は四つの第一、三八作風〈人民解放軍が身につけるべき作風を三つの語句と八つの文字で表したもの〉、政治の優先、政治はその他の一切を撃つことができる、活きた思想をつかむ、四つの立派な中隊〔原文＝四個第一、三八作風、政治突出、政治衝撃一切、抓活思想、四好連隊〕などの毛沢東思想活用運動をつぎつぎに提起して、毛沢東から賞賛された。

毛沢東が大躍進の責任を自己批判せざるをえなかった一九六二年一月の七千人大会では、毛沢東を支持してこう発言している。「この数年の誤りと困難は毛主席の誤りではなく、逆に多くの事柄を毛主席の指示通りに行わなかったことによってもたらされたものである」。大躍進・人民公社政策の失敗によって四面楚歌に陥っていた毛沢東にとって有力な援軍となったはずである。こうして林彪は毛沢東が個人崇拝を最も必要としたときに、巧みにそれを行って毛沢東の信頼を固めたわけである。

腹心で固めたセクト

林彪の権力への道の第二戦略は、セクト作りであった。林彪は元来第四野戦軍の指導者として、一つの派閥をもっていたわけだが、軍事委員会を牛耳るようになってから、林彪派の形成を意識的に行った。「双一」（すなわち紅一方面軍、紅一軍団）にかつて属したことがメンバーの条件であった。「双一」こそがのちの第四野戦軍の源流である。黄永勝《こうえいしょう》、呉法憲《ごほうけん》、李作鵬《りさくほう》、邱会作《きゅうかいさく》、いずれもその資格を備えていた。

林彪の第三戦略は、異分子の排除である。一九五九年に軍事委員会を牛耳るようになってまもなく、総政治部主任譚政《たんせい》を解任した。元総政治部主任羅栄桓《らえいかん》（一九〇二年〜六三年十二月）は林彪のやり方を毛沢東思想の俗流化と批判していたために、文革期に羅栄桓未亡人林月琴《りんげつきん》を迫害している。国防部長になった一九五九年以来、五〜六年で腹心の配置に成功している。まず邱会作を総後勤部部長、党委員会第一書記とし、六二年には海軍の指導強化の名目で李作鵬を海軍常務副司令員にした。六五年には空軍司令員劉亜楼の死去に乗じて呉法憲を任命している。

このように腹心で固め始めた林彪にとって、軍の指導権を奪取する上で、直接的障害は羅瑞卿《らずいけい》であった。彼は軍事委員会秘書長、総参謀長、副総理、中央書記処書記、国防部副部長、国防工業弁公室主任の六つの要職を兼ねていた。

羅瑞卿を解任

羅瑞卿は元来は林彪の部下であった。延安時代に林彪が紅軍大学、抗日軍政大学で校長を務めた際には、羅瑞卿は教育長、副校長を務めている。一九五九年の廬山会議の際には、羅瑞卿を総参謀長に提案したのは林彪自身であったことも注目してよい。

林彪・羅瑞卿の関係は当初の一、二年はまずまずであったが、羅瑞卿はまもなく林彪とソリが合わなくなった。両者の破局がやってきた。しかもそれは大きな悲劇の序幕でもあった。

一九六五年十一月末、林彪は毛沢東宛に手紙を書き、密告するとともに葉群を派遣して羅瑞卿関係の資料について口頭で密告させた。葉群は杭州で毛沢東に対して六、七時間報告した。六五年十二月八〜十五日、上海で政治局常務委員会拡大会議が開かれた。葉群はここで三回発言し、羅瑞卿の罪状を暴露した。会議が始まって三日後、羅瑞卿のもとに飛行機の出迎えがあり、上海に着くやいなや隔離された。会議が終わるや羅瑞卿の軍における職務が解任された。

羅瑞卿の最大の罪状は、葉群の説明によると個人主義が野心家の地歩にまで達して、国防部長の地位を林彪から奪おうとしたことである。その証拠として挙げたのは劉亜楼《りゅうあろう》（元空軍司令）の証言であり、死人に口なし、反駁のしようのない証拠であった。

党内の敵を摘発

羅瑞卿の粛清は林彪派にとっていかなる意味をもったであろうか。第一に林彪の権力獲得にとって直接的障害が排除された。軍内の掌握に有利となったばかりでなく、羅瑞卿の黒幕追及の名において、他の指導者たちにも脅しをかけることができるようになった。上海会議の際に葉群は羅瑞卿が賀竜《がりゅう》と密接であったとして、軍事委員会副主席である賀竜を自己批判させようとした。羅瑞卿は公安部で長年工作していたので、同部の副部長、司局長、省市レベルの公安局長も連座する者が少なくなかった。要するに、羅瑞卿粛清を一つの突破口として、奇襲攻撃により、党内の敵を粛清するモデルを作ったことになる。

第二に、呉法憲、李作鵬、邱会作らは羅瑞卿粛清を通じて、それぞれの任務を分担し、林彪派の核心としてより結合を深めていった。第三に林彪は党内に潜む野心家を摘発することによって、毛沢東に忠実な戦友、学生としてのイメージを固めることになった。

一九六六年五月、政治局拡大会議が開かれた。林彪は五月十八日クーデタについて大いに語り、彭真《ほうしん》、羅瑞卿、陸定一《りくていいっ》、楊尚昆《ようしょうこん》らがクーデタをやろうとしているとし、彼らを摘発することが修正主義者による奪権を防ぐことになると力説した。羅瑞卿が軍権を握り、彭真（北京市市長）はいくつかの権力を握り、文化思想戦線の指揮官は陸定一（中央宣伝部部長）であり、機密、情報、連絡担当が楊尚昆（中央弁公庁主任）である。文武相結合して、反革命クーデタをやろうとしていると林彪は述べた。この四人は文革初期に四家店として集中的に攻撃されたが、彼らは文革を発動するうえで直接的障害となっていた四つの部門の代表であった。

毛沢東はこのクーデタ講話について、懸念をこう書いている。

彼〔林彪〕の提起の仕方については、どうしても不安を感じている。彼らの本意を忖度《そんたく》すれば、〝鬼を打つために、鍾馗《しょうき》の力を借りる〟ではなかろうか。

生まれて初めて、意に反して他人の意見に同意し、林彪の五・一八講話の発出に同意した（「江青に宛てた手紙」六六年七月八日）。

林彪が毛沢東の権威を利用して、自らの権威を高めようとしているのを知りながら、毛沢東もまた林彪を利用して、自らの鬼を打とうとしていたのであろう。

林彪昇進の背景

一九六六年八月一日〜十二日、八期十一中全会が開かれ、林彪は唯一の党副主席、毛沢東の後継者の地位を確保した。ナンバー6からナンバー2への昇格である。このような急激な昇進が可能であった背景としては、つぎの事情がある。

第一に文化大革命を進めようとした毛沢東が林彪の軍事力を必要としたことである。第二に林彪は十大元帥の一人として軍功があるばかりでなく、毛沢東に対する個人崇拝の演出者として、政治的資本も手に入れていた。第三に選挙前の政治局常務委員七名のうち、劉少奇、鄧小平は路線の誤りのゆえに批判されており、朱徳は老齢であった。毛沢東は周恩来、陳雲に対しては、その穏健路線が不満であった。林彪は当時五十九歳の若さであり、後継者として有利な条件を備えていた。

林彪は文革の推進者として毛沢東によって抜擢された以上、毛沢東の期待に応えなければならない。それはまた自らの野心を満たすことでもあった。六六年八月八日、林彪は中央文革小組を接見して、天地を覆さなければならない、ブルジョア階級もプロレタリア階級も眠れないほどの騒ぎとしなければならないと述べた。八月十三日には中央工作会議でこう述べた。今回は一群の者を罷《や》めさせ、一群の者を昇格させ、一群の者はそのままとする。組織上、全面的な調整をしなければならない。この二つの発言が、いわば林彪の施政方針演説であった。

一九六六年八月中旬、林彪は葉群を通じて、劉少奇誣告《ぶこく》の資料を雷英夫《らいえいふ》（解放軍総参謀部作戦部副部長）に書かせた。林彪はこれを江青を通じて毛沢東に届けた。八期十一中全会およびその後の会議で林彪は幾度も劉少奇、鄧小平を名指し批判した。一九六八年九月二十九日、林彪は劉少奇専案組の「罪状審査報告」にコメントを書いて、劉少奇には五毒が備わっており、罪状は鉄のごとく硬い。出色の専案工作（デッチ上げのこと）を指導した江青同志に敬意を表すると述べた。

造反派と実権派の激しい対立

林彪と江青が結託して集中的に老幹部を粛清しようとしたのは一九六七年春から六八年十月の八期十二中全会にかけてである。

六七年一月、上海で一月革命が起こると、その反動として二月逆流（実権派側から見れば、二月抗争）事件が起こった。続いて五・一三武闘と七・二〇武漢事件が起こった。

五・一三武闘とは、一九六七年五月十三日夜、軍の両派が北京展覧館劇場での上演問題をめぐって武闘した事件である。この事件を経て、造反派系と実権派系の対立が表面化した。これに先立つ四月下旬、周恩来は部隊の文芸団体を接見した際に、両派が合同して上演されたい、さもなければ観劇に行かない、として、両派の聯合を促進しようとした。五月初め、「延安文芸座談会における講話」発表二十五周年を記念して、造反派系文芸団体も実権派文芸団体も、それぞれ上演を準備していた。実権派系は造反派系が上演を強行するなら、会場を襲撃するといきまいていた。他方造反派系は呉法憲や李作鵬の支持を根拠に予定通り上演し、これを攻撃した実権派系との間で武闘が起こり、数十人が負傷した。

蕭華《しょうか》（解放軍総政治部主任）は、解放軍の顔に泥を塗ったと造反派を非難したが、造反派は逆に蕭華をつるし上げた。事件後、林彪、葉群、江青は蕭華を非難した。五月十四日、葉群は林彪を代表して造反派系負傷者を慰問したが、これには関鋒、呉法憲、李作鵬、王宏坤が同行した。この武闘を通じて、軍内における造反派と実権派の対立が明確になった。造反派は総政治部を閻魔殿として攻撃するようになった。

実権派の反抗――武漢事件

こうして総政治部が機能マヒに陥った。七月十七日呉法憲（組長）、葉群、邱会作、張秀川からなる軍事委員会看守小組が成立した。これはときには軍事委員会四人小組あるいは軍事委員会弁事組とも呼ばれた。中央文革小組の碰頭会《ポントウ》（碰頭会とは、正式の会議ではなく、その場に居合わせた者が相談し合う非公式の会議のこと）に出席するようになった。駐北京部隊の文革の指導権は、彼らの手中に入った。林彪グループはかくて、五・一三武闘を通じて海軍、空軍、総政治部の指導権を掌握したのである。

こうして江青ら〝四人組〟が中央文革小組を操り、造反派を決起させ、林彪はまた軍内で着実にそのグループによる指導権を確立しつつあった。まさにこうしたときに、中央文革小組や林彪グループのやり方に対する公然たる反抗が起こった。武漢の大衆組織である百万雄師が、中央文革小組から派遣されてきた謝富治《しゃふじ》、王力《おうりき》を監禁してしまった。百万雄師は実権派を支持しており、しかも武漢軍区の司令員陳再道《ちんさいどう》もこれを支持していた。

実は監禁されたのは、謝富治、王力だけではなかった。毛沢東もまた宿舎の東湖賓館を百万雄師に包囲されて身動きできなくなっていたのであった。周恩来の調停で事なきを得たが、林彪は東海艦隊を率いて、揚子江を溯るなど、一時は内戦の危機に直面したのであった。毛沢東はこれを契機として、文革の収拾を考慮し、造反各派の大連合を呼びかけることになる。

林彪グループの形成

この武漢事件（六七年七月二十日）直後の七月二十五日、天安門広場で百万人大会が開かれ、王力、謝富治《しゃふじ》の帰還を歓迎し、陳再道を非難した。林彪は六七年八月九日の講話で、武漢事件のような混乱は四つの状況からなると説いた。①好い人が悪人と闘争する、②悪人が悪人と闘争する（林彪によれば、これは間接的に利用できる勢力である）、③悪人が好い人と闘争する（北京軍区、海軍、空軍、総参謀部、総後勤部のケース）、④好い人が好い人と闘争する、の四つである。

邱会作（総後勤部）、李作鵬、王宏坤、張秀川（海軍）は造反派の追及により窮地にあったが、林彪のお墨つきで窮地を脱することができた。八月九日講話以後、呉法憲、邱会作、李作鵬、王宏坤、張秀川らが好い人と断定され、彼らを攻撃する側が悪人のレッテルを貼られることになった。こうして林彪グループの成立がいわば大衆的に明らかにされた。

楊成武事件

六八年三月二十四日、人民大会堂で林彪が長い講話を行い、余立金《よりつきん》空軍政治委員を叛徒として逮捕し、楊成武《ようせいぶ》総参謀長代理を解任し、傅崇碧《ふすうへき》北京衛戍区司令員を解任した。いわゆる楊成武事件である。楊成武は二月逆流以後も、林彪の指示を無視して、中央文件を葉剣英に配付していた。九月下旬、毛沢東が南方を視察して語った大連合の談話も葉剣英に語った。また軍事委員会弁事組は軍事委員会（葉剣英は副主席である）に対して責任を負うものだと明言した。これに対して林彪は、二月逆流の巻き返しを図るものと断罪した。

他方、江青が楊成武を嫌った理由として挙げられているのは、上海や北京から報告されていた江青関係の資料（江青は三〇年代に女優であった当時の離婚問題をめぐる証拠を湮滅させるために、たいへん熱心であった）を楊成武が秘匿していたというものである。江青はこれを知って大いに怒り、林彪を証人にしたてて、自ら焼却させせた。

いずれにせよ、この楊成武事件を経て、軍事委員会副主席たちの指導権はいっそう弱まった。たとえば葉剣英は「傅崇碧の黒幕」と非難されて、活動を封じ込められた。徐向前《じょこうぜん》、聶栄臻《じょうえいしん》らの立場も同じであった。

権力掌握へ驀進

六八年三月二十五日、軍事委員会弁事組が改組され、黄永勝が組長、呉法憲が副組長、メンバーは葉群、邱会作、李作鵬となった。四月一日、呉法憲は軍内の重要文件を今後は陳毅《ちんき》、徐向前、聶栄臻、葉剣英、劉伯承《りゅうはくしょう》に配付しないと言明した。情報を絶たれることは政治活動からの排除を意味することはいうまでもない。中国のように、マスコミなき社会においてはとりわけそうである。四月六日黄永勝は今後軍委常務委員会は権力を行使せず、軍事委員会弁事組がこれに代わると言明した。葉剣英らはかくて中級幹部並みになり、県レベル・連隊レベルの文件しか読めなくなった。

軍委副主席グループは指導権を奪われたが、軍内や大衆の間で依然、声望をもっている。そこで六八年十月の八期十二中全会では再び二月逆流批判が繰り返された。譚震林《たんしんりん》はすでに叛徒とされて、十二中全会への出席を拒まれていた。陳毅、葉剣英、李富春《りふしゅん》、李先念、徐向前、聶栄臻ら六人は出席したが、それぞれ別の小組に配置され、つるし上げられた。このほか谷牧《こくぼく》、余秋里《よしゅうり》も名指し批判された。十二中全会以後、軍事委員会弁事組は「二月逆流反党集団の軍内における活動大事記」五十ヵ条をまとめ、十一月十九日、印刷して林彪、康生に届けた。これは十二中全会での実権派批判がまだ不徹底であり、第九回党大会でさらに批判しなければならないとする認識に基づいていた。

林彪派の指導体制

一九六九年四月、北京で第九回党大会が開かれた。八期の中央委員および候補のうち、九期中央委員として留任したのは五十三人にすぎず、八期中央委員百九十五人の二七パーセントにすぎなかった。十一中全会で選ばれた政治局委員のうち陳雲《ちんうん》、陳毅《ちんき》、李富春《りふしゅん》、徐向前《じょこうぜん》、聶栄臻《じょうえいしん》らは政治局を追われ、ヒラの中央委員に格下げされた。劉少奇、鄧小平、彭真、彭徳懐、賀竜、ウランフ、張聞天、陸定一、薄一《はくいっ》波《は》、譚震林《たんしんりん》、李井泉《りせいせん》、陶鋳《とうちゅう》、宋仁窮《そうじんきゅう》ら十三人は、中央委員になれないのはむろんのこと、大会にさえ出席できず、隔離審査の立場に置かれていた。九期一中全会で選ばれた二十一名の政治局委員のうち、十二名はのちに林彪、江青グループとして処分された。

第九回党大会は林彪グループにとって勢力拡大のピークであった。羅瑞卿、賀竜の粛清に始まり、二月逆流で軍事委員会副主席たちの活動を封じ込めることによって、林彪は軍内を基本的に掌握した。党のレベルでは唯一の副主席として、腹心を政治局と中央委員会に多数配置できた。ここまで来ると、軍隊だけでなく、党、政府、地方レベルのなかにも、林彪グループにすり寄る者が増えてきた。大義名分の点では、林彪の後継者としての地位は、第九回党大会で採択された党規約のなかにまで書き込まれた。

こうして林彪グループは、軍隊を直接掌握するほかに、軍事委員会弁事組を通じて、そして軍事管制体制を通じて、中共中央と国務院の一部部門、一部の省レベル権力を掌握した。これに対して、江青を初めとする中央文革小組系は政治局には張春橋《ちょうしゅんきょう》、姚文元《ようぶんげん》、汪東興《おうとうこう》（毛沢東のボディガード、のち党副主席）を送り込んだものの、国務院や軍内にはいかなるポストも持たず、中央文革小組はもはや中共中央、国務院、中央軍事委員会と連名で通達を出すような地位を失った。江青グループが再びセクトとして、活動しうるようになったのは、一九七〇年十一月に中央組織宣伝組が成立して以降であり、再び合法的な活動の陣地を獲得したのであった。

「国家主席」をめぐって

林彪グループと江青グループとは、文革を収拾し、第九回党大会を開く際には結託したが、大会前後から仲間割れが生じ、九期二中全会（七〇年八月）までには鋭く対立するに至った。この間の経緯は于弓『林彪事件真相』（中国広播電視出版社、八八年）に詳しい。表向きの論争テーマは憲法改正問題である。憲法のなかに毛沢東が天才的に、創造的に、全面的に、マルクス主義を発展させたとする三つの形容句をつけるか否か、国家主席を設けるかどうかなどがポイントであった。前者は毛沢東を天才としてもち上げることによって、その後継者としての林彪自身の地位をもち上げる作戦であり、後者は林彪が国家主席という名の元首となることによって、後継者としての地位を固めようとするものであった。

七〇年八月二十三日午後、二中全会が開幕した。林彪は冒頭、毛沢東天才論をぶち、翌二十四日林彪講話の録音の学習が行われた。二十四日午後、陳伯達、呉法憲、葉群、李作鵬、邱会作はそれぞれ華北、西南、中南、西北の各小組（分科会）に出席し、天才論を支持するとともに、三つの形容句に反対するもの（江青グループ）を攻撃した。なかでも華北組の会議における陳伯達の発言は煽動的であり、ここでは国家主席を断固として設けることが決議された。二十四日夜十時過ぎ、「華北組二号簡報」が編集され、組長李雪峰《りせっぽう》が目を通したのち、二十五日朝印刷配付された。これを読んで各組とも華北組に倣《なら》う動きが出たことについて、毛沢東は廬山を爆破し、地球の動きを停止させるがごとき勢い、と形容した。二十五日午前、江青は張春橋、姚文元を率いて毛沢東に会った。毛沢東は二十五日午後、各組組長の参加する政治局常務委員会拡大会議を開き、林彪講話の討論の停止と二中全会の休会を提起した。華北組二号簡報は回収された。

八月三十一日、毛沢東は「私のわずかな意見」を書いて、陳伯達を名指し批判した。九月一日夜政治局拡大会議が開かれ、「私のわずかな意見」が伝達され、陳伯達が批判されたが、この会議を主宰したのは皮肉なことに林彪であった。九月一日以後、各組で「私のわずかな意見」が学習され、陳伯達が批判され、呉法憲、葉群、李作鵬、邱会作の誤りも批判された。九月六日二中全会が終わった。こうして林彪の陰謀と野心に気づいたのち、毛沢東は周恩来と協力して、林彪グループ批判に着手した。こうして二中全会を契機として、林彪グループの勢力が削減され始めたことは、江青グループの勢力を増大させることになった。

警戒を深める毛沢東

では九期二中全会の争いのポイントは何であったのか。毛沢東はのちに、五人の（政治局）常務委員のうち、三人が騙《だま》されたと語ったが、これは林彪、陳伯達が毛沢東、周恩来、康生を騙したという意味である。林彪は国家主席を設けるという合法的な手段で後継者としての地位を固めようとしたが、これが阻まれるや、毛沢東から林彪への権力の平和的移行を断念し、クーデタを追求するようになった。一九七一年二月、林彪グループは「五七一〔武起義《ウーチーイー》＝クーデター〕工程紀要」の作成に着手した。毛沢東が林彪への危惧《きぐ》を感じたのは、江青への手紙によれば、六七年夏のことだが、いまや林彪への不信は動かしがたいものとなり、その勢力を削減する措置を講じ始めた。

七一年八、九月、毛沢東は南方を巡視した。彼は五大軍区、十省市の責任者と話をし、林彪とそのグループを名指し批判した。八月三十一日、毛沢東の乗った専用列車が南昌に着くや、それまでは林彪にすり寄っていた程世清《ていせいせい》（江西省革命委員会主任、江西軍区政治委員）から呉法憲、周宇馳《しゅううち》（空軍司令部弁公室副処長）らの異様な行動を報告され、警戒を深めた。九月三日、毛の専用車は杭州に着いた。毛が現地の警備担当者たる陳励転《ちんれいうん》（七三五〇部隊政治委員）を問いつめたところ、彼はしどろもどろとなった。

九月八日深夜専用列車を杭州から急遽紹興まで移動させ、そこに停車させた。毛沢東自身は九月十日午後三時、杭州から上海に向かい、午後六時上海に着き、王維国《おういこく》（七三四一部隊政治委員）らを接見した。しかし、下車はせず車内泊。十一日午前十時南京から飛んできた許世友と会ったあと、午後一時、突然北京へ向かった。十二日午後、豊台に停車し、北京軍区と北京市責任者と話をして、夕刻北京駅から中南海に戻った〔大鷹「〝九一三〟事件始末記」『歴史在這里沈思』二巻、八七年〕。林彪の謀殺計画を察知し、ウラをかいて行動したものであろう。

林彪グループは上、中、下、三つの対策を検討した。上策は毛沢東を旅行途中で謀殺したあと、林彪が党規約にしたがって合法的に権力を奪取するものである。中策は謀殺計画が失敗した場合、黄永勝、呉法憲、李作鵬、邱会作らと広州に逃れ、割拠するものである。下策は以上の両策が失敗した場合、外国に逃れるものである。

毛沢東暗殺計画

一九七一年九月五日、林彪、葉群は毛沢東が彼らの陰謀を察知したことに気づき、毛沢東謀殺を決定した。九月八日、林彪は武装クーデタの実行命令を自ら下し〔原文＝手令〕ている。しかし、毛沢東は前述のように九月十二日夕刻無事に北京に戻り、謀殺計画の失敗は明らかになった。十二日林彪は翌日広州に飛ぶべく飛行機八機を準備させようとした。十二日夜トライデント機二五六号は秘密裡に山海関空港に移され、北戴河で静養していた林彪、葉群、林立果が翌十三日、広州へ飛ぶ予定であった。

これらの秘密は林彪の娘林立衡《りんりっこう》によって、周恩来に密告されたことになっている。すなわち九月十二日夜十時過ぎ、林彪の娘林立衡からの密告は北戴河八三四一部隊を通じて周恩来のもとに届いた。周恩来は二五六号機を北京に戻すよう指示するとともに、追及を始めた。これを知った林彪は十三日午前零時三十二分、山海関空港で強行離陸し、ソ連に飛ぶ途中モンゴル共和国のウンデルハンで墜落した。

九月十二日の経過はこう描かれている。林立果、劉沛豊《りゅうはいほう》は北京から二五六号機を山海関空港に飛ばし、九時過ぎに北戴河の林彪の住まいに着いた。十時過ぎに翌朝出発することを決定した。林立衡は林立果から広州へ飛ぶことを知らされ、これを密告した。八三四一部隊からの通報を受けて、周恩来は呉法憲、李作鵬に二五六号機の情況を調べさせ、周恩来、黄永勝、呉法憲、李作鵬四人の連名の批示（コメント付き決裁）がなければ、同機の離陸を許さぬと指示した。夜十一時半頃、林彪はボディガードの秘書に対して、大連へ飛ぶと電話させた。十一時五十分頃、葉群、林立果、劉沛豊は打ち合わせをしたのち、十二時近く北戴河九六号の住まいを出発した。

八三四一部隊はこれを知って、道路を塞いだ。ボディガードの秘書は大連ではなくソ連に飛ぶことを知って、林彪の車から飛び下りた。このとき左の肘を撃たれたが、彼も二発発砲した。八三四一部隊も林彪の車めがけて発砲したが、防弾ガラスに弾き返された。車は零時二十分、空港に着いて、三十二分に強行離陸した。

モンゴルで墜落死

林彪の車が八三四一部隊の制止を振り切って空港へ向かったとき、周恩来は人民大会堂から中南海へ足を運び、毛沢東に報告した。まもなく二五六専用機は離陸し、まず二九〇度を目指し北京に向かったが、すぐ三一〇度に向きを変えて西北を目指した。これは北京――イルクーツク航路である。周恩来は華北地区のレーダー基地に監視を命ずるとともに、全国に対して飛行禁止令を出した。午前一時半頃、呉法憲が電話で飛行機は国境を出るが、妨害すべきかどうか指示を求めてきた。周恩来が毛沢東の指示を仰ぐと毛沢東曰く「雨は降るものだし、娘は嫁に行くものだ。どうしようもない、行くにまかせよ」。一時五十五分、二五六専用機はモンゴル共和国内に進入し、レーダーから消えた。十三日午前二時半頃、ヘンティ省イデルメグ県ベィルフ鉱区南一〇キロの地点に墜落した。

九月十四日朝八時半、モンゴル政府外交部は中国大使許文益《きょぶんえき》を呼び、中国機がモンゴルに進入して墜落したことに対して口頭で抗議した。十五日、許文益ら中国大使館関係者は墜落現場を訪れ、大量の写真を写すとともに、北京に報告した。許文益らは事件を全く知らされておらず、単なる不時着の事故として処理した。九つの遺体は十六日現地に埋葬された。

それらは林彪、葉群、林立果、劉沛豊、パイロット潘景寅《はんけいいん》、そして林彪の自動車運転手、専用機の整備要員三名の変わり果てた姿であった。副パイロット、ナビゲーター、通信士は搭乗していなかった。このため、燃料切れの情況のもとで、平地に着陸しようとして失敗し、爆発したものと推定した。機内で格闘した形跡は見られなかった。

林彪事件の処分

九月二十四日、黄永勝、呉法憲、李作鵬、邱会作が停職となり、拘禁された。十月三日軍事委員会弁事組が廃止され、軍事委員会弁公会議が成立し、葉剣英が主宰することになった。同日中央は中央専案組を成立させ、林彪事件を徹底的に究明することとした。

事件の伝達情況はつぎのごとくであった。まず、九月十八日、中共中央は各大軍区、各省市、軍隊、中央各部門に対して文件を発出し、高級幹部に対して、林彪事件の概要を伝えたが、林彪についての記述、写真、映画などは暫時手をつけないことも指示した。

ついで九月二十八日、中央は林彪事件の伝達範囲の拡大を通知した。十月六日、十月中旬に伝達範囲を支部書記レベル、軍隊の中隊レベル幹部まで拡大することを決定した。十月二十四日、全国の広範な大衆に伝達するが、新聞に掲載せず、放送せず、大字報やスローガンとして書かないよう指示した。十二月十一日、七二年一月十三日、七月二日、中央専案組のまとめた「林彪反党集団の反革命クーデタを粉砕した闘争」についての三つの資料をそれぞれ党内限りで発出した。

一九七三年八月、第十回党大会の際に林彪、黄永勝、呉法憲、葉群、李作鵬、邱会作、陳伯達の党除名を決定し、公開批判を開始した。事件から約十年後、八一年一月下旬、最高人民法院特別法廷は黄永勝十八年、呉法憲十七年、李作鵬十七年、邱会作十六年、江騰蛟《こうとうこう》（南京部隊空軍政治部員）十八年の懲役を判決した。

「五七一工程紀要」の真偽

ここでいささか個人的な感想を書いておきたい。私は林彪事件を遊学先のシンガポール南洋大学で知った。その頃、旧知の台湾の作家故呉濁流《ごだくりゅう》が観光旅行に来たので、雑談した。彼によれば林彪は帝国主義者による暗殺を逃れるために「隠姓埋名」したにすぎないとのことだった。七二年に遊学先の香港大学で私は林彪事件の「真相なるもの」を知らされた。私はいくつもの疑問を抱きながら、文革の破産を感じ始めた。林彪派のクーデタ計画書といわれる「五七一工程紀要」は、毛沢東独裁をこう批判していた。「彼（毛沢東）は真のマルクス・レーニン主義者ではなく、孔孟の道を行うものであり、マルクス・レーニン主義の衣を借りて、秦の始皇帝の法を行う、中国史上最大の封建的暴君である」と。そして毛沢東の説く社会主義をこう非難していた。「彼らの社会主義とは、実質的には社会ファシズムである。彼らは中国の国家機構を一種の、相互殺戮、相互軋轢《あつれき》の肉挽き機に変え、党と国家の政治生活を封建体制の独裁的家父長制生活に変えてしまった」

私は「五七一工程紀要」を当初デッチ上げと感じ、事件そのものもほとんど信じられなかった。その後、十数年して友人と『現代中国の歴史 一九四九〜一九八五』（有斐閣、八六年）を書いた頃には、中国当局の発表を基本的に真実と判断するに至っていたが、このことを真に納得したのは、八八年秋に中共中央文献研究室を訪ねて専門家と討論し、かつ文献研究室の内部刊行物たる『党的文献』（八八年一期）所収の三篇の記録を読んでからである。この間の経緯は、拙稿「林彪の生と死」（『中国現代史プリズム』蒼蒼社、所収）に書いたので、繰り返さない。

アヘン中毒者の命運

ただ一言だけつけ加えたい。事件当時の林彪は六十四歳、毛沢東は七十八歳であった。十四歳も若い後継者が権力の継承を待てなかったのはなぜか、である。金春明『〝文化大革命〟論析』（上海人民出版社）は、林彪の健康問題から奪権を急いだと説明している。張雲生『林彪秘書回想録』（蒼蒼社）もむろん健康問題に少なからず言及している。しかし林彪の健康問題について決定的な事実を指摘しているのは、厳家其、高皋夫妻の「文革十年史」である（香港大公報社版『中国「文革」十年史（上・下）』は上巻二五五頁以下、天津人民出版社版『「文化大革命」十年史』は二五一頁以下、いずれも八六年刊。邦訳は『文化大革命十年史（上・下）』岩波書店、九六年）。

林彪は戦傷を癒すために、「吸毒」（モルヒネ注射）の習慣があった。毛沢東はかねてこの事実を知っており、五〇年代に曹操の詩「亀雖寿」（毛沢東は石橋湛山のためにもこの詩を書いている。私は故大原万平のお伴で、湛山宅に招かれ、実物を見せてもらったことがある）を書き贈り、戒めとするよう忠告していた。

しかし、林彪秘書の記録によると、悪習はやまず、たとえば七〇年五月二十日、天安門広場の百万人集会で毛沢東声明を林彪が代読したが、これはパレスチナをパキスタンと読み誤るなどシドロモドロであった。これは当時は睡眠薬を過度に服用したためと説明されたが、実はモルヒネが切れたためではないかと示唆されている。

毛沢東の親密な戦友にして後継者がアヘン中毒であったという事実は、やはりわれわれに衝撃を与えないわけにはいかないであろう。

表2　林彪「四人組」裁判の主犯16名の判決

	氏名	（生年〜没年）	文革当時の地位	判決（一九八一年）一月
1	林彪	一九〇七〜七一	党副主席	死亡
2	江青	一九一五〜	政治局委員、毛沢東夫人	死刑、のち無期懲役
3	康生	一八九八〜七五	政治局常務委員	死亡
4	張春橋	一九一七〜	政治局常務委員	死刑、のち無期懲役
5	姚文元	一九三二〜	政治局委員	懲役二十年
6	王洪文	一九三五〜	党副主席	無期懲役
7	陳伯達	一九〇四〜八九	政治局常務委員	懲役十八年
8	謝富治	一九〇九〜七二	政治局委員、公安部長	死亡
9	葉群	一九二四〜七一	政治局委員、林彪夫人	死亡
10	黄永勝	一九〇八〜	解放軍総参謀長	懲役十八年
11	呉法憲	一九一四〜	解放軍副総参謀長、空軍司令員	懲役十七年
12	李作鵬	一九一四〜	解放軍副総参謀長、海軍第一政治委員	懲役十七年
13	邱会作	一九一四〜	解放軍副総参謀長、総後勤部部長	懲役十六年
14	林立果	一九四五〜七一	空軍司令部弁公室副主任、作戦部副部長	死亡
15	周宇馳	〜一九七一	空軍司令部弁公室副主任	死亡
16	江騰蛟	一九一九〜	南京部隊空軍政治委員	懲役十八年

（出所　起訴状による。『歴史的審判』（群集出版社、1981年）。生年・没年は『中華人民共和国資料手冊』などによる）

表3　林彪「四人組」裁判の従犯60名

	氏名	当時の地位
1	雷英夫	解放軍総参謀部作戦部副部長
2	蒯大富	清華大学工程化学系学生、「井岡山兵団」リーダー
3	威本禹	『紅旗』副編集長、中央文革小組組員
4	趙登程	公安部領導小組組員
5	曹軼欧	康生の妻、康生弁公室主任
6	郭玉峰	中共中央組織部責任者
7	遅群	清華大学党委員会書記
8	謝静宜	北京市委員会書記、謝富治の妻
9	魯瑛	『人民日報』総編輯
10	朱永嘉	復旦大学歴史系教師、上海市革命委常務委員
11	毛遠新	遼寧省革命委員会副主任、毛沢東の甥
12	馬天水	上海市革命委員会副主任
13	徐景賢	上海市革命委員会副主任
14	王力	対外連絡部副部長、中央文革小組組員
15	韓愛晶	北京航空学院学生、「紅旗戦闘隊」リーダー
16	宋治国	軍事委員会弁公庁警衛処処長
17	王希克	解放軍総後勤部文化革命弁公室主任
18	王宏坤	解放軍海軍第二政治委員
19	張秀川	解放軍海軍政治部主任
20	関鋒	『紅旗』副編集長、中央文革小組組員
21	陳亜丁	解放軍文化部副部長
22	劉興元	広州部隊政治委員
23	王飛	解放軍空軍司令部副参謀長
24	梁璞	解放軍空軍司令部参謀長
25	陳龐	解放軍総後勤部副部長
26	李文静	張春橋の妻
27	耿金章	上海中泥造紙工場副工長
28	王效禹	山東省革命委員会主任
29	游雪濤	上海『青年報』文芸組副組長、反革命特務組織組長
30	王少庸	上海市等委員会書記処書記、革命委員会副主任
31	劉沛豊	解放軍空軍司令部弁公室処長
32	胡萍	解放軍空軍司令部副参謀長
33	王維国	解放軍七三四一部隊政治委員
34	米家農	広州民航局政治委員
35	顧同舟	広州部隊空軍司令部参謀長
36	于新野	解放軍空軍司令部弁公室副処長
37	李偉信	解放軍七三四一部隊政治部副処長
38	陳励耘	解放軍七三五〇部隊政治委員
39	周建平	南京部隊空軍副司令員
40	劉豊	武漢部隊政治委員
41	魯珉	解放軍空軍司令部作戦部部長
42	劉世英	解放軍空軍司令部弁公室副主任
43	程洪珍	解放軍空軍司令部弁公室秘書
44	関光烈	解放軍〇一九〇部隊政治委員
45	王永奎	解放軍空軍司令部情報部副処長
46	賀徳全	解放軍空軍司令部情報部部長
47	王秀珍	上海革命委員会副主任
48	珍冀徳	上海執筆グループ組員
49	丁盛	南京部隊司令員
50	金祖敏	全国総工会警備組責任者
51	繆文金	金祖敏の秘書
52	祝家耀	中共公安部核心小組組員
53	康寧一	中共上海市委員会警衛処政治委員
54	李彬山	上海警備区副政治委員
55	施尚英	上海市民兵指揮部責任者
56	鐘定棟	上海市民兵指揮部責任者
57	薛于青	上海公安局党委員会副書記
58	徐成龍	上海公安局党委員会副書記
59	黄濤	上海市革命委員会工業交通組責任者
60	陳阿大	上海良工パルプ工場労働者、革命委工業交通組責任者

（出所）起訴状で言及された順序による。『羊城晩報』1980年11月23日。この表は必ずしも網羅的でない。たとえば聶元梓（1921～　）北京大学「新北大公社」リーダーが落ちている。

表4　林彪、江青集団の犯罪容疑

	迫害による死者数（人）	迫害の被害者数（人）
冀東冤罪事件	2,955	84,000
趙健民冤罪事件（雲南省）	14,000	
人民党事件（内蒙古）	16,222	346,000
裏切り者事件（新疆）	26	92
東北閥冤罪事件	4	90
地下党事件（広東省）	85	7,100
解放軍冤罪事件	1169	80,000
武闘（上海市）		741
武闘（済南市）		388
民主党派の指導者	18	
各界人士	40	211,100
帰国華僑	281	13,000
合計	34,800	742,511

（注）この数字は、林彪・江青集団と直接的に関わりのある事件に限られている。各地で頻発したその他の武闘による死者数は含まれていない。これらを含めて「文革時の死者四十万人、被害者一億人」と推計する解説が11期3中全会（78年12月）に行われた（『毎日新聞』79年2月5日）。しかし、中国当局の公式資料には文革時の死者数の推計数字はない。起訴状では「国家と民族にもたらした災難は推計困難なほどに大きい」と述べるにとどまっている。

四　中国のフルシチョフ・劉少奇

毛沢東と劉少奇

劉少奇《りゅうしょうき》（一八九八年十一月二十四日～一九六九年十一月十二日）は文革期に中国のフルシチョフ、中国最大の実権派として、攻撃され、八期十二中全会（六八年十月）決議では「叛徒、内奸、工賊」（裏切り者、敵の回し者、スト破りといった意味）のレッテルを貼られて永遠に党から除名され、党内外の一切の職務を解任された。劉少奇の冤罪《えんざい》に抗議して刑事処分を受けた者は二万八千人を超え、巻き添えになったり、批判された者の数は数えられぬほど多い（金春明『〝文化大革命〟論析』五七頁）。

対立は何をめぐって生じたのか。三面紅旗（すなわち、社会主義建設の総路線、人民公社、大躍進の三つの方針）の評価問題である。毛沢東が自信をもって打ち出した共産主義構想を劉少奇らが骨抜きにしようとしていると怒ったのである。むろん、対立の経過には段階がある。

一九五八年五月に第八回党大会第二次会議が開かれたときに、党中央を代表して政治報告を行ったのは劉少奇である。毛沢東の意を受けて、社会主義建設の総路線を正式に提起したのはほかならぬ劉少奇なのであった。一九五八年八月の北戴河会議で人民公社設立と鉄鋼作りについての二つの決議を採択したときにも、劉少奇はこれに賛成している。一九五九年の廬山会議で彭徳懐《ほうとくかい》が三面紅旗に異議を唱え、国防部長と政治局委員を解任されたときに、劉少奇は毛沢東の彭徳懐解任提案を積極的に支持している。つまりこの段階では、すなわち人民公社や大躍進の失敗が明らかになるまでは、毛沢東と劉少奇の間に三面紅旗問題において対立はなかったわけである。

三面紅旗の評価をめぐって

両者の間に重大な対立が生じたのは、一九六一年後半からである。一九六一年一月の八期九中全会で、毛沢東は調査研究を大いにやるよう呼びかけた。劉少奇は故郷の湖南省寧郷県炭子冲に帰り、人民公社設立以後の農村の状況を調べた。農村の実情をつぶさに知って、劉少奇は三面紅旗に対する評価を改めたのである。劉少奇は農民にこう謝罪した。

今回帰郷して、郷里の人々の生活が苦しいこと、われわれの工作がまずかったことがわかった。皆さんに申し訳ない。天候が悪い、去年は日照りだったという人がある。おそらく日照りの影響もあろうが、主要な原因ではない。主要な原因は工作のなかで、誤りを犯したことであり、工作がまずかったことである。

一九六一年五月の中央工作会議で劉少奇はこう述べた。工作のなかの欠点・誤りが現在の困難をもたらした主要な原因である、と。劉少奇の見解ではこれらの誤りは三面紅旗自体の誤りではなく、路線の誤りではない。しかし、もし三面紅旗に固執して誤りを訂正しないならば、路線の誤りに至るであろう。これらの誤りの主要な責任は中央にある。一九五八年に自らが積極的に支持した三面紅旗のもたらした現実に対して、劉少奇は率直にこう自己批判したのであった。

これに対して毛沢東の三面紅旗理解はもっと断固たるものであった。毛沢東によれば三年の困難（五九～六一年）がもたらされた主要な原因は天災であり、三面紅旗自体の問題ではない。誤りは具体的工作のなかの小さな誤りにすぎず、しかもそれはすでに解決されたのであった。こうした毛沢東の確信からすれば、劉少奇は右翼日和見主義への転落にほかならなかった。まさにこの評価をめぐって四十年来の戦友はまもなく袂を分かつことになるが、しかし劉少奇はそれに気づかない。

毛沢東の間接的批判

一九六二年一月の七千人大会以後、毛沢東は北京を離れて南方へ行き、党中央の日常工作は劉少奇が主宰することになった。深刻な経済危機に対処するために、劉少奇ら第一線の指導部は一連の会議を開き、一連の措置を採った。財政赤字問題に対処するために、中央財経小組（組長＝陳雲《ちんうん》）を作り、政治面では三面紅旗がらみで批判された幹部を審査し、名誉回復させた。一九五九年の反右翼日和見主義のなかで批判された者は、彭徳懐、黄克誠《こうこくせい》、張聞天《ちょうぶんてん》、周小舟《しゅうしょうしゅう》ら大物を除いて、他は基本的に名誉回復した。劉少奇らのこうした調整政策に対して、毛沢東はその時点では反対意見を述べなかった。しかし毛沢東が強い不満を抱いていたことは後に劇的な形で明らかになる。毛沢東の見るところ、二つの風、すなわち名誉回復風〔原文＝翻案風〕と〔集団農業から〕戸別農家への解体の風〔原文＝単幹風〕が吹いており、これらは資本主義復活につながるものであった。

八期十中全会（六二年九月）で毛沢東は改めて階級闘争を提起し、一部の同志を思想が混乱し、信念を喪失し、光明を見失ったものと批判した。ここで一部の同志のなかにはむろん劉少奇も含まれていたはずだが、当の劉少奇が毛沢東のこの間接的批判の対象に自らが含まれると自覚していたかどうか疑わしいところがある。

四清運動へのクレーム

一九六三年から四清運動が始められたが、六四年末に社会主義教育運動の経験を総括するために全国工作会議が開かれた。劉少奇がこの会議を主宰した。十二月十五日に劉少奇が講話を行い、十六日以後グループ討論が行われ、各地の責任者が運動の経験を紹介するなかで運動の性質、農村の主要矛盾をどうとらえるかが論議された。

六四年十二月末に「中央政治局の招集した全国工作会議討論紀要」（十七ヵ条）が印刷配付された。運動の性質については社会主義と資本主義の矛盾とされた。運動の名称は四清運動〔政治、経済、組織、思想の四つを清くする意〕とされた。運動は三年内に全国三分の一の地区で終え、七年内に全国の運動を終えるという見通しであった。

ところが毛沢東は運動の進め方に極左偏向を感じた。社会主義教育運動は工作隊にばかり依拠して、神秘主義をやり、打撃面を広げすぎている、とクレームをつけた。こうして今度は毛沢東の主宰のもとに、会議紀要を訂正する会議が開かれ、六五年一月十四日に「農村の社会主義教育運動でいま提起されている若干の問題」（二十三ヵ条）が制定された。しかもこの文件と抵触するものはすべて無効として、以後、「二十三ヵ条」を基準とすることが付け加えられた。これは党中央の日常工作を主宰する劉少奇に対して、毛沢東が公然と不信任を表明したに等しい。

激怒する毛沢東

毛沢東は六四年六月講話（未公表）で提起した「社会主義教育運動の六ヵ条」の精神を書き込んだ。①貧農下層中農が真に立ち上がっているのかどうか。②幹部の「四つの不清」が解決されたかどうか。③幹部が肉体労働に参加しているかどうか。④立派な指導的核心が成立しているかどうか。⑤破壊活動をした地主などの問題を単に報告するだけか、それとも現場で大衆が改造しているのか。⑥増産になったか、減産か。六ヵ条のポイントは貧農下層中農が階級闘争に立ち上がっているかどうかであった。そして階級闘争の対象は、資本主義の道を歩む実権派であるとされた（『中華人民共和国歴次重要会議集』下巻、中央党史教研室資料組、上海人民出版社、一九八三年、二〇三頁）。

四清運動の矛盾の性質について毛沢東は十二月二十七日、社会主義と資本主義の矛盾だと強調したが、劉少奇が口を挟み、「各種の矛盾が交錯している。四清と四不清の矛盾、党内と党外の矛盾がそれぞれ交錯しているので、矛盾の性質に応じてその矛盾を解決すればよい」と発言した。これを聞いて毛沢東はたいへん不機嫌になった。

翌二十八日毛沢東は再び講話を行った。

ここに二冊の本がある。一冊は憲法であり、ここには私が公民権をもつと書いてある。もう一冊は党規約だが、私には党員の権利があると書いてある。いま君たちの一人（鄧小平を指す）は、私を会議に出席させまいとし、もう一人（劉少奇を指す）は私に講話をさせまいとしている。

毛沢東が痼癪玉《かんしゃくだま》を破裂させたことによって、矛盾が激化し、公然化したのであった。当時毛沢東は健康が優れず、会議には出席しないことが多かった。そこで鄧小平は毛沢東の参加を求めなかったとしている。しかし毛沢東はあえて出席し、紀要を訂正した。この件について毛沢東は、北京に二つの独立王国（劉少奇の政治局、鄧小平の中央書記処を指す）があると批判した（『鄧小平文選　１９３８～１９６５』人民出版社、二六〇頁）。

修正主義と反修正主義

この会議のあと劉少奇に対して、毛沢東に対する尊重心が足らない、毛沢東の講話に口を挟むべきではなかったと忠告する者も幾人かあった。その後開かれた政治局生活会で劉少奇は自己批判したが、毛沢東の怒りは消えなかった。毛沢東によれば、劉少奇の問題は主席を尊重する、しないの問題ではなくて、重大な原則問題なのであった。のちに毛沢東がスノウに語った表現を用いるならば、それは修正主義と反修正主義の問題なのであった。

このとき毛沢東は、修正主義問題に没頭していた。ここからわかるように毛沢東と劉少奇の衝突の真相は、個人的な怨念や権力闘争であるとは言い難い。というのは、劉少奇は一貫して毛沢東を尊重しており、毛沢東に代わって工作を主持した際に、重要なことは必ず毛沢東の指示を求めていたからである（金春明『〝文化大革命〟論析』六六頁）。ここから浮かび上がる毛沢東・劉少奇関係は、まさにボス毛沢東に仕える部下劉少奇の関係である。劉少奇はかつての廬山会議における彭徳懐と同じく、毛沢東の権力に挑戦しようとするほどの意欲を示したわけではない。むしろ毛沢東の側が指導権の危機を感じ、先制攻撃に出たと解すべきであろう。毛沢東はこの点であくまでも積極的、攻撃的であった。

ボス毛沢東の逆鱗に触れた劉少奇は悲劇的な運命をたどるが、それは文化大革命という擬似大衆運動の展開と密接に関連していた。劉少奇に対する紅衛兵たちの批判から、政治的打倒、そして軟禁のなかでの惨死に至るまでの過程は四段階に分けられる。それは文化大革命の大きな流れのなかでの際立った渦の一つであった。

砲撃されるべき司令部は劉少奇

(1)「『海瑞罷官《かいずいひかん》』を論ず」から八期十一中全会までの暗に行われた批判

一九六六年五月に政治局拡大会議が開かれ、有名な「五・一六通知」を採択したが、これは劉少奇が主宰して決定したものである。「五・一六通知」には「われわれの身辺に眠るフルシチョフのような人物に警戒せよ」と書かれており、毛沢東が自ら書き加えた言葉である。これがのちに劉少奇を指すことになる事態を劉少奇自身がどこまで感じていたのか、不明である。

(2)八期十一中全会から一九六七年三月までの党内レベルにおける批判

一九六六年七月下旬、毛沢東は北京に戻った。七月二十五日毛沢東は工作組が路線の誤りを犯したので、すべて撤収させせよと指示した。七月二十九日人民大会堂で文化大革命積極分子による一万人大会が開かれ、この席上工作組の撤収が宣言された。劉少奇はこの大会でこう述べた。「文化大革命をどうやるのか、君たちが知らないならば、われわれに聞きに来たまえ。しかし私は正直に言うが、実は私も知らないのだ」

劉少奇の当惑ぶりが察せられるような発言だが、どうやらこの時点で劉少奇はようやく何かを感じたようである。

一九六六年八月一日、八期十一中全会が開かれた。八月五日、毛沢東は「司令部を砲撃しよう——私の大字報」を書いて会議場に掲示させせた。毛沢東のいう砲撃されるべき司令部が劉少奇であることは、いまや会議に出席した中央委員にとっては誰の目にも明らかであった。劉少奇はナンバー2の地位からナンバー8に落ちた。依然政治局常務委員の地位を保持したものの、実際には実権派と認定され、実質的にポストを外された〔原文＝靠辺站〕。

劉少奇の自己批判

六六年十月に開かれた中央工作会議では少なからぬ者が劉少奇を名指し批判し、劉少奇は自己批判〔原文＝検査〕を行った。当時の劉少奇の立場をのちに妻王光美はこう証言している。文化大革命が始まると、劉少奇同志は確かに批判を受け入れようとした。彼はかつてこう述べた。「今回耳にした批判は、言葉がいかに鋭く、行き過ぎたものであろうと、そのなかから有益なものを吸収しさえすれば、将来の工作にプラスになろう。自分をよりいっそう大衆に近づけることができる」と。一九六六年十月の中央工作会議の期間、劉少奇同志は誠心誠意自己批判を行った。（事前に）わざわざ発言原稿を毛主席に見せている。毛主席は読んだあと「劉少奇同志の態度は誠実であり、自己批判は立派だ。とりわけ後半部分がよい」と批示《コメント》した。中央工作会議が終わると、陳伯達、江青がこの自己批判をすっぱぬいたが、毛主席のコメントだけは押さえてしまった。

毛沢東が褒めた後半部分にはこう書かれている。「私は十一中全会と毛主席の一切の決定に対して、厳格に遵守する決意であり、一人の党員として遵守すべき紀律を遵守し、いかなる者の前でも面従腹背《めんじゅうふくはい》〔原文＝両面派〕をやらない決意である」（六六年十月二十三日付、『中共文化大革命重要文件彙編』台北・中共研究雑誌社、七三年、三八六頁）と述べた箇所あたりを指すものと思われる。まさにボスと部下との関係であり、劉少奇の態度は「蛇に睨まれた蛙」の姿さえ想起させる。

毛沢東の意志決定

劉少奇はすでに中南海の住居に軟禁状態にあったが、一九六七年一月十三日深夜、毛沢東に申し入れて、人民大会堂で会うことになった。劉少奇は自分が繰り返し考慮したことを毛沢東に鄭重に申し入れた。①今回の路線の誤りの責任は私にある。広範な幹部は立派であり、とりわけ多くの老幹部は党の貴重な財産である。主要な責任は私が引き受けるので、どうか速やかに幹部を解放して、党の損失を小さなものとしていただきたい。②私は国家主席、政治局常務委員、『毛沢東選集』の編集委員会主任の職務を辞して、妻子とともに延安あるいは故郷に帰り、畑を耕すので、できるだけ早く文化大革命を終わらせ、国家の損失を少なくしてほしい。

「毛主席は黙して語らず、ただひっきりなしに煙草を吸っていた。しばらくして彼は父に数冊の本を読むように提案し、〔中略〕別れ際に自ら門口まで父を見送り、懇切に〝しっかり学習されるように。お体を大切に〟と語った」（劉平平ほかの証言「勝利の生花をあなたに捧げる――われわれの父劉少奇を想う」『工人日報』一九八〇年二月五日。『歴史在這里沈思』一巻、所収）。劉少奇の子弟たちがこう証言している。おそらく真実であろう。

一九六七年三月、毛沢東はある小会議で、第九回大会の準備に触れて、劉少奇を中央委員に選ぶよう提案している。劉少奇をポストから外した〔原文＝靠辺站〕ものの、六七年三月の時点ではまだ劉少奇をどう扱うかについて毛沢東は意志決定を留保していたことがわかる。劉少奇批判は党内レベルのものであり、劉少奇の誤りの性質も党内のものであって、敵味方のものではないとする認識である。

しかし、一九六六年十二月、張春橋は清華大学井岡山《せいこうさん》兵団のリーダー蒯大富を使嗾《しそう》して北京市内で五千人デモを行わせ、その際に劉少奇打倒、劉少奇を初めとするブルジョア司令部を徹底的に粉砕せよなどのスローガンを叫ばせており、このスローガンはまたたく間に全国に伝わった。江青らは中南海造反団に指示して大字報を貼らせ、劉少奇つるし上げ大会をやろうとした。ただしこれは周恩来が指示してやめさせた。

劉少奇批判がエスカレート

(3) 戚本禹《せきほんう》論文から八期十二中全会まで（名指しを避けた公開批判）

一九六七年四月一日、『人民日報』は戚本禹論文「愛国主義か、売国主義か」を掲げた。この論文の結末における劉少奇難詰はすでに同志の範囲を超えており、劉少奇は敵として扱われていた。戚本禹論文はむろん毛沢東の事前審査を受けている。では毛沢東はなぜここで劉少奇批判をエスカレートさせたのか。

ここには康生《こうせい》の陰謀が関係している。北航紅旗など六つの紅衛兵組織の聯合調査団が湖南省などを調査し、劉少奇を誣告《ぶこく》する資料を集め、中央宛の報告を書いた。これによると、劉少奇は解放戦争時に逮捕され、党を裏切って出獄した前科があるので、劉少奇を審査する委員会を設けるべきだと提案されていた。

一九六七年三月二十一日、毛沢東はこの提案に同意し、他の政治局常務委員も同意している。当時の常務委員は毛沢東のほか、林彪《りんぴょう》、陳伯達《ちんはくたつ》、周恩来、康生の五名である。劉少奇に対する審査が始まると、新聞の劉少奇批判はエスカレートした。劉少奇は毛沢東に手紙を書いて戚本禹論文の事実誤認に抗議している。

一九六七年七月九日付で劉少奇は第二の「自己批判」〔原文＝自我検査〕を書き、八月二日付で第三次「自己批判」を書いている。一九六七年八月四日には中南海内で鄧小平、陶鋳《とうちゅう》、王光美《おうこうび》らとともに、紅衛兵の尋問に答えている。

「中国最大の修正主義者」

(4)八期十二中全会における除名決定以後（名指しによる批判の開始）

一九六八年十月、八期十二中全会が開かれ、劉少奇除名が決定されたが、これは異例の会議となった。まず第一に出席者が定足数に足りなかった。八期中央委員は九十七名だが、当時十名が死去して欠員となっていたので、定員は八十七名であった。しかし出席した中央委員はわずか四十名にすぎなかった。そこで中央委員候補のなかから増補することになるが、慣例では得票順に確定している序列にしたがって補選される。しかし、このときは得票順とは無関係に任意に十名を選び、中央委員に昇格させ、辛うじて五十名とし、過半数を保ったのであった。第二に会議の進め方も異例であった。会議の冒頭、毛沢東が文化大革命の評価問題を提起し、成果が主要であるか、誤りが主要であるかが論じられ、「二月逆流」事件にかかわった者が批判された。

第三に劉少奇審査組は、劉少奇関係の全資料を会議に提示せず、康生、江青、謝富治《しゃふじ》らがデッチ上げた資料だけを提出した。しかもこの「罪状資料」は事前に毛沢東の承認を得ていた。こうして八期十二中全会は劉少奇に対して「叛徒、内奸、工賊」のレッテルを貼り、党から永遠に除名した。この審議において当初は賛成の意志表示をしないものもあったが、批判されて最後には支持に回った。最後まで賛成しなかったのは陳少敏《ちんしょうびん》（一九〇二～一九七七年、全国総工会副主席、八期中央委員）だけであった。彼女は投票に際して机に泣き伏し、挙手できなかった。その後彼女は残酷な迫害を受けて死亡した。こうして劉少奇は名誉回復されるまで十年間、「中国最大の修正主義者」として名指しで批判され続けた。

捏造されたスパイ説

劉少奇は八期十一中全会以後も依然として政治局常務委員であったが、彼の経歴を審査する委員会を作ることがなぜ可能であったのか。劉少奇の妻王光美をまず落としたのであった。一九六六年十二月、王光美専案組が作られた。これは名称こそ王光美であったが、実際にはその夫たる劉少奇の罪状をデッチ上げる組織となった。江青、康生グループはまず王光美をアメリカCIAのスパイとし、これに劉少奇を巻き込み、劉少奇＝アメリカスパイ説を捏造《ねつぞう》しようとした。王光美はもと北平（北京）の輔仁大学学生時代に地下党員になったが、英語が得意であった。解放戦争の初期に国共双方の協議に基づいて北平に軍事調処執行部（代表葉剣英《ようけんえい》）が設けられ、王光美はその通訳となった。王光美はこうして解放区入りし、河北省平山県西柏坡で劉少奇と結婚した。だが、これを取り上げて康生は王光美スパイ説をデッチ上げ、劉少奇打倒と葉剣英打倒を狙ったという。

こうして王光美はアメリカのスパイ、劉少奇はアメリカ極東情報局代表であるとする報告をまとめたが、内容がズサンなため、この報告は党中央に送付されなかった。当初の劉少奇スパイ説が失敗したので、劉少奇裏切り説に転換した。劉少奇は一九二五年春、上海から湖南に帰ったところで湖南省長趙恒惕《ちょうこうてき》に逮捕され、一月後に釈放され、湖南省境に追放されている。一九二九年満洲省委員会書記として、工作していたときも一度逮捕されたことがある。法廷闘争を通じて二ヵ月後に無罪釈放となった。

長年党内で幹部の審査工作を行ってきた康生は、これらの事実をもとに劉少奇を転向者にデッチ上げたのであった。白区（国民党の支配した地域）工作において劉少奇と関係のあった者が偽証を強要されたが、拷問に耐えきれず発言した者のうち、カギになる偽証をしたのは、二人であった。一人は丁覚群で一九二七年当時武漢で劉少奇のもとで働き、建国後は湖南省参事室の参事を務めていた。もう一人は孟用潜《もうようせん》であった。彼は一九二九年に満洲省委員会委員となり、劉少奇書記のもとで奉天でストライキを指導して逮捕され、劉少奇と同時に釈放された。

六七年五月彼は「隔離審査」され偽証を要求されたが、一貫して拒否していた。ついに七月五日～十三日の十数人による七日七夜のつるし上げに耐えきれず、偽証を書いた。

毛沢東は劉少奇の「転向」についての報告を当初は信用せず、全資料の提出を求めた。それらを点検したのち、報告を承認し、かくて劉少奇冤罪《えんざい》が党中央によって決定された。

汚辱のなかでの最期

一九六六年八月五日に毛沢東が大字報を書いたのは「ブルジョア司令部」批判というイデオロギー問題、政治路線の問題であった。その当否はさておくとしても、文革の精神、あるいは毛沢東の真意からすれば、劉少奇は路線の誤りを自己批判すれば、それで済むはずであった。しかし、陰謀家たちは劉少奇の裏切り――転向という革命家にとって最大の汚点をデッチ上げた。毛沢東はこれらの偽証にだまされ、劉少奇追放を承認した形である。劉少奇は一九六九年十一月十二日汚辱のなかで、惨死した。

劉少奇の遺骨の保管証にはこう書かれていた（朱可先ほか「最后的二十七天（最後の二十七日間）」『人民日報』八〇年五月二十日）。

遺骨番号：一二三
保管申請者氏名：劉原
現住所：××××部隊
故人との関係：父子

死亡者氏名：劉衛黄
年齢：七十一歳
性別：男

つまり国家主席劉少奇は死去に際して、本名を名乗ることすら許されなかったのであった。

五　周恩来の役割と鄧小平の復活前後

周恩来と文革

文化大革命が全面的に否定される場合に、毛沢東の役割が否定的に評価されることは当然である。ここで議論の分かれるのは、周恩来《しゅうおんらい》評価である。周恩来は一九四九年以後七六年に死去するまで二七年の長きにわたって国務院総理を務めた。毛沢東が文革の推進において、林彪《りんぴょう》の軍事力に頼ったことは、すでに書いたが、毛沢東の依拠したもう一つの力が周恩来の行政処理能力であった。

『周恩来選集　下巻』（人民出版社）には四九〜七五年の文献五六篇が収められているが、文革期のものは六篇にすぎない。四七九頁中の三〇頁、すなわち六パーセントにすぎない。内容は幹部保護に関するもの、経済の秩序維持に関するもの、教育再開に関するもの、外交問題（中米関係、中日関係）に関するもの、である。

これを『中共文化大革命重要文件彙編』（台北・中共研究雑誌社）と比べて見よう。『彙編』には六七年一月から六八年七月の一年半だけで三十三篇の文献が収められており、これを読むと、周恩来が文革の推進にいかに深く関わっていたかを知ることができる。しかし、『選集』からは文革期の周恩来の姿は、きわめて限られた一面しか知ることができない。

鄧小平による評価

文革期における周恩来と毛沢東の関係を、晩年の周恩来を描いて注目された高文謙《こうぶんけん》（中共中央文献研究室周恩来研究組）はこう書いている。「毛沢東は周恩来に依拠し、彼を支持してこそ、情勢を安定させ、国家全体の継続的な運行が可能であると考えていた」（「艱難而光輝的最后歳月［艱難にして輝く最後の歳月］」『人民日報』八六年一月五日）。

これは歴史に対する仮定の話だが、周恩来がもし断固として毛沢東の文革発動に反対していたとすれば、文革は起こらなかった可能性がある。というのは、文革の直前、政治局常務委員会のメンバーは、毛沢東、劉少奇、周恩来、朱徳、陳雲、鄧小平、林彪の七名であった。毛沢東派は林彪のみ、劉少奇派は陳雲、鄧小平を含めて三名、周恩来、朱徳が中間派であった。文革開始を決定する際に、毛沢東は周恩来、朱徳を抱き込むことによってようやく四対三の多数派となりえたのである。もし周恩来が文革の帰結を予想し、毛沢東の文革発動に反対したとすれば、あの悲劇が避けられた可能性もあるわけだ。

文革で打倒された鄧小平は、周恩来の役割をどう評価しているのであろうか。イタリアの女性記者オリアナ・ファラチの鋭い問に対する鄧小平の答えを聞いて見よう。

ファラチ：周恩来総理は一貫して舞台の上におり、一貫して権力の座にいた。時には彼は困難な立場に立たされたとはいえ、彼が当時のあの誤り〔文化大革命を指す〕を是正できなかったのはなぜか。

鄧小平：（周恩来と鄧小平の交際がフランスの勤工倹学時代にさかのぼることに触れ、周恩来の人柄を紹介したあと）〝文化大革命〟のときに、われわれのような者はみな下りた。幸い彼は残った。〝文化大革命〟において彼の置かれた立場は非常に困難であった。多くの心にもないこと〔原文＝違心的話〕を語り、多くの心に違うこと〔原文＝違心的事〕をやった。しかし人民は彼を許している〔原文＝人民原諒他〕。というのは彼がそれをやり、その話をしなければ、彼自身がポストを守れず、そのなかで中和作用を果たし、損失を減らす役割を果たすことができなかったであろう。彼はかなり多くの幹部を保護した（『鄧小平文選　1975〜1982』人民出版社、三〇七頁）。

苦渋に満ちた讃歌

鄧小平によるこうした周恩来評価が現在の公認の周恩来評価になっている。たとえば高文謙はこう書いている。「周恩来は〝文化大革命〟によってもたらされた損失をできるかぎり減らそうとしたが、若干の心にもない話をせざるをえず、心に背くことをせざるをえなかった。しかし当時の条件のもとで、こうしなければ前述の二つの歴史的役割〔①文革の損失や誤りを減らしたこと。②文革の転機となる段階で「撥乱反正」の機会をとらえて局面を転換させたこと〕を果たせなかったであろう。これは歴史の悲劇のなかで、党と国家の最高の利益のために行いえた妥当な選択であった。これは代価を払わなければならない強靱《きょうじん》な戦闘であった。そのなかでわが国全体が置かれていた歴史の陰影のなかで免れ難い歴史の屈折に対しては過度に非難してはならない（「艱難而光輝的最后歳月」）。

私は八八年夏に、中共中央文献研究室を訪れた際に高文謙とも少し話をした。当年三十五歳、思考する世代を自任するこの青年が一切の制約なしに周恩来を論じたらどんなことになるか。想像するだけでも興味津々であった。

厳しい周恩来批判

このような苦渋に満ちた周恩来讃歌に対して、香港の政論家牧夫は手厳しい周恩来論を展開している(「もう一人の周恩来〔另一個周恩来〕」『争鳴』八六年一期、四期)。

彼によれば、周恩来は遵義会議《じゅんぎ》(一九三五年一月)以後、四十年一貫して毛沢東に対する「愚忠」を貫いたという。文革においてもし周恩来の存在がなかりせば、毛沢東・林彪・江青の失敗はもっと早く、かつもっと徹底したものとなったであろう。文革における周恩来の役割は結局のところ、毛沢東の独裁的統治に有利であった。

文革期に湖南省無聯が「中国はどこへいくか」と題した論文を書いて、周恩来を「中国の赤色資本家階級の総代表」と攻撃したが、まさにその通りであり、周恩来こそ共産主義官僚体制の集大成者であり、この体制の凝固化を助長した人物であった。

周恩来は自己の私欲を抑えることとヒューマニズムに反するほどはなはだしく、党派性と徳性のほかには自我のなかったような人物であって、まさに現代の大儒の名にふさわしい。

牧夫はこのように辛辣な周恩来評価を行っている。実は大陸の知識人の間にも、類似の厳しい周恩来評価が存在している。たとえば呉祖光《ごそこう》(劇作家、八七年の胡耀邦事件以後、共産党を離党した)は、かつて来日した際にズバリこう述べている。

「周恩来は宰相で、皇帝の地位にはいなかったが、宰相としての職責を果していなかった。皇帝（毛沢東を指す）が過ちを犯した場合、宰相（周恩来）が諫《いさ》めるべきだが、そうしなかった。しかし、諫言していれば、彭徳懐《ほうとくかい》〔元国防部長〕と同じ運命をたどったであろう」（『日中経済協会会報』八八年七月号）。

評価の曖昧性

かつては神格化された毛沢東批判に伴う心理的動揺を周恩来の存在によって補償しようとする心理状況が広範に存在していたように思われる。この場合、誤りを犯した厳父と対照して、周恩来は慈母のごとくであった。しかし、鄧小平近代化路線が着実に進展し、毛沢東時代が遠ざかるにつれて、文化大革命に対する批判はより徹底的に行われるようになり、批判のおもむくところ周恩来評価も厳しくなるのは必至である。

この意味で、周恩来評価もまた依然「棺を蓋うて論定まる」段階には至っていない。『周恩来選集上・下』（人民出版社）のなかに、文革期の周恩来発言がごく一部しか収録されていないことが、周恩来評価の曖昧さを端的に示している。

歴史は非情であるから、今後もますます厳しい評価になる可能性があるが、それはそれとして、晩年の周恩来についていくつかの事実を確認しておくのがよいであろう。

晩年の「極左批判」

高文謙「最後的日子（最後の日々）」（『人民日報』八六年一月四日）によると、周恩来は七二年五月の定期検査でガンが発見された。林彪事件から八ヵ月後のことである。周恩来はその後「極左批判」に全力を挙げようとした。たとえば七二年十月十四日付『人民日報』は周恩来講話に基づいて三篇の極左批判論文を掲げている。この編集をやったのは、王若水《おうじゃくすい》（当時『人民日報』副編集長）、胡績偉《こせきい》（当時『人民日報』編集長）らであった。

王若水の回顧談によると（拙編『中国のペレストロイカ』蒼蒼社、一二九頁）、七二年十二月、人民大会堂のある会議室に呼び出され、王若水は江青、張春橋、姚文元から叱責された。彼らは毛沢東の支持をとりつけており、同席した周恩来にもなす術がなかった。かくて周恩来の極左批判路線は否定され、林彪問題は極右路線として扱われることになった。その後第一〇回党大会（七三年八月）で周恩来が政治報告を行ったが、これに先立つ七三年四月に、毛沢東は王洪文、張春橋への談話のなかで、周恩来の主管する外交部が「大事を討論せず、小事を毎日報告してくる。この調子を改めなければ必ず修正主義に陥るだろう」と批判している。七三年十一月には、毛沢東はまた確かならざる資料に基づいて周恩来が外事活動で間違った発言を行ったとして、政治局会議で周恩来批判を行わせている（郝夢筆『中国共産党六十年』（下、解放軍出版社、八四年、六三二頁）。

闘病生活に入る

このとき周恩来の病状は急速に悪化した。毎日大量の下血があり、ときには一〇〇ｃｃ以上であった。

しかもこの機会をとらえて江青らは、一方で「批林批孔《ひりんひこう》」運動を画策し、他方で首都空港への数十キロの往復を必要とする来賓出迎えをさせていた。周恩来は輸血に依拠しながら、毎日十数時間の激務に耐えた。そして七四年四〜五月、四回にわたって酸素不足に陥り、五月三十一日、マレーシア・ラザク首相と国交回復のコミュニケに調印したあと、六月一日手術のために入院したのであった。このとき、周恩来はまるまる二十五年間総理として働いた中南海西花庁の事務室を離れ、その死去までの一年六ヵ月の闘病生活に入ったのであった。

ところで七四年六月一日の手術は順調であった。しかし八月に再手術が行われた。九月三十日夜、周恩来は総理として病をおして建国二十五周年祝賀会を主宰した。国慶節前後、毛沢東は四期全人代の人事問題を提起し、鄧小平を第一副総理に指名した。十月十七日、江青らは輸入貨物船「風慶輪」号について「西洋に媚びるもの」と、周恩来、鄧小平攻撃に乗り出した。王洪文は十月十八日、長沙まで飛んで、周恩来、鄧小平を誣告《ぶこく》している。周恩来はこれを知って、十月十九日、毛沢東の連絡員〔王海容《おうかいよう》あるいは唐聞生《とうぶんせい》を指す〕を病床に呼び、事の顛末を毛沢東に報告させている。この報告を受けて毛沢東は十月二十日、「総理はやはり総理だ。四期全人代の準備工作と組閣構想は総理に委ねる」と指示し、さらに鄧小平の第一副総理、党副主席、軍事委員会副主席兼総参謀長案を再度提起したのであった。

「悲劇の宰相」

七四年十二月、周恩来は鄧小平、李先念《りせんねん》らと協議して、四期全人代と国務院人事案を練った。そして十二月二十三日から五日間長沙に飛び、毛沢東に報告した。毛沢東が鄧小平を「得難い人材だ。政治思想が強い」とほめ、「江青には野心がある」と指摘したのはこのときであった。

七五年一月十三日、周恩来は全人代で政府工作報告を行った。高文謙によれば、周恩来はこの過労のために、病状が悪化した。三月に検査したところ、大腸の肝臓に近い部分にクルミ大の腫瘍が発見され、月末に再び手術が行われた。三月から九月までに周恩来は百二回仕事の指示を行い、外国賓客と三十四回会見し、病院外の会議に七回、病院内の会議に三回出席している。

七五年九月、病状は急速に悪化した。六五キロの体重が数十斤（一斤は〇・五キログラム）に激減した。九月二十日、再度の手術が決定され、十月下旬に行われた。以後、周恩来はもはや病床から立ち上がれなくなった。しかし、まさにこのときに「右傾翻案風に反撃する運動」が江青らによって展開されたのであった。こうしたなかで周恩来は七六年一月八日死去した——高文謙の描く周恩来の最晩年は文字通り「悲劇の宰相」である。

鄧小平の復活前後

六九年十月十七日、林彪《りんぴょう》は「緊急指示」（一号通令）を出して、戦時動員を命令した。鄧小平夫妻と鄧小平の継母は十月二十日南昌に送られ、数日後江西省新建県望城崗の福州軍区南昌歩兵学校に付設されたトラクター組立て工場に移され、以後三年余、ヤスリでネジを磨く作業を監視つきでやった。のちには歯車を磨く作業もやらされた。六十五歳の老人にしてはきつい仕事であったろう。それまでは鄧小平の月給は月四百二元、妻卓琳のそれが百六十五元、計五百六十七元であった。しかし七〇年一月以後生活費として鄧小平百二十元、卓琳六十元、継母夏培根二十五元、計二百五元が支給されるようになった。そこで鄧小平はパンダ印の煙草を止めて、安い前門印に切り替え、酒も普通の米酒に変え、ときには自分でドブロクを作った。

鄧小平は北京で批判・闘争にかけられていた間、しばしば不眠症に陥り、昼寝前に眠爾通《ミンルトン》二片、夜の睡眠前に苯巴比妥《ベンバヒト》一片、速可眠《スークーミン》一片、眠爾通《ミンルトン》一片、非那根《フェナケン》二片を飲む習慣であったが、七〇年元旦以後、睡眠薬を飲まないと宣言し、これを断行した。林彪事件以後、江西省東郷紅星開墾場に送られていた王震《おうしん》（新疆生産建設兵団司令員）が北京に戻り、江西省で労働する鄧小平の状況を毛沢東に報告した。七二年八月四日、鄧小平は毛沢東に手紙を書いた。これは中共中央弁公庁汪東興を通じて毛沢東に届けられた。毛沢東はこの手紙にこうコメントを書いた。「鄧小平同志は中央ソビエト区でたたかれたことがある〔原文＝挨整〕。彼には歴史問題はない。すなわち敵に投降したことはない。彼は劉伯承《りゅうはくしょう》同志を助けて戦い、戦功があった。解放以後もよいことをやらなかったわけではない。たとえば代表団を率いてモスクワを訪問したとき、ソ連修正主義に屈伏しなかった。これらのことを私は何度か語ったが、ここでもう一度言っておく」。

周恩来は毛沢東のコメントと鄧小平の手紙とを若干部印刷させ、政治局会議で討論させた。他方、党中央の名で江西省委員会に通知し、監督労働をやめさせ、党組織生活を復活することを指示した。こうして鄧小平の旧秘書たちがただちに鄧小平のもとに送られ、鄧小平は政治生活を再開した。

複雑な背景での再起

七三年三月十日、政治局会議は鄧小平の党組織生活の回復と国務院副総理の復活を決定した。二十日午前八時、鄧小平一家は南昌─北京の特急に乗り、北京に戻った。四月十三日、周恩来は人民大会堂でカンボジアのシアヌークと会見した席に鄧小平を陪席させ、復活を演出した。まもなく毛沢東は鄧小平を軍事委員会副主席兼総参謀長に任命した。鄧小平は早速八大軍区司令員の異動を断行するとともに、一連の脱文革路線を推進した(「一九六九～七二年の鄧小平」『華人世界』八八年一期)。

鄧小平の復活にとって、林彪事件が直接的契機となったこと、周恩来の役割が大きかったことは、このルポから知られる。実は、鄧小平復活の背景には、もっと複雑な事情が控えていた。

中国への旅に際して、幸いにも中共中央のイデオロギー研究の本部ともいうべき中央党校や中央文献研究室を訪ね、懇談する機会を得た際に私は前述の、高文謙や石仲泉《せきちゅうせん》(中共中央文献研究室理論研究組組長)に鄧小平復活を決定したのは毛沢東か、周恩来かと質問した。石仲泉はこう解釈してくれた。

「劉少奇の問題と鄧小平の問題とは、性質が異なる。劉少奇にはイデオロギーの問題(転向問題)があったが、鄧小平にはそれはない」「私個人の考えだが、林彪事件の発生こそが鄧小平復活の最大の背景である。林彪事件は毛沢東の文革理論・方針・実践の破産を宣告したに等しかった」「当時周恩来は極左批判をやろうとしており、まさにこの問題で毛沢東は周恩来に不満を抱いていた。私の推測では、毛沢東の真意は鄧小平を復活させて周恩来と置き換えようとしたのではないか」「周恩来はにもかかわらず、鄧小平の復活に積極的であった。たとえば七二年一月、毛沢東は陳毅《ちんき》の追悼会に出席した際に、きわめて小さな場で〝鄧小平と劉少奇には違いがある。鄧小平は人民内部の矛盾である〟と語った。この発言をとらえて周恩来は口コミ(原文＝小道消息)でこれを社会に伝えた。当時鄧小平の子女が北京の王震家に来た。王震がこのニュースを子女に伝え、〝鄧小平が自己批判を書くように〟と勧めた」(なお、詳しくは『中国現代史プリズム』蒼蒼社、V・1の拙稿参照)。

つまり、鄧小平復活にかける毛沢東と周恩来の意図とは同床異夢だったわけである。毛沢東は自己批判した鄧小平をもって周恩来と置き換えることを考え、他方周恩来は〝四人組〟の極左路線是正のために、鄧小平の力を借りようとしていたわけである。

こうした経緯を経て奇蹟的に復活しえた鄧小平が周恩来評価において中途半端にならざるをえないことは明らかであろう。

皮肉な現在のブルジョア自由化批判

さて復活した鄧小平は周恩来の期待に応え、毛沢東の意図に反して、脱文革路線を強力に推進し、「あいつという男は、階級闘争をつかまず、これまでこのカナメを口にしたことがない。依然として白猫黒猫だ。帝国主義であろうとマルクス主義であろうと頓着なしだ」と毛沢東をして激怒させた(『人民日報』七六年三月二十八日付社説に鄧小平語録を引用)。

こうして毛沢東は天安門事件(七六年四月五日)を契機として、鄧小平再解任を指示した。「あいつはマルクス・レーニン主義がわかっておらず、ブルジョア階級を代表している。永遠に巻き返しはやらないと言っておきながら、あてにならない」と最晩年の毛沢東をして嘆かせた(『人民日報』七六年四月十日付社説)。

さて後日談。胡耀邦《こようほう》に辞任を強要し、趙紫陽《ちょうしよう》を解任した際の鄧小平語録が彼らは「ブルジョア自由化反対」をやらなかったというものであったことは、歴史の痛烈な皮肉である。鄧小平はかつて毛沢東から投げつけられた悪罵をそっくり後継者の胡耀邦、趙紫陽に投げつけたことになるからだ。

結びに代えて――文革の亡霊

文革が七六年に終わったとすれば、今年は文革以後十三年になる。六六年に開始されたときから数えれば、すでに二十三年である。しかし、文革の亡霊はいまだ中国の大地を徘徊している。

文革時代を包んでいた一種異様な雰囲気について、「宗教的色彩を帯びた現代迷信」「封建的社会ファシズム」などと形容されることが多い。

文革の狂気

西側では全体主義（totalitarianism　中国語訳「極権主義」あるいは「全権主義」）の極限のケースと見る見解が有力である。ちなみに、八〇年代末の民主化以前の台湾や韓国の政治は権威主義（authoritarianism　中国語訳「威権主義」）と称される。「社会ファシズム」現象のいくつかの例を挙げよう。ある老人は毛沢東塑像のホコリを払おうとして首に手をかけたところ「謀殺を図ったもの」と解釈され、現行反革命として何年も拘留された。五歳の幼児がいたずらして毛沢東バッジを小猫の首に掛けたところ、母親もろとも闘争にかけられた。毛沢東の写真が印刷してある新聞や雑誌を捨てたために「階級の敵」とされた者は少なくない。印刷労働者が不注意のためミスプリを犯して、「階級の敵」とされた例もある。

なかでも極め付きは林昭という女性の場合である。彼女は上海の監獄に投獄されていたが、自己批判を拒み、六八年四月二十九日、銃殺された。そして五月一日早朝、老いた母親のもとに、処刑の請求書が届いた。「反革命分子のために銃弾を一発用いたので、家族は一発分の代金〇・〇五元を支払うべし」(周明編『歴史在這里沈思』二巻、三三一頁)。ここにも文革の狂気が凝縮されているように思われる。

記憶を歴史に刻む

ある中国人はエンゲルスのルネサンス礼讃をもじって、こう書いている。「(文革という時代は)犯罪者を必要とするがゆえに犯罪者を作り出した時代、残酷野蛮、愚昧、無知の面で、獣性のみあるもヒューマニズムなき犯罪者の時代であった」と(同上、三三八頁)。

著名な作家巴金《ぱきん》が文革発動二十年(八六年)に当たり「文革博物館」の設立を提唱したことがある。「われわれは皆子々孫々に十年の痛ましい教訓をしっかりと記憶させる責任がある。歴史の再演を許さないために」(上海『新民晩報』八月二十六日)。

この提案を受けて、わが学生時代の中国人老師黎波《れいは》はこう書いた。「文革は、中国の暗部の最たるものに違いない。人目に触れさせたくないという気持ちは理解できるが、二度と文革のような悲劇を繰り返させないために、隠蔽ではなく、反対に掘り起こして歴史に刻むべきではないだろうか。文革が終結すると、われもわれもとばかり被害者が名乗り出た。すべてうそ偽りだとはいわないが、文革の被害者のほとんどは被害者になる前に加害者であったり、そのあとに加害者側に組み入れられたはずだ。こういう人たちは、文革を語る巴金、陳白塵《ちんはくじん》、陳若曦《ちんじゃくぎ》、白樺、劉賓雁《りゅうひんがん》などをこころよく思わないのも当然至極である」(季刊『鄔其山』八六年秋号)。

老師はさらにこう続けた。「文革の真相のかなりの部分を闇の中に閉じ込めることができたのは、受益者の力によるものと見てよかろう。日本の南京大虐殺隠しとドイツのポーランド人（を動員したユダヤ人）迫害隠しには、それぞれ有力な共犯者と後継者が多く存在していた。文化大革命を太陽の下にさらせば、二度とあのような惨事は起こらない、という歴史観からではなく、中国人とは何か、この問を解く鍵が文革の中にあるのではないかという考えから、文革学の成立を期待するのである。

そのためまず手始めに、正確な文革史、文革写真集、文革百科事典、文革用語辞典を刊行してほしい。そして大字報、通信、思想報告、身上調書、批判闘争の記録、映画フィルム、録画・録音テープ、被害者の名簿、遺品、遺書、加害者の供述書、加害現場、刑具などの保管や展示をする資料館、博物館、図書館をつくること、それが中国人の、人間としての証しであろう」（季刊『鄔其山』八七年春号）。

王若望《おうじゃくぼう》（八七年一月、方励之《ほうれいし》とともに党から除名された）は、『文化大革命大辞典』編集の意図をこう語ったことがある。「文革の十年に現れた怪名詞、新政治用語を集めておくことは、わが国の現代小説を外国語に翻訳する上で役にたつ。原稿募集の呼びかけはまだしていない。編集の仕事量はたいへんだが、完成すれば面白いものとなるはずだ」（拙編『中国のペレストロイカ』蒼蒼社、所収）。

まことにわが老師の喝破したごとく、「有力な共犯者と後継者」が存在しているために、「文革博物館」は日の目を見ず、『文化大革命大辞典』も出版されるに至らない。そこで文革の亡霊は浮かばれることがなく、中国の大地を徘徊し続けることになる。

文革の亡霊に脅える

昨八八年は辰年、中国人は今なお「龍の子孫」であるかどうかが論じられ、政治学者厳家其《げんかき》（中国社会科学院前政治学研究所所長）は「中国はもはや龍ではない」と書いて、中華思想を批判し、話題になった（『世界経済導報』八八年三月二十一日号）。六月には蘇暁康《そぎょうこう》ら改革派知識人が脚本を書いたテレビ・ドキュメンタリー「河殤《かしょう》」が六回にわたって中央電視台から放映され、話題を呼んだ。人々が中華思想、夜郎自大意識の迷妄から覚醒することこそが、前進の一歩であると彼らは問題を提起したのである。

ところがこの「河殤」に対して、保守派の長老たちは「精神汚染」「ブルジョア自由化」と認識し、「河殤」批判を執拗に繰り広げた。この事実に改革派知識人たちが危機感を抱き始めたことが厳家其・温元凱対談（拙編訳『チャイナ・クライシス重要文献 第一巻』蒼蒼社、所収）から知られる。つまり「河殤」批判は、「河殤」を容認した総書記趙紫陽《ちょうしよう》追い落としの陰謀だというのである。ここでは文革初期に姚文元《ようぶんげん》が呉晗《ごがん》「海瑞罷官《かいずいひかん》」を批判したことが、ついには彭真《ほうしん》打倒、劉少奇《りゅうしょうき》打倒にまで至った文革が想起されている。

ところで、文革の亡霊に悩まされていたのは、実は改革派だけではない。鄧小平ら保守強硬派、長老派もまた文革の亡霊に脅えていたのであった。八九年四月下旬の学生デモの状況について保守派の北京市委員会書記李錫銘《りしゃくめい》が予断と偏見に満ちた報告を行った際に、これを聴取した鄧小平は即座に「これは一般の学生運動ではなく、動乱だ」と認定している。当時のデモはわれわれ外国人がテレビ画面を通じてしばしば観察したように、非暴力の整然としたデモであり、請願のための坐り込みであった。にもかかわらず、咄嗟に「動乱だ」と叫んだのは、まず文革の亡霊を想起したからであるに違いない。

鄧小平は中国最大の実権派劉少奇に次ぐ、実権派ナンバー・ツーとして、文革の闘争対象とされ、苦難を味わった。長男鄧樸方《とうぼくほう》が紅衛兵によって半身不随の身体障害者にさせられたことはよく知られている。鄧小平だけではない。「動乱」という用語そのものが「文革の十年」を指す代名詞でもあるわけだ。

以後十二年の歴史

学生側は「愛国民主の運動」と自己規定したが、にもかかわらず動乱視する謬論《びゅうろん》に対して、彼らは「愛国民主運動と文革動乱」なるビラ（『チャイナ・クライシス』第一巻、所収）を書いて、両者の違いを説明しているほどだ。今回の趙紫陽解任劇で大きな役割を果した、国家副主席王震は趙紫陽ブレーン集団を非難して「文革期の林彪〝艦隊〟と同じであった」と断罪している。林彪＝趙紫陽という図式は、いかにもムリであるが、こういう枠組みでモノを考える思考スタイルはいかにもありそうなことである。

つまり、改革派も保守派もともに、文革の亡霊に悩まされ、たがいに相手の行動を文革派のそれになぞらえ、自らの立場を批判にさらされる実権派の側に比定していることがわかる。民主化運動を推進する側も、これを動乱、暴乱と見て鎮圧する側も、ともに相手を非難する際には「文革派」というレッテルを貼ろうとしている点が特徴的である。

文革時代の混乱に終止符を打って、近代化に大きな歩みを始めた鄧小平体制が、一皮めくれば、途方もなく古い時代感覚に支配されており、非民主的な大鎮圧を断行する独裁権力である姿を今回の事件は暴露した。その前時代的かつ野蛮な体質に世界中の世論は強い衝撃を受けた。私自身の見方はいくらか異なっている。政府が鎮圧を迫られたのは、民主化運動の勢力が圧倒的に強かったからだと私は見る。これと対照的に政府がたいへん弱体になったからだと分析する。そして、ここに文革以後十二年の歴史的発展を読み取りたいのである。

文革を反面教師として

結果的には戦車と銃声のなかに民主化要求は抑えこまれたが、民主化要求は同時に法治の要求と結合していたことに注目する必要があろう。彼らは憲法擁護、法制の確立をもう一つのスローガンとし、それゆえに断固として非暴力の精神を貫徹したのであった。ハンストという自己犠牲的戦術はまさに非暴力精神の象徴であった。

この事実は学生たちの運動スタイルがいかに紅衛兵運動の失敗（そしてそれに続くいくつかの学生デモ）から多くを学んでいるかを示すものである。私はこの意味で、省無聯《しょうむれん》、李一哲《りいってつ》、魏京生《ぎきょうせい》と続く、若者による権力批判の意識の着実な発展を感じている。今回の運動のなかで、改革派知識人を代表するような大活躍をし、事件後パリに亡命した厳家其が、かつて『四五運動紀実』（人民出版社、七九年）を書いて、七六年の天安門事件を総括し、『〝文化大革命〟十年史』（天津人民出版社、八六年）を書いて文革を総括した論客であることは、示唆的である。

中国全体としては、文革の教訓がまだ十分には活かされていないとはいえ、中国の政治は単なる混乱を繰り返しているわけではない。新たな思想、新たな運動が確実に成長しつつあると私は見ている。文革は現実の社会主義に対して、まず修正主義論の角度から疑問を提起し、ついで社会主義の内実を根底から懐疑する精神を植えつけ、中国の近代化を根本的に再考する契機を与えた。「すべては疑いうる」というのが、マルクスの座右の銘であったという。中国の若者たちが社会主義を疑うことを学んだことが文革の最大の教訓であったと私は考えている。

毛沢東は帝国主義を反面教師として革命家になった。中国の若者たちは、いま毛沢東型社会主義を反面教師として二一世紀の中国社会のあり方を模索している。

（初出：『文化大革命』講談社現代新書、一九八九年一〇月）

皇帝毛沢東と宰相周恩来

共和国建国以来、亡くなるまで最高指導者だった毛沢東、亡くなるまで国務院（前身は政務院）総理だった周恩来。大躍進、文革と「革命」に翻弄された時代、国家元首劉少奇、党中央総書記鄧小平はじめ、かつての同志たちが次々と打倒されていく。周は文革の担い手であった林彪派、四人組に、どのように抵抗し、対抗したのか。「不倒翁」（起き上がり小法師）といわれた周は風向きに敏感に反応し、自らは実務を担うことに徹して難を逃れた。周が劉や鄧らを支持していたならば、果たして毛は文革を展開できたであろうか。毛と周との関係から中国現代史、就中、文革を解明する。

一　中華人民共和国の成立

革命家のめざしたもの

北京入城以後の毛沢東は当初、集団指導体制におけるまとめ役的な存在であった。しかし、大躍進政策が失敗し、調整政策を余儀なくされて以後、毛沢東は意識的に個人崇拝を利用して、権力をかためようとするようになった。とくに文化大革命期には個人崇拝がはなはだしくなり、あたかも皇帝のごとく全中国に君臨した。

周恩来は建国当初は宰相の風格をもって切りもりしていたが、毛沢東が「皇帝化」するにしたがって、しだいに執事的役割に転落していった。

正式な肩書きは、毛沢東は中国共産党中央委員会主席、中共中央軍事委員会主席、国家主席（五八年まで）であり、周恩来は中華人民共和国国務院総理、外交部長（五八年まで）であった。そのポストを彼らは死ぬまで保持した。

新中国が生まれる契機となった四九年革命は新民主主義革命とよばれる。革命前の中国は、帝国主義列強による半植民地であり、その社会構造は「半封建的」社会とよばれた。これは封建社会がなかばくずれているが、資本主義経済が一部でしか発展していないことをさしている。

前者から、革命の目的は対外的にはまず列強からの独立と統一であった。後者から、国内的には反封建を内容とするブルジョア民主主義革命であった。中国では弱体なブルジョア階級にかわって、プロレタリア階級、半プロレタリア階級を基盤とする共産党が指導したので、旧民主主義革命と区別して、新民主主義革命とよばれたのである。ただプロレタリアといっても、中国革命においては、工業労働者が主役を演ずることはなく、農民を立ちあがらせて土地革命を推進することが中心になった。

革命家たちにとって国家権力の奪取ははじまりにすぎない。彼らは獲得した権力をもちいて旧社会を変革し、豊かで平等な新社会を建設することを夢みた。新社会へむかって人民を動員するためには、何よりもまず新たな統治体制を再建しなければならない。ところがこの統治体制が人民の自由を抑圧する体制に変質し、初心とはまるで逆に、人民から新社会建設への意欲を奪うことになった。

毛沢東の理想

毛沢東はマルクス主義者として、社会主義経済の内容を生産関係と生産力の両面から考えていた。生産関係の面では、私有制を廃絶し、集団所有制という過渡的段階をへて全人民所有制の彼岸にいたることが目標である。生産力の面では、イギリスをおいこし、アメリカにおいつくことが具体的目標であった。

マルクス主義では、生産力の発展の桎梏《しっこく》となったときに、生産関係の変革、すなわち革命がおこなわれると説く。スターリンはこの命題をロシアに適用したとき、トラクターという生産力に適応した生産関係がコルホーズ（農業協同組合）であると説明して、農業集団化を強行し、数百万の餓死者をだしている。

毛沢東はこの現実を横目でながめながら考えた。中国ではトラクターを生産する工場がないから、トラクターの供給を待つことはできない。話はむしろ逆ではないか。農業集団化をおこない、生産の規模を拡大してこそトラクターを導入できるのだ。個別農家を農業協同組合あるいは人民公社に組織することが生産関係の変革であり、中国ではむしろこの方法によってこそ生産力を発展できるのだ、と。

この考え方にたって、毛沢東は所有制変革の道をひたすら追求した。まず数戸の農家からなる互助組（隣組の協力）をつくり、ついで数十戸の初級農業合作社（部落単位の組合）に拡大させ、さらに高級農業合作社（自然村単位の組合）をつくるようよびかけた。最後にはこれを人民公社（行政村単位の組合）に発展させた。

周恩来は当初、現実主義的な立場から、毛沢東の理想追求にはじまった大躍進に懐疑的であった。しかし、毛沢東からその動揺性をきびしく批判されたあと、その急進路線に追随した。大躍進の失敗を率直に批判した彭徳懐が、その主張をうけいれられるどころか大臣の地位を解任されたとき、周恩来らは彭徳懐を支持することをしなかった。

毛沢東は大躍進の失敗から正しく教訓をひきだし総括することができず、理論は正しいが、力関係のゆえに一時的に失敗したにすぎぬとうけとめた。そして大躍進からなんらかの教訓をひきだそうとした人々を修正主義者と誤認し、追放する作戦にでた。これが文化大革命である。文革において、彼は大躍進の失敗を拡大再生産することになる。

大躍進において、あるいは文化大革命において、周恩来をはじめとする毛沢東の同志たちは、どのようにこれを助け、抵抗したのか、それが本章の課題である。

二人でつくった新政府

一九四九年三月二十五日、中共中央機関が北平（のち北京と改称）にはいった。かれらは凱旋将軍のように、西郊飛行場で各民主党派代表の歓迎をうけたが、この盛大な歓迎式を演出したのは周恩来である。歓迎式の場所、時間、参加者名簿など細々した実務はすべて彼が決定した。周恩来はこのような仕事を、精緻なコンピューターのように処理するのを得意とした。

共産党は抗日戦争期から民主諸党派に対して、共産党の独裁政府ではなく、他党との連合政府の樹立を約束していた。そこで五月二十四日、周恩来は北平の民主人士をまねいて政治協商会議をひらき、連合政府を樹立する問題について協議した。

六月中旬、新政治協商会議準備会議がひらかれ、新しい中国政府はこの会議をつうじてつくられることになった。周恩来はこの準備会常務委員、副主任になり、かつ共同綱領起草小組の組長として、中華人民共和国政府の共同綱領づくりをおこなった。

こうした準備をへて、中国人民政治協商会議第一次全体会議（九月二十一〜三十日）がひらかれた。開幕の辞のなかで毛沢東は「人類の総数の四分の一をしめる中国人がここにたちあがった」と有名な宣言をおこなった。周恩来は共同綱領の起草経過を報告し、「独立、民主、平和、統一、富強の新中国を建設しよう」とよびかけた。

日本の内閣にあたる政務院（国務院の前身）、および日本の各省にあたる各部、委員会などの主な責任者のリストは、大部分周恩来がつくり、毛沢東と協議をかさねたのち、正式に任命された。極言すれば、周恩来と毛沢東が二人で新政府をつくったようなものである。

ここで周恩来がとくに気配りをみせたのは、共産党員ではないが、そのシンパである民主人士に対するあつかいであった。たとえば傅作義《ふさくぎ》水利部長がそれである。程潜《ていせん》、張治中《ちょうじちゅう》、龍雲《りゅううん》、傅作義など国民党の著名な将軍は少なくなかったが、北京平和解放の功績を高く評価して傅作義を抜擢する反面、副部長には中共党員の李葆華《りほか》を配することによって実務への障害をさけた（非共産党員の著名人をおもてにたて、裏で共産党員が糸をひくやり方は、周恩来流の統一戦線の典型的スタイルであり、民主諸党派との協力形式としてもてはやされたが、のちには共産党独裁の隠れ蓑《みの》に堕落した）。

こうして四名の副総理は中共党員二名対非党員二名、二一名の政務委員（閣僚）のうち中共党員一〇名、非党員一一名、政務院管轄の三〇機関の責任者九三名のうち中共党員五一名、非党員四二名となり、四九年革命に協力した他の党派、あるいは著名人たちの労にむくいた。

しかし、五七年の反右派闘争のさいに、これらの非党員閣僚たちのほとんどは右派分子とされ、その地位からはずされる。共産党と他の党派の蜜月はあまりにも短く、共産党は民主諸党派を単に権力獲得のさいに利用しただけとする批判も少なくなかった。

建国式典当日の毛沢東

一九四九年十月一日午前六時、周恩来はすでに三度も衛士当直室に電話をかけてよこし「主席は寝られたかね」と確認していた。そのたびに「まだです」の答えが返ってきた。「君たちが催促してはやく休んでもらうように。午後二時に開会し、三時には天安門に登楼しなければならない。はやく休んでもらわなければ」と周恩来。

李銀橋が催促すると、毛沢東は文書を書きおえ、ようやく立ちあがり、中庭に散歩にでた。一〇分ほど散歩したのち、用便をすませ、衛士に体をふかせ、床についた。その日は按摩はやらなかった。「午後一時に起こしてくれ」。

衛士の当直班は毛沢東づきの正班、江青づきの副班、各二名ずつからなっていた。枕元のベルが当直室につながっており、副班は寝てよかったが、正班は不寝番ときまっていた。

午後一時、ベルは鳴らなかったが、李銀橋は寝室へ入り、毛沢東をおこした。ぬれタオルを手渡し、例のごとく李銀橋が湿布摩擦をはじめると、ようやく目がさめた。毛沢東は、目ざめてから一時間前後はベッドで茶を飲んだり、読書したりするのが常で、その日もこの習慣を変えなかった。

毛沢東は朝飯をすばやく食べたあと、二時に勤政殿へ歩いていった。そこには朱徳、劉少奇、周恩来、任弼時、張瀾《ちょうらん》、李済深《りさいしん》、宋慶齢《そうけいれい》、高崗《こうこう》などの指導者があつまっており、中央人民政府委員会第一次会議をひらくことになっていた。

会議後の二時五〇分、彼らは勤政殿から自動車にのり、中南海東門をぬけて、中山公園から天安門城楼のうしろまで南下した。李銀橋は毛沢東をささえて城楼西側の階段をのぼり、三時きっかりに天安門楼上に姿をあらわした。

式典が開始されると毛沢東はマイクの前にすすんで広場を眺めわたしたあと、「中華人民共和国中央人民政府は成立した！」と宣言した。その瞬間、広場には嵐のような歓声がまきおこった。

毛沢東が電気のスイッチをおすと、五星紅旗がするするとあがり、五四門の大砲から礼砲がとどろいた。毛沢東が第一声を発するとき、かたわらにいた周恩来がマイクの向きを毛沢東のために調節している映像が印象的であった。ここに以後の毛沢東と周恩来の上下関係が凝縮されていたように私にはおもわれてならない。

自宅が執務室

天安門にむかって左隣に、紅色の厚く高い壁でかこまれた一角があり、中南海とよばれている。元来は中海と南海という池の呼称で、南海の入口が新華門である。天安門が中華人民共和国の象徴であるとすれば、新華門は共産党と政府の象徴である。「人民に服務せよ」と書いた毛沢東の大きな文字がみえる。

ここには中共中央と国務院の弁公室がそれぞれおかれている。中共中央主席毛沢東は、まず清朝時代からの由緒ある建物・豊沢園（菊香書屋）にすみ、六六年夏から新居に移った。そこにはプールが付設されていたので、周辺の人々は毛沢東の住まいをプールと俗称していた。自宅の書斎が毛沢東の執務室である。つまり自宅が党主席弁公室であり、個人事務所のようなものである。

周恩来の場合も同じである。自宅が総理弁公室であり、決裁をあおぐ書類はメッセンジャー・ボーイが回りもちした。ここで決裁された書類が党務なら中共中央弁公室、政務なら国務院弁公室をつうじて、全国に発出された。

建国後まもなく、劉少奇、楊尚昆《ようしょうこん》が中共中央や中央軍事委員会の名で通達をだして、毛沢東のきびしい叱責をうけたことがある。当人にしてみれば、別に毛沢東に隠れてやろうとしたのではなく、会議で決定済みのものを通達したにすぎないが、毛沢東はこう叱責した。「およそ中央の名で発出する文件、電報は私が決裁したものでなければ無効である。注意されたい」「過去に数回、中央の会議決議を私が決裁するまえに勝手に発出したのは誤りであり、紀律違反である」。

劉少奇らが批判をどう受けとめたかわからないが、毛沢東は党主席であり、しかも党の最終意志決定に責任をもつという四三年政治局決議は有効であったから、彼らは毛沢東の指示にしたがうほかなかった。毛沢東の決裁権はこのようにして確立されていった。

中南海西花庁――これが周恩来の住まいであり、執務室である。付近には鬱蒼《うっそう》とした松柏がしげり、清い香りをはなつ海棠《かいどう》などの樹木にかこまれていた。周恩来はここに二五年間すんだ。朝、衛士がおこすと寝室のうしろの手洗い室にいく(私は毛家湾の林彪旧居をたずねたことがあるが、手洗い室といっても二〇平方メートル以上あったとおもう)。これを秘書たちは「第一事務室」と俗称した。

ここで五分から一〇分体操をし、用をたすが、この機会をとらえて秘書たちは急いで処理すべき要件の決裁をあおぐ。また周恩来は内外の重要ニュースや秘書が赤丸をつけた重要資料をよんだが、これが彼の長年の習慣だった。

執務室と文件の保管箱のカギを、周恩来は四六時中、身につけていた。通常はポケットにいれ、寝るときは枕の下においた。外国へいくときだけ、二つのカギを鄧穎超夫人にわたした。日本の主婦権の象徴はしゃもじだが、中国ではカギである。「カギをもつ人」(帯鑰匙的《ダイヤオシイダ》)とは主婦のことである。二つのカギを手放すことのなかった周恩来は、まさに中華人民共和国の「主婦」のイメージそのものである。

毛沢東の批語政治

毛沢東はどのように政府や人民に指示をあたえたのか。その一端は『建国以来毛沢東文稿』（中共中央文献研究室編、中央文献出版社）から知ることができる。この資料集には毛沢東の講話や電報、書簡などがおさめられており、事実上の『毛沢東全集』である。ただ、いまのところ四九～五四年分をおさめた四冊しかでていない〈本稿執筆当時。現在は十三冊（～一九七六年七月）まで刊行されている〉。これをもとに毛沢東の活動スタイルを分析してみよう。

これら四冊には計一七一三篇の文件が収録されている。これらの文件数をみると、毛沢東が四九年から五四年まで、全精力をかたむけて建国の体制づくりにとりくんだ過程がわかる（毛沢東が一息ついたのは、朝鮮戦争がおわった五三年のことである）。

各年ごとに文件の種類をみると、四九年は電報類が六割をこえている。全国解放戦争の指揮をとるために、電報を多用したことがわかる。電報による指令は五〇年もつづいた。

しかし、五一年以後は「批語」の形による指示が多くなる。「批語」とは下級組織から上げられた稟《りん》議《ぎ》書に、指示を書きこんだものである。たとえば「そのとおりおこなえ」といった単なる決裁から、具体的な注意事項にいたるまで細かく指示したものなど、さまざまである。

一例をあげよう。新華社は四九年一〇月二十四日、新疆《しんきょう》に進駐した解放軍が旧国民党軍隊の一部を逮捕したというニュース原稿を書いた。それを人民政府新聞総署署長の胡喬木が毛沢東にとどけて指示をあおぐ。毛沢東の批語にいわく、「この種のニュースは全国発表するな。西安、蘭州の放送局から放送すべきでもない。地方紙に発表するだけでよい。この件を彭徳懐（当時第一野戦軍指令）、甘泗淇《かんしき》（同政治部主任）に電報でつたえよ。毛沢東」。

このような形で実に細かな点にいたるまで、毛沢東は指示をあたえている。この批語類は五一年五割、五二年七割強、五三年五割、五四年四割弱をしめ、五年余をつうじて三分の一をしめている。ここから毛沢東流の政治は「批語政治」であることがわかる。

電報数と書簡数を比較すると、五二年までは電報が多いが、五三年からは書簡数が電報数を上回ってくる。各年ごとの電報類の比重をみると、四九年の六割五分から五三年の一割まで急速に減少し、国家体制がととのってきたことを示している。

行政機構、国家機構がととのったあとは、各機関からでる令や布告などが重要になるが、建国初期はその形成過程であり、毛沢東の批語が大きな役割をはたしたのである。

ここで問題が二つある。一つは、「決定」や「決議」と、法体系の関係である。共産党は革命政党として、法治国家を指向しつつもそれに徹しきれない。レーニンのいうように革命とは、行動しつつ決定する過程であり、立法過程をまつことなく、共産党の決定に依拠して政治をおこなうことになる。これが共産党独裁の一つの側面である。独走をチェックするものがなく、多くの場合、速戦即決であるから朝令暮改をくりかえした。毛沢東の政策の誤りを根本的にあらためるためには、毛沢東の死を待つほかなかった。人治の欠陥を法治によって補完することに失敗したのである。

もう一つは、ひとたび形成されはじめた行政機構、官僚機構の動きと毛沢東の理念が衝突する令がしばしばあったことである。

革命の時期から日常の時期にはいり、官僚体制がととのってくると、毛沢東は強い違和感をおぼえ、革命の理念が消えようとしていると危機感をいだいた。そのたびに毛沢東は官僚機構、行政機構を破壊しようとした。

毛沢東のこころみた大躍進運動（一九五八〜五九年）、文化大革命（一九六六〜七六年）は、ととのいはじめた機構を破壊し、「革命化」しようとした典型的事例にほかならない。

二　大躍進＝暴走する毛沢東

実務家と理想家の対立

革命中の毛沢東は土地を約束することによって、農民を味方にひきつけた。その約束を実行して全国的権力を奪取したあと、土地改革をおこない、地主や富農の土地を没収して土地のない貧農にあたえた。農民革命、農村革命のなかで権力をえた毛沢東にとって、農民を貧しさから解放することこそ大きな目標であり、その道筋は農業集団化（合作化）以外にはありえなかった。毛沢東の強いよびかけもあって、五五年夏に農業集団化は急速に発展したが、これに鼓舞された毛沢東は五五年十一月に「農業一七ヵ条」をつくった。

そこには、六七年までに食糧生産量を五億トンにしようと書かれていた。ちなみに五五年の食糧生産量は一・八億トンであり、近年の実績が四億トン強であることをみただけでも、六七年に五億トンにするという目標がいかに現実ばなれしたものであるかがわかる。

中共中央が五六年に予定している第八回党大会の基調を「右翼偏向反対、保守主義反対」におく方針を決定したとき、周恩来はこれを間接的に批判して「実際にあわないことをやってはならない。われわれの計画は実行可能なものたるべきであり、デタラメ冒進《ぼうしん》の計画であってはならない」と強調していた。冒進とは、猪突猛進《ちょとつもうしん》というほどの意味である。

ここで周恩来は、おもてむきは毛沢東の方針を尊重しつつも、「実行可能」かどうかを重視している。こうした考え方にもとづいて周恩来は二月十日、五六年計画の指標を切りさげる方針を提起した。たとえば設備投資にあたる基本建設投資を減らした。しかしそれでも、周恩来のみるところ、五六年計画はいぜん目標が高すぎる。そこで五月十一日、周恩来は予算報告を説明するなかで「あせり冒進の偏向に反対」せよ、と強調した。

五六年後半から周恩来は、李富春《りふしゅん》（国家計画委員会主任）、李先念《りせんねん》（財政部長）、陳雲（副総理）らとともに、経済工作における「あせり冒進反対」に精力的にとりくんでいた。周恩来らの意見は六月の全人代三次会議で採用され、『人民日報』社説「保守主義に反対するとともに、あせりムードにも反対せよ」が発表された。

五六年七月、周恩来は第二次五ヵ年計画建議の作成に着手した。十一月にひらかれた八期二中全会で、第一次五ヵ年計画（五三〜五七年）の成果について彼は「成果はたいへん大きいが、誤りも少なくなかった」と総括した。「五三年は小冒進、五六年は大冒進をやってしまった」というのが周恩来の基本的評価であった。

こうした観点から、長期計画の見直しと、五七年の基本建設投資額の二割削減を提起した。長期目標としては三つの五ヵ年計画（第一次＝五三〜五七年、第二次＝五八〜六二年、第三次＝六三〜六七年）の最終年たる六七年の鉄鋼の生産目標を、三〇〇〇万トンから二〇〇〇〜二五〇〇万トンにひきさげる案を提起した。

追随を始めた周恩来

周恩来に代表される現実主義的な実務家たちの動きを、毛沢東はにがにがしい気持ちでながめていた。経済の実務担当者たち多数派の意見であるから、理想に燃える毛沢東も、いちおうはその提案を了承した。しかし、こう釘を刺すことを忘れなかった。「不均衡、矛盾、闘争、発展が絶対的であり、均衡、静止は相対的である」。

現場の幹部や大衆に冷水をあびせるような態度はやめよと強調した毛沢東は、農業集団化をつうじて農村社会を根本的に変革することを夢想していた。

こうして毛沢東の右翼偏向反対と、周恩来の冒進反対とは鋭く対立していく。とはいえ、五七年の前半をつうじては、周恩来らの「反冒進」のムードが優勢であった。

冒進反対から右翼偏向反対（反冒進反対）へと風むきが一変したのは、五七年六月八日、中共中央が右派への反撃を指示したときである。今日、中国社会主義の転落の第一歩といわれる反右派闘争がはじまった。風むきに敏感な周恩来は、全人代でおこなった政府活動報告のなかで、みずからのスタンスを変えて毛沢東のそれに近づけた。

毛沢東はのちに五八年五月十七日の講話で、このときの周恩来報告をほめあげ、「たいへん素晴らしい。プロレタリア階級の戦士の姿で、ブルジョア階級に宣戦したもの」と激賞した。周恩来は毛沢東に追随する道を歩みはじめたのである。

自己批判の理由

五七年九月にひらかれた八期三中全会以来、毛沢東はきわめて精力的に行動した。毛沢東が奮闘しはじめた契機の一つは、彼や共産党が「功利を急ぐもの、将来を盲信するもの」という批判をうけて反発したためである。

毛沢東はソ連のスターリン批判にさいして、中国では民衆の不満に耳をかたむけ政策に反映させたいとの考えから、「百花斉放《ひゃっかせいほう》、百家争鳴《ひゃっかそうめい》」の方針を提起して、共産党や政府に対する不満を率直に述べるようよびかけていた。ところがそこででてきた不満は彼の予想をはるかにこえたきびしいものであり、なかには共産党が権力の座から下りることを要求するものさえあった。

きびしい批判に驚いた毛沢東は、これらの批判は同志的な意見ではなく、敵側の批判であるとし、批判者たちを「ブルジョア右派」と断定し、弾圧の対象にふくめた。

もう一つ。毛沢東は経済の実績を楽観した。五七年建設の実績は、財政収支でみても、工農業総生産額でみても、満足すべきものと彼はうけとめた。実は周恩来らからみれば、これはまさに五六年の冒進の欠点を補ったことによって得られた成果にほかならない。現状から、毛沢東は冒進の根拠を、周恩来らは反冒進の論拠を、それぞれひきだしていたのである。

五八年一月の南寧《なんねい》会議で、毛沢東は再び五六年の反冒進を批判した。「反冒進と右派は五十歩、百歩だ。今後は反冒進という言葉はつかわないようにしよう。これは六億人民の士気をくじく」「(五六年六月の反冒進の社論をさして) よまぬ、と批語を書いた。私の悪口を書いたものをよめるものか」。毛沢東の鼻息は荒い。

まもなく南寧会議の精神が伝達され、以後反冒進という言葉はタブーとなった。この結果、歯止めがうしなわれ、暴走がくりかえされることになった。

毛沢東の反冒進批判は五八年三月の成都会議、四月の漢口会議とつづき、五月の中共八全二次会議でピークにたっした。大躍進路線を正式決定したこの会議で、周恩来、陳雲、薄一波《はくいっぱ》、李先念らは自己批判をせまられ、周恩来はこう自己批判した。

「私は、五六年の成果と大躍進のなかであらわれた若干の欠点と困難について、誤った評価をおこない、小さな欠点を誇張した。五六年の年度計画を冒進だといい、五七年の建設規模を圧縮せよと述べた」「反冒進の誤りは重大である。幸いにも党中央と毛主席の正しい領導と是正によって、また党内外の幹部と大衆の抵抗によって、あらためることができた」。まさに全面降服である。

今日の時点で回顧すれば、周恩来側が正しく、毛沢東が誤っていた。周恩来がこの発言をおこなった背景について、発言稿の起草を助けた周恩来の理論秘書范若愚《はんじゃくぐ》は、周恩来の自己批判はせまられたからだけではなく「誠心からおこなったもの」と証言している。もしこの証言が真実だとすれば、周恩来の予見能力の限界をしめすものといえよう。

延安時代以来、毛沢東の判断の正しさを全党的にうけいれる慣行ができていたこと。毛沢東と異なる意見に遭遇したとき、皆は習慣的に毛沢東の側にかたむいたこと。当時の周恩来は大躍進が災難をもたらすとは予想していなかったこと、などのためだと叢進『曲折発展的歳月』（河南人民出版社、一九八九年）は分析している。

周恩来らが毛沢東に追随することになったことについて、ほかの理由をあげる論者もある。一つは、党中央が一九四三年三月「重大問題に対しては毛沢東が最終的決定をくだす」ことをきめており、この決定は建国後も有効であったこと。もう一つは、帝国主義の軍事的威嚇《いかく》、経済上での封じ込め政策により「新中国が扼殺《やくさつ》される」という危機意識が強かったことである。

人民公社の夢と現実

五八年夏、毛沢東は農業集団化問題を研究していた。五五年以来の農業集団化運動で成立した農業生産合作社を、「工、農、商、学、兵」をふくむ「公社」（コミューン）に組織し、それを共産主義社会にいたる基層組織とする構想がひらめいた。八月に北戴河でひらかれた政治局拡大会議で、「人民公社設立についての決議」を採択し、農業合作社の合併による人民公社の設立をよびかけた。

この決議が発表されると、十一月初めまでの約三ヵ月間で、全国農村の七四万の農業合作社は、二・六万の人民公社に改組された。農家の圧倒的多数が人民公社に参加し、その数は一・二億戸にたっした。当時は下からのもりあがり、熱狂的な大衆運動が喧伝《けんでん》されたが、のちにこれは単に人民公社の看板をかかげたたぐいや、農民の意志を無視して農村の幹部が誇大報告する例の少なくないことが明らかになった。

人民公社数の二・六万という数字は、何を基準にしているか。中国は約五万の郷（＝行政村）からなっているから、二つの行政村をあわせた戸数六千、七千からなる大人民公社がモデルとされたことがわかる。

しかし、これでは規模が大きすぎて管理ができない。いきおい管理不在の無責任体制とならざるをえなかった。また人民公社設立にさいして、旧生産隊や農民の財産を無償で公社所有に帰するなど、私有制の残滓《ざんし》の一掃という名目で農民の利益を侵害する例がしばしばみられた。

「第一に規模を大きく、第二に私有制を公有制に（一大二公）」が人民公社の理念となったのは、これこそが農業における社会主義の道と考えられたからである。人民公社化によって大衆の生産への意欲が高まり、生産の大躍進がもたらされたと喧伝されたが、その大部分は誇大報告であり、実際にはそんなに豊作ではなかった。

食糧生産量が一挙に倍増したという報告を聞いた毛沢東が、豚の餌にしても余ってしまうと、その処分方法に頭を悩ましたというエピソードがある。誇大報告ではないかと県の幹部が現地調査にいくと、現場では隣村から食糧をはこんで実物をみせたり、あるいは倉庫のみえる部分にだけ本物をおいて、みえないところは藁でごまかしたという話もある。

目標がいつのまにか実績にスリ変わり、またその数字も釣り落とした魚のように、どんどん大きくなった。現場の幹部たちと上級の幹部たちが、たがいに自分の業績をかざるために数字を水増ししていく過程は、落語の花見酒に酔ったかのごとくである。上は毛沢東から下は農民にいたるまで、共産主義社会実現の夢と現実を混同していたといえる。

人民公社設立と同時に、一〇七〇万トンの鉄づくりのために全国で約九〇〇〇万人が動員された。粗鋼生産量でイギリスにおいつくスローガンのもとで、土法製鉄（近代的製鉄に対する伝統的製鉄方法）の大衆運動がおこなわれた。しかし、そこで生産された鉄は、大部分が品質が悪くて使いものにならず、壮大な損失がもたらされた。

人民公社化運動も、鉄づくり運動も大失敗におわり、五九～六一年は食糧危機におちいった。一〇〇〇万～二〇〇〇万人の餓死者さえでた。毛沢東の失敗は明らかであり、彭徳懐《ほうとくかい》がこの問題をとりあげた。

「野人」激突

「野人」彭徳懐が、五九年七月の盧山《ろざん》会議で「野人」毛沢東と激突した。李鋭《りえい》（元毛沢東秘書）は、彭徳懐の剛毅《ごうき》な性格をこう評している。彭徳懐総司令は「山野の人」であり、終始「ゲリラ作風」を保持しており、「毛主席万歳」をとなえず、「東方紅」を歌わず、「主席」とよばなかった。李鋭の証言は彭徳懐の性格をよくつかんでいる。

毛沢東の権威は四五年の七回大会前後から大いに高まり、かつての同志たちに君臨するようになった。ここで党文書のなかにはじめて「毛沢東思想」の五文字が書きこまれた。しかしひとり彭徳懐だけは、かつての「ゲリラ仲間毛沢東」としてつきあっていた。彭徳懐はまた自分を『三国志』の豪傑、粗野な張飛《ちょうひ》になぞらえている。

もっとも彭徳懐の野性を口にするなら、毛沢東も似たようなものと李鋭は書いているところがおもしろい。毛沢東は寝巻を着てベッドに横になったまま客と話をすることが珍しくなかったし、またフルシチョフをむかえたときはプールサイドで会談した。寝巻のまま来客をむかえた毛沢東のイメージは、足を洗いながら儒者をむかえた劉邦《りゅうほう》を想起させる。

もう一つ、品の悪さを象徴する例がある。彭徳懐は廬山会議で激昂して、「お前は俺の母親を四〇日強姦したのだから、俺がお前の母親を二〇日強姦してなぜ悪いのか」（你肏了我四十天娘、我肏你二十天娘不行？）とどなった。この言葉をそっくりつかって毛沢東は彭徳懐を批判しかえしている。ここで四〇日間というのは、四〇年八～一二月のいわゆる百団大戦作戦の欠点を、かつて毛沢東が批判したことをふまえている。

野人同士の激突にさいして、スマートな周恩来はいかに身を処したのか。彭徳懐が「意見書」をだした直後、李鋭が夜のダンスパーティの機会に周恩来の顔色をうかがったところ、「あれはどうということないよ」と語り、大躍進の結果について異論がでるのは当然という態度だった。

周恩来の予想に反して、毛沢東は七月二十三日、意見書を印刷し会議に配付した上で、きびしくこれをしりぞける大演説をおこなった。彭徳懐を弾劾するこの演説のなかで、毛沢東は周恩来にこう言及している。

「総理よ、あなたはあのときは反冒進の立場だったが、今回は腰がふらついておらず、意気ごみが強い。あのときの教訓を学んだ。あのとき周恩来、陳雲を批判した者が今回は逆の立場にたった」。ここには廬山会議における周恩来の立場がよくでている。「あの教訓」とは、毛沢東の冒進に反対した周恩来が逆に批判され、以後毛沢東に追随したことをさしている。もはや周恩来は毛沢東に対して異議を申したてることができなくなっており、完全に毛沢東にとりこまれている。

歴史の皮肉

こうした微妙な立場のなかで、周恩来は一歩退いて、いつものように会議の舞台つくりのために小まめにはたらいた。毛沢東演説をうけて彭徳懐の弾劾《だんがい》に会議の基調が変化するなかで、七月二十六日、周恩来は長い演説をした。

会議のメモをとった李鋭はこう証言している。総理は戸主（当家人）であり、廬山では終始、実務的であった。彼には北京からやってきた幹部たちの心理がわかっていた。気がかりなのは今年の生産指標をどう設定し、達成するかであった。彼は心配でならぬおもむきであった。言葉のはしばしに内心の矛盾があらわれていた。

批判がエスカレートし、ことが個人におよぶに際して、周恩来は一方では主席の指示と意図にしたがいつつ、他方で工作の正常な進行を保証しようとしていた。巨大な嵐の到来を感じつつ、皆に工作をしっかりやらせようとしていた。

八月二日、中央委員全体会議がひらかれることになり、前夜に周恩来は会議の趣旨を説明した。彭徳懐、張聞天の意見書は、右翼日和見主義が党中央と毛主席に進攻したものである、と。この認識は、毛沢東の危機意識をそのまま敷衍《ふえん》したものである。周恩来をはじめ、劉少奇、その他の指導者たちは、毛沢東の独走に掣肘《せいちゅう》を加えることに失敗した。

李鋭は後日、周恩来の述懐を紹介している。彭徳懐とともに処分された黄克誠《こうこくせい》（総参謀長）がもっとはやく廬山に来ていれば、毛沢東との激突はさけられたであろうという仮説である。黄克誠は富田事件のさいにAB団と誤認されて、あやうく毛沢東の部隊によって粛清されそうになったところを、彭徳懐に助けられた経験をもつ。そこで物事の処理にはたいへん慎重になった。だから、かりに彼が周辺にいたならば、彭徳懐におもいとどまるよう説得したに違いない。

実に深刻な歴史の皮肉である。一つは周恩来が毛沢東の酷薄な性格を最初に感じたのは富田事件の調査をつうじてであり、そこから逆に黄克誠の人柄を知ったことである。もう一つは、東欧からの旅行疲れで気のすすまぬ彭徳懐に「やはり会議には私ではなく、国防部長（彭徳懐）が参加されるのがよい」と進言したのが、ほかならぬ黄克誠であったからだ。

こうした偶然のつみかさねのなかで、廬山会議の前半をつうじて大躍進のいきすぎの是正に力をいれていた毛沢東が、意見書を契機として、いきすぎをさらに拡大する方向へ政治のドラマが急転回した。大躍進、人民公社運動は、毛沢東晩年の「空想的社会主義」の実践であったと李鋭は総括している。彭徳懐や張聞天は、総路線自体が誤りだと認識していた。毛沢東は彭徳懐のうしろにフルシチョフの影を発見し、ソ連修正主義の使者と錯覚したのであろう。

フルシチョフは一方で平和共存政策をすすめ、他方で中国の人民公社政策を「空想的」ときびしく批判していた。毛沢東はフルシチョフのこのような態度はアメリカ帝国主義に屈伏し、修正主義者に転落したことをしめすとうけとめた。ここから中ソ対立は一挙にすすみ、六〇年夏のソ連の援助ひきあげまでエスカレートしている。

こうした文脈のなかで、毛沢東は盟友彭徳懐の率直な意見でさえも、素直にうけいれることができなくなっていた。内外の修正主義という観念にとりつかれた毛沢東は、これを過渡期の階級闘争として理論化し、文化大革命という実践に乗りだした。

　廬山会議で外交部副部長を解任された張聞天は、当時こう感想をもらした。毛沢東はたいへん英明だが、粛清もひどい。スターリンの晩年と同じだ。彼は中国史から少なからずよいものを学んだが、支配階級の権謀術数も学んでいる。

彭徳懐の述懐

　これに対して彭徳懐は当時こう述懐した。毛沢東はスターリンの晩年とは異なる。毛沢東は社会主義社会の矛盾を二種類、すなわち人民内部の矛盾と敵味方の矛盾にわけた。スターリンは敵味方の矛盾という概念を否定しておきながら、実際には人民内部の矛盾にすぎないものを敵味方の矛盾にしてしまった。毛沢東は中国史に精通しており、いかなる同志もおよばない。毛沢東は皇帝とは本質的に異なる。

　彭徳懐はこのように、毛沢東＝スターリン論をしりぞけている。ただし毛沢東への不満をこう述べた。主席は自分で誤りを犯しながらそれを認めず、自己批判せず、逆に他人を責めている。革命と建設の勝利によって頭脳が幻惑され、傲慢《ごうまん》になった。

　これは廬山会議で衝突した前後の印象であるにすぎない。彭徳懐はその後文化大革命で辛酸をなめ、ついに惨死した。死への旅路において、彭徳懐がそれでも「毛沢東はスターリンの晩年と異なる」と信じていたかどうかはうたがわしい。

　毛沢東は五九年四月の全国人民代表大会で、国家主席を劉少奇《りゅうしょうき》にゆずり、第一線をしりぞく。六二年一月、中共中央は工作会議（七千人大会）をひらき、大躍進政策の責任問題を論じた。毛沢東は、中央が犯した誤りは、直接的には私の責任であるし、間接的にも相応の責任があると自己批判した。しかし、彭徳懐の名誉回復、すなわち彭徳懐批判の撤回には同意しなかった。

第一線をしりぞいた毛沢東にかわって党中央の日常工作をすすめたのは、劉少奇国家主席、鄧小平総書記である。彼らのすすめる現実的な調整政策のなかで、毛沢東はしだいに浮きあがってきた。

六二年九月、八期一〇中全会を機に、毛沢東が反撃に転じた。自己批判から半年後のことである。生産手段の所有制を社会主義的に改造したあとでも、政治上、思想上の闘争はつづく。イデオロギー面での階級闘争は長期にわたる、と述べた。

毛沢東は社会主義か、資本主義かという二つの道の闘争こそが重要だとこれを前面に押しだした。彼によれば、問題は個々の政策にではなく、路線にあった。そこから間違った路線の担い手である実権派を打倒しなければならないという考え方が演繹《えんえき》される。打倒対象が登場したからには、いよいよ文化大革命である。

三　文化大革命のなかの周恩来

文革の三段階

毛沢東と文化大革命の関係については現代新書シリーズに『文化大革命』〈本書に収録〉を書いたので、ここではくりかえさない。ただ、文化大革命とは何かについて、簡単な説明だけは必要であろう。

文化大革命とは、毛沢東がおこした運動だが、その目的は共産党や国家機関の指導部から「修正主義者」を排除して、社会主義革命を発展させていく体制をつくることにあった。毛沢東のいう修正主義者とは、最初はフルシチョフをはじめとするソ連指導部をさしていたが、六〇年代前半の調整期に現実的な政策を推進した中国の党官僚、行政官僚たちをさすようにエスカレートしていった。

とくに農村でおこなわれた社会主義教育運動の過程で、一部の幹部は「資本主義の道を歩む実権派」になったと毛沢東は断定し、これを排除することが文化大革命の目的だと主張した。一〇年にわたるこの運動はほぼ三つの段階にわけることができる。

〔第一段階＝文革の発動から第九回党大会まで（六六〜六九年）〕

六六年五月の政治局拡大会議で「五・一六通知」が採択され、反党集団の摘発がはじめられた。ついで八月の八期一一中全会（中央委員会全体会議）で、「プロレタリア文化大革命についての決定（十六ヵ条）」が採択され、標的が劉少奇・鄧小平司令部にむけられた。当時、劉少奇は国家主席、鄧小平は共産党総書記として、日常の党務活動を処理していた。

文革の直前、政治局常務委員は毛沢東、劉少奇、周恩来、朱徳、陳雲、鄧小平、林彪の七名であるが、大躍進が失敗したあと、毛沢東を積極的に支持したのは林彪ただ一人にすぎなかった。したがって、もし周恩来が劉少奇、鄧小平らを断固として支持したならば、毛沢東は文化大革命を展開できなかったはずである。

これは政治局全体をみても同じことであり、当時の政治局委員二三名のうち、毛沢東、林彪、周恩来、陳伯達、康生の五名をのぞく一八名が実権派として攻撃されている。

文化大革命を推進する役割をはたしたのは、中央文革小組（組長＝陳伯達、副組長＝江青、顧問＝康生）であり、この組織が毛沢東の権威のもとで、政治局常務委員会にとってかわるほどの権力を行使した。実権派攻撃に動員されたのは、高校生、大学生からなる「紅衛兵」たちであった。つまり、毛沢東の戦略は、毛沢東イデオロギーに忠実な学生たちを利用して世論をもりあげ、党機関、国家機関の修正主義的な官僚を打倒し、毛沢東の指示に忠実な人々によっておきかえるものであった。

全国各部門、各地方の党政指導機関において奪権闘争がおこなわれ、軍幹部、旧幹部（文革前の幹部のうちよい幹部と認められたもの）、造反派（実権派追及で活躍した労働者たち）代表からなる革命委員会が成立し、六九年四月の第九回党大会で文革は一段落した。

〔第二段階＝第九回党大会から第一〇回党大会まで（六九〜七三年）〕

第九回党大会でえらばれた中央委員の構成は、約四割が軍人、三割が旧幹部、三割が造反派代表であった。これは奪権連合にすぎず、文革の担い手となった林彪派と江青ら〝四人組〟との間、そして旧幹部を代表する周恩来グループとの間で、深刻な権力闘争がおこった。

この結果、林彪派は武装クーデタを計画するところまでおいつめられ、亡命途中で墜死した。林彪事件以後、周恩来が党中央の日常工作を統括するようになったが、今度は周恩来グループと四人組との対立が激化した。毛沢東自身は林彪事件に大きな衝撃をうけ、急速に老けこんだ。

〔第三段階＝第一〇回党大会から四人組粉砕まで（七三〜七六年）〕

七三年の党大会以後、周恩来は鄧小平の力をかりて、脱文革の方向で経済の再建にとりくもうとしたが、江青ら四人組はさまざまな形で妨害し、主導権を奪おうとした。老齢の毛沢東は周恩来と四人組との間でゆれつづけ、今日は周恩来を批判したかとおもえば、明日は江青を叱責する日々がつづいた。

晩年の毛沢東は革命の継続こそが重要だと考えており、それを推進する役割を四人組に期待したが、彼らの指導力の限界は明らかであった。そこで文革イデオロギーの鼓吹者の役割を彼らに期待し、現実の経済建設は周恩来をはじめとする実務派に期待する形にならざるをえなかった。

周恩来の死を契機として第一次天安門事件がおこり、鄧小平は再度失脚した。しかし、毛沢東の死を契機として、四人組は華国鋒によって逮捕された。文革の旗手・江青未亡人が逮捕されることによって文化大革命はおわった。

六九年の九回党大会で選ばれた政治局メンバーは二五人いるが、このうち一八人はのちに文革派として批判された。

では実権派として追及されたが生きのこり、また文革派として追及されることもなかった七人とは誰か。周恩来、李先念、葉剣英ら周恩来グループ、さらに朱徳、董必武、劉伯承ら政治的に無害な長老組、そして南京軍区司令員許世友《きょせいゆう》であった。

火消し屋、周恩来

一〇年にわたる文化大革命のなかで、毛沢東のはたした役割はよく知られている。では周恩来はどのような役割を演じたのか。

一九六六年八月下旬から一二月中旬までの三ヵ月余に、周恩来は紅衛兵の大型報告会、座談会などに四〇回以上出席している。小型の、個別の会見談話になるともっと多い。これらの会議はときには四、五時間におよび、ときには徹夜になることさえあった。

周恩来は紅衛兵や造反派たちの攻撃をたくみにかわしつつ、建国以来の一七年間、党と政府の工作は欠点よりは成果の方が大きいこと、方向の誤り、路線の誤りを犯した実権派は「黒い一味」（文革の最大の標的とされた実権派たち）と同義ではなく、反革命ではないと説得につとめた。

六六年国慶節の『人民日報』社説の原稿を審査したさいに周恩来は、人民内部の矛盾と敵味方の矛盾という二種類の矛盾をはっきり区別しておかないと悪影響をあたえるとして、みずから朱筆をいれた。十月に毛沢東が「ブルジョア反動路線を徹底的に批判せよ」と提起したさいに、周恩来は毛沢東をたずねて、異議を申したてた。これまで中共の政治に「ブルジョア反動路線」というい方はなかった、と指摘したが、毛沢東は聞きいれなかった。そこで周恩来は作戦をかえ、「ブルジョア反動路線」の誤りは、人民内部の矛盾に属すると強調することによって、実権派攻撃をやわらげようとした。

こうした周恩来の態度は、江青、陳伯達ら文革推進派から「まるめこみ屋」と攻撃された。また文革初期のイデオローグであった、王力《おうりき》、関鋒《かんほう》の執筆した『紅旗』社説に、「折衷主義反対」論があらわれたことがしめすように、周恩来は「折衷主義」「消防隊長」などと文革推進派から攻撃された。しかしさすがは不倒翁、倒れない。逆に周恩来を倒そうとした王力、関鋒らが極左派として失脚した。

六七年の上海一月革命にさいしては、周恩来は徐向前《じょこうぜん》、聶栄臻、葉剣英など軍事委員会幹部たちとともに「中央軍委命令」をつくり、二種類の矛盾を区別すること、勝手な逮捕や体罰を厳禁するよう命令した。

また二月中旬にある会議で譚震林《たんしんりん》、陳毅《ちんき》、葉剣英《ようけんえい》、李富春《りふしゅん》、李先念、徐向前、聶栄臻らが文革のやり方に強い不満を表明したときに、周恩来は文革小組の張春橋《ちょうしゅんきょう》、姚文元《ようぶんげん》、王力らを詰問した。このため、江青らから周恩来は「二月逆流の総黒幕」と攻撃された。

六七年八月七日、王力が陳毅外交部部長を追放し、外交部の権力を造反派が奪えとよびかけたさいに、その矛先は陳毅外相の上司である周恩来にむけられていた。この頃、江青は「文をもって攻撃し、武をもって防衛する」(文攻武衛)のスローガンを提起したため、全国の混乱は頂点にたっした。

文革派のやり方に不満を強めた武漢軍区指導部が造反派を弾圧しただけでなく、実権派を支持する一部の大衆が、説得におとずれた毛沢東を軟禁する事件さえおこった。周恩来の機転で毛沢東はようやく危地からのがれることができた。

この事件をへて、毛沢東は文革の収拾を決意し、八月末、周恩来の報告を批准し、王力、関鋒の隔離審査を命じた。こうして外交の大権は中央に属すること、周恩来が責任をおうことが確認された。

毛沢東は文革の第一段階で中央文革小組をアクセルとして用い、周恩来の行政処理能力をブレーキとして用いてきた。しかし両者が激突したとき、毛沢東は周恩来の行政能力を選ばざるをえなかった。そしてこのような形で、みずからの実力を静かに示すのが周恩来一流の仕事のやり方、そして抵抗の仕方なのであった。

伍豪啓事問題

一九六七年十二月二十三日、北京大学私書箱六四〇六号気付で、誰かが毛沢東にあてて周恩来を密告した。それは一九三二年二月上海の新聞をにぎわした「伍豪等脱離共産党啓事」事件であった(伍豪は周恩来の党活動用の名)。

これは周恩来が共産党から脱党したとデマ宣伝し、共産党の影響力をそぐことをねらった陰謀事件である。しかし当時の上海の白色テロのもとで、共産党はこの記事を否定しようにもてだてがなく、大いに苦慮させられた。

これについて毛沢東は六八年一月、「これはかねてはっきりしており、国民党のデマである。毛沢東、一月十六日」と批語を書いた。

しかし火種はこれで消えなかった。六八年五月、文革の混乱が拡大し「すべてを打倒せよ」の風潮が強まると、またもやこの問題をもちだす者があらわれた。そこで周恩来は五月十九日、毛沢東にあてて事情を説明する書簡を書かざるをえなかった。

毛沢東は周恩来書簡を閲読したのち、「文革小組の各同志に渡して閲読、保存せよ。康生、江青同志はすでに閲読ずみ」と批語を書いて、周恩来の主張を認めた。

しかし一件落着したわけではなく、周恩来は一九七二年六月二十三日、この問題についてわざわざ報告をおこない、鄧穎超に録音を整理させている。そしてこの記録書類に七五年九月二十日、第四回目の手術台にあがる前にふるえる手で署名したのであった。江青グループが周恩来打倒を意図しているため、周恩来は死後にこの問題が再燃することをふせぐ措置を講じていたのである。

周恩来はみずからに降りかかる火の粉をはらうためにも、たいへんな努力をしている。文化大革命がなかりせば、むろんこのような努力は不要なはずであった。周恩来のように名望のある革命家でさえも、捏造《ねつぞう》記事に悩まされたのであるから、無実のために泣いた革命家たちは大量にいたはずである。

幹部保護に奔走

ある論者は、文革期の周恩来の姿をつぎのようにえがいている。周恩来は絶妙の闘争技術をもって、多くの幹部を保護した。周恩来は一群、一群と批判にかけられる指導幹部を中南海に住ませたり、あるいは安全なところに隠した。彼はくりかえし、紅衛兵や造反派に対して、宋慶齢など著名な人物を尊重するよう説いた。

彼は造反派に武闘ではなく、文闘をやるよう説いた。政協機関、民主人士の保護を指示し、一群の上層の民主人士に対しては直接保護する措置をとった。彼はパンチェン・ウルドニなど宗教界の指導者を保護した。サイフジンなど少数民族の代表を保護するよう電報で指示した。

銭学森《せんがくしん》、李四光《りしこう》、華羅庚《からこう》など著名な科学者を、方法を講じて保護した。闘争・批判にかけられ、あるいは解任された党内外の幹部にも、賃金待遇などを変えてはならないと批示（コメント付き決裁）し、かれらの生活を保証した。

ときには周恩来は、毛沢東の幹部保護の批示にもとづいて、保護者のリストをつくったことがある。幹部保護の措置をとったあとで、事後に毛沢東の支持をとりつけたこともある。たとえば周恩来は傅崇《ふすう》碧《へき》に命じて、李井泉《りせいせん》、王任重《おうにんじゅう》、江渭清《こういせい》ら二十数人の大区、省レベル責任者を秘密裡に保護したことがある。

しかし、このような努力にもかかわらず、文革期に党政軍幹部は大きな損失をこうむった。周恩来がすべてを処理することは不可能であったし、あつかった場合もすべてが理想的というわけにはいかなかったからである。

二月逆流以後、中共中央政治局は中央文革小組によって、軍委常務委員会は軍委弁事組によって代替され、林彪、江青らが党政軍の大権を奪取した。このとき、幸いにも周恩来は、政治局常務委員会と文革碰頭会《ポントウ》（非公式の打合せ）に参加していたので、会議内部で道理をつくして争い、損失をできるだけ減少させることができた。

いくつかの例をみてみよう。六六年一二月から六七年一月までの五〇日間に、周恩来は外交学院造反派を計五回、累計二十数時間接見した。そのうち半分の時間は陳毅（外交部部長）を正しくあつかうよう説得するためであった。造反派は陳毅打倒をつうじて周恩来打倒にむすびつけようとしていたのであるから、周恩来が陳毅擁護に全力をあげたのは当然である。

賀竜（国家体育委員会主任）の保護にも大きな努力をした。六六年七月、賀竜が北京に軍隊をいれ、二月クーデタをおこそうとしている、と康生《こうせい》が誣告《ぶこく》した。一二月、周恩来は賀竜が休息できるように国務院新アパートに移転させた。六七年一月七日、林彪がみずから賀竜を攻撃し、つづいて賀竜宅が紅衛兵によって家宅捜索された。

そこで周恩来は賀竜を中南海西花庁に移した。まもなく中南海にも二つの造反派組織がうまれ、中南海もまた安全を保証できなくなった。このため周恩来は賀竜を西山某所に移した。

二月二十二日、江青は賀竜問題について周恩来の態度表明をせまったが、周恩来は拒否した。しかし林彪、江青らは賀竜の隠れ家をつきとめ、周恩来の知らない場所に隠してしまった。賀竜は迫害され、六九年六月九日死去した。周恩来は林彪事件のあとで賀竜の死去をようやく知った。宰相周恩来はコケにされ、賀竜は惨死したのである。

宰相の限界

彭徳懐の場合、六六年十二月、江青が造反派に指示して成都から北京に連行させた。彭徳懐の所属組織から中央に請訓があったので、周恩来は成都軍区の兵士が紅衛兵に同行すること、彭徳懐の安全を保証すべきことなどを指示した。彭徳懐に対して六七年七月審査委員会ができるまでは、監視中とはいえ、のちのような迫害拷問はなかった。彭徳懐保護も竜頭蛇尾におわり、彭徳懐は拷問により惨死した。

劉少奇の場合はどうか。六六年八月四日、政治局生活会で江青は劉少奇・鄧小平批判をはかったが、終始沈黙をまもったのは周恩来と陶鋳《とうちゅう》（当時中央宣伝部部長）だけであった。九月紅衛兵万人大会がひらかれたさい、周恩来の講話中に「劉少奇打倒」のシュプレヒコールがあがると、彼は聴衆に背中をむけて反対の意を表明した。十月中旬、天安門に劉少奇打倒の大字報がはられると、童小鵬《どうしょうほう》を派遣して、やめさせた。

六七年一月、江青の煽動《せんどう》のもとで、清華大学井崗山兵団の蒯大富《かいだいふ》が劉少奇夫人王光美を清華大学につれだすと、周恩来はただちに蒯大富に電話をかけて、王光美を帰宅させるよう指示した。七月、江青、康生、陳伯達らが百余の造反派組織五〇〇〇人を動員して中南海西門外にテントをはり、劉少奇を中南海からつまみだせとスピーカーでがなりたてた。周恩来は造反派組織の指導者にみずから電話をかけてやめるよう説得した。劉少奇は六九年十一月十二日開封で惨死した。

周恩来の幹部保護には大きな限界のあったことは明らかである。そもそも文革をはじめなければ、幹部保護の必要はなかったはずである。宰相である彼も文革の発動にはなすすべなく、その後標的の保護にまわり、しかも結局はそれに成功していない。文革期の周恩来の役割はほとんどピエロのような印象をあたえる。

このように幹部保護も結局は失敗し、あるいは紅衛兵との実りのない対話のために、莫大なエネルギーをついやしている。周恩来は文革期に、連続して工作すること十七、八時間から二十数時間におよぶことがしばしばあった。ときにはその間食事をとる時間さえなかった。

彼自身、医者に「文革のために寿命が一〇年ちぢまった」と述べている。六七年二月三日、気分が悪くなり、心臓病が発見された。にもかかわらず、この夏徹夜で仕事をするはめになった。六八年九月、総理弁公室が廃止され、周恩来のもとには二人の秘書がのこされただけになった。それでも七〇歳の周恩来ははたらきつづけた。

「もし周恩来が職務を放棄すれば内戦情勢の悪化は必至であった。彼が公然と自己の態度を表明すれば、英雄になれたであろうが、その境遇は予想だにできないほどのものとなったであろう」と忖度した論文もある。寿命を一〇年もちぢめながら、文革の嵐に翻弄《ほんろう》されている老周恩来の姿に、私はこの宰相の力量の限界を感じないわけにはいかない。

林彪事件への的確すぎる対応

林彪は文化大革命を推進し、毛沢東の「親密な戦友」とたたえられ、ナンバーツーの地位にまでのぼりつめたが、権力闘争にやぶれ、クーデタにまでおいつめられた。林彪派のクーデタ計画書といわれる

「五七一工程紀要」は毛沢東独裁をこう批判している。

「彼（毛沢東）は真のマルクス・レーニン主義者ではなく、孔孟の道をおこなうものであり、マルクス・レーニン主義の衣をかりて、秦の始皇帝の法をおこなう、中国史上最大の封建的暴君である。（毛沢東の説く社会主義とは）実質的には社会ファシズムである。彼らは中国の国家機構を一種の、相互殺《さつ》戮《りく》、相互軋轢《あつれき》の肉ひき機に変え、党と国家の政治生活を封建体制の独裁的家父長制生活に変えてしまった」。

当時記録されたかぎりで、もっともきびしく毛沢東を弾劾したものである。独裁者毛沢東の酷薄さを十分に剔抉《てっけつ》した発言である。毛沢東の片腕として林彪事件を実際に処理したのは、周恩来であった。

林彪派が南方を巡視する旅行中に毛沢東を謀殺する陰謀に失敗し、広州に独立王国をつくるべく、専用のトライデント機二五六号を山海関空港に移した秘密裡《り》の行動は、林彪の娘林立衡《りんりつこう》によって周恩来に密告されたとされている。

この密告が、北戴河に駐屯する八三四一部隊（要人警護の特別部隊）の将校をつうじて、周恩来のもとにとどいてからの彼の対応は、まさに精緻なコンピューターが始動したごとくであり、幹部保護にみせた弱々しい姿とは別人のようである。

周恩来は二五六機を北京にもどすよう指示するとともに、追及をはじめた。周恩来は空軍司令、総参謀長、そして周恩来総理の連名の許可がなければ同機の離陸を許さぬよう命じた。しかし、林彪機は強行離陸した。

周恩来は人民大会堂の執務室（文革期には人民大会堂にも執務室をもうけていた）から中南海の毛沢東

に報告するとともに、安全のために毛沢東を人民大会堂に移し、事件が一段落するまでの三日三晩、一睡もせずに人民大会堂の執務室で指揮をとりつづけた。

まず華北地区のレーダー基地に監視を命じ、さらに全国にむけて飛行禁止命令をだした。七一年九月十三日午前一時半頃、空軍司令呉法憲《ごほうけん》が電話で指示をもとめてきた。専用機はまもなく国境をでるが、妨害すべきか、それとも見逃すのか、と。周恩来が毛沢東の指示をあおぐ。毛沢東いわく「雨はふるものだし、娘は嫁にいくものだ。どうしようもない、いくにまかせよ」。レーダーの機影は一時五五分に突如きえた。

十四日朝、モンゴル政府外交部は中国大使許文益《きょぶんえき》をよび、中国機の領空侵犯、墜落事件について抗議した。十五日、許文益ら中国大使館関係者は墜落現場をおとずれ、単なる不時着の事故として処理し、九つの遺体は十六日モンゴルの習慣にしたがって火葬せずに現場に埋葬された。

林彪事件に対する周恩来の処理は、あまりにも的確であったために、かえってその後、さまざまな憶測がくりかえしあらわれることになった。秘密保持が徹底していたために、中国政府外交部でも党核心小組の符浩《ふこう》（元日本大使）らごく一部の者しか事情をしらなかった。実は許文益大使をはじめ、モンゴル駐在大使館の一人として、だれの遺体かをしらずにモンゴル政府と折衝し、遺体を現場に埋葬したのであった。

皇帝の一声

林彪事件後、毛沢東は文化大革命の失敗を自覚して、軌道修正をはかろうとしていた。七二年一月六日、文革派の標的となった陳毅《ちんき》が死去し、十日に追悼会がひらかれた。毛沢東は病をおしてこれに出席するとともに、「文革の被害者鄧小平」の名を口にした。

この直後に鄧小平は二通の自己批判書簡を書いた。七二年八月三日付鄧小平書簡に対して、毛沢東は八月十四日付で次の批語を書いた。

「総理に閲読してもらったのち、汪主任（汪東興中央弁公庁主任）に手渡して印刷し、各同志（政治局委員）に配付されたい。鄧小平同志の犯した誤りは重大である。しかし劉少奇とは違いがある。

(1)彼は中央ソビエト区で闘争にかけられたことがある。すなわち鄧小平、毛沢覃《もうたくたん》、謝唯俊《しゃゆいしゅん》、古柏《こはく》、四罪人の一人であり、毛派の頭として失脚した人物であった。彼を闘争にかけた材料は『両条路線』（中共中央書記処編、現代資料研究所、一九八七年復刻版）、『六大以来・党内秘密文件』（同上）の二書におさめられている。彼を闘争にかけたのは張聞天である。

(2)彼には歴史問題はない。すなわち敵に投降したことはない。

(3)彼は劉伯承同志を助けて戦い、戦功があった。

このほか、都市の解放以後、よいことをしなかったわけでもない。たとえば代表団をひきいてモスクワにいき交渉したが、彼はソ連修正主義に屈伏しなかった。これらのことを私は過去にいくども語ったが、いまもう一度いっておく。毛沢東。七二年八月十四日」

この二〇〇字たらずの「毛沢東批語」によって鄧小平の復活が決定したのであるが、もし周恩来の機転なかりせば、鄧小平復活はもっと遅れた可能性がある。陳毅の告別式における毛沢東の態度から心中を忖度し、王震《おうしん》をつうじて鄧小平とひそかに連絡をとり、自己批判の書簡を書くようすすめたのであった。

こうした舞台裏を毛沢東がどこまで承知していたかはわからないが、皇帝毛沢東の片言隻句は、すべて政治的なメッセージとうけとられていた。毛沢東晩年の政治のあり方を示すひとコマである。

鄧小平復活

七三年二月、鄧小平は家族ともども、三年半の監視生活をおくった江西省南昌から北京にもどり、三月七日、党の組織生活と国務院副総理の職務を回復した。八月の第一〇回党大会では中央委員にえらばれた。

七三年十二月十二日、中南海の毛沢東書斎で政治局会議がひらかれた。書斎によびつけられて毛沢東の発言に耳をかたむける政治局委員たちの態度は、党の会議に参加したというよりは、長者の訓導《くんどう》と教《きょう》誨《かい》をうける姿に似ていた。

毛沢東は「政治局は政治を論議せず、軍事委員会は軍事を論議しない」と、政治局および軍委を批判しつつ、こう宣言した。「いま、一人の軍師に来てもらった。鄧小平だ。政治局委員、軍委委員になってもらうので通知されたい」「政治局に秘書長をもうけてはとおもうが、この名称がよくないならば、参謀長になってもらおう」。在席の政治局委員は静かに聞くのみ。

毛沢東がかたわらの鄧小平にむかっていう。君は人さまからいくらか恐れられている。君の性格をしめす二つの言葉は「柔中に剛あり、綿中に針を蔵す」だ。外面は穏やかだが、シンは鉄のように堅い。風が吹けば桶屋がもうかるような論理だが、林彪事件のゆえに、陳毅が名誉回復し、鄧小平の復活に連動した。そして、復活した鄧小平は「巻き返しはやらない」といった自己批判はかなぐりすてて、脱文革路線をすすめた。一九七六年四月五日の第一次天安門事件を契機として、またも失脚したが、四人組粉砕以後かえり咲いて、改革開放の路線を大胆にすすめることになる。

鄧小平はその後、記者の問いに答えて次のような周恩来論を語っている。

「われわれは早くから知りあいになり、フランス苦学時代には一緒にくらした。私にとって終始兄事すべき人物であった。われわれはほとんど同じ時期に革命の道を歩いた。彼は同志と人民から尊敬された人物である。文化大革命のとき、われわれは下放したが、幸いにも彼は地位をたもった。文化大革命のなかで彼のいた立場は非常に困難なものであり、いくつも心に違うことを語り、心に違うことをいくつもやった。しかし人民は彼を許している。彼はそうしなければ、そういわなければ、彼自身も地位をたもてず、中和作用をはたし、損失を減らすことができなかったからだ」

鄧小平は、宰相周恩来にも言論の自由がなかった、といいたいごとくである。これは一体どうしたことか。無数の革命家たちの累々たる死屍の上に樹立されたこの政治体制の不条理をよく物語るものであろう。

スターリン「大粛清」と文化大革命

毛沢東は五六年一二月に、スターリンの反革命粛清のやり方を批判して、こう述べたことがある。「われわれはソ連の経験を学ぶよう提起しているが、ソ連のおくれた経験を学べといったことはない。ソ連にはおくれた経験はあるか？　しかり、たとえば大粛清である。ソ連では公安部門が実行したが、中国では機関、学校が実行し、地方党委員会が指導した。公安部門が主な責任をおったのではない」。

毛沢東はここで建国直後におこなわれた反革命粛清工作が、ソ連のマイナスの経験を教訓としつつ、成功裡《り》におこなわれたと総括している。しかし、問題はこれでおわらなかった。この一〇年後に文化大革命がおこなわれたが、これは反革命粛清工作の継続の側面をもっていた。

文化大革命とソ連の大粛清の比較を論じた興味ぶかい論文がある。

「大粛清と文化大革命の悲劇には、共通の歴史的原因、社会的原因がある。両者ともに集権体制、個人崇拝、経済的後進性、思想認識の一面性、封建独裁制の残滓などの要素がかさなって作用した結果である」。

この論文は、両者に共通する要素として、⑴政治体制の面では個人崇拝、集権体制、官僚主義などの矛盾が激化していたこと、⑵経済的後進性という条件のもとで農業集団化、工業化を加速しようとして矛盾が激化したこと、⑶イデオロギー面では、その理論に欠陥があったことを指摘している。

くわえて、ソ連におけるツァーリズムの遺制、中国における封建遺制がそれぞれの社会心理の基礎として存在したと分析している。

論者の問題意識は次の一句に示されている。「歴史は改革を要求している。時代は改革をよびかけている。社会主義国は経済体制改革をおこなうだけでなく、政治体制改革とイデオロギー領域での改革をおこなわなければならない。そうしてはじめて大粛清と文化大革命のような悲劇の再演をさけることができよう」。

この論文の基調は、天安門事件直前の中国知識界の風潮を反映しているようにおもわれる。しかし天安門事件以後、政治体制改革にかかわる議論はとだえた。

四　新外交と孤独な皇帝

ソ連主敵論への転換

文革期の中国をとりまく異常な熱気をささえていたのは、ベトナム戦争である。ベトナム戦争がエスカレートし、中米戦争に発展するかもしれないという危機感のなかで、彼らは社会主義を守るために防衛体制を強化しなければならないと考えていた。

しかし、六八年のチェコ事件(プラハの春の武力鎮圧)以後、中国はソ連を「社会帝国主義」と断罪するようになり、中ソ関係は極度に悪化、六九年には国境衝突さえ頻発《ひんぱつ》していた。いまや敵国はアメリカ帝国主義だけではなく、ソ連社会帝国主義がこれに加わった、と毛沢東は判断した。

古来、遠交近攻という格言があるから、遠いアメリカよりは、近くのソ連が危険な敵だと判断したのかもしれないし、ソ連の修正主義者と中国の修正主義者(文革の標的とされた実権派たち)の結託《けったく》を恐れたのかもしれない。いずれにせよ、毛沢東はここで昨日の敵アメリカと手をむすび、ソ連と対決する決意をかためた。

毛沢東と周恩来が対米接近の秘密接触をはじめたとき、毛沢東と林彪との矛盾が爆発した。林彪が毛沢東暗殺に失敗し、逃亡過程で墜死する劇的な事件が発生したのである。アメリカ主敵論からソ連主敵論への転換のためには、親密な戦友の死という犠牲が必要だったことになる。

ニクソン訪中秘話

周恩来・キッシンジャー間の秘密外交をへて、七二年二月二十一日、アメリカ大統領リチャード・ニクソンが北京を訪問し、毛沢東、周恩来と会見した。

ニクソンが毛沢東の書斎に入室したとき、彼は秘書に助けてもらわなければ立ちあがれないほど健康が衰えていた。毛沢東は「もううまく話せない」と弁解する。かたわらの周恩来があとで気管支炎のためと説明したが、ニクソンには中風ではないかとおもわれた。当初は一五分間の予定だったが、毛沢東が議論に熱中し、会談はついに一時間におよんだ。

キッシンジャーがハーバード大学で教鞭《きょうべん》をとったとき、学生に毛沢東の著作をよませたことに言及すると、毛沢東は「私の書いたものはどうということはない。学ぶべきものなどない」と謙遜した。ニクソンが「主席の著作は一つの民族を突き動かし、世界全体を変えた」と語ったところ、「私には世界は変えられない。北京郊外のいくつかのところを変えられるだけだ」と答えた。

ただ、毛沢東の頭脳は明晰であった。「われわれ共通の老朋友《ラオポンヨウ》蔣介石委員長はこれが嫌いだ」といい、手を動かした。そのジェスチャーは米中会談をさしたのかもしれないし、大陸をさしたのかもしれない。「彼（蔣介石）はわれわれを共匪とよんでいる。最近彼がしゃべった講話をよんだかね」「蔣介石が毛主席を匪とよぶとき、主席は彼をどうよぶのですか」とニクソンがたずねたところ、毛沢東は笑いだした。周恩来が答える。「一般的にいえば、われわれは〝蔣幇《チアンパン》〟とよぶ。われわれが彼を匪とよぶと、彼は逆にわれわれを匪とよぶ。要するに、われわれはたがいに罵倒しあっている」。ここで、毛沢東がすかさず釘を刺す。「実はわれわれと彼（蔣介石）の交際は、あなた方と彼の交際よりもはるかに長いのだ」と。毛沢東はここでのちに「上海コミュニケ」にもりこまれた「中国は一つ」という考え方を表明している、とニクソンは解釈した。

ブッシュのみた毛沢東

ブッシュ大統領は、かつて中国駐在連絡事務所（大使館の前身）代表をつとめたことがある。毛沢東との会見にも二回同席している。一回目はキッシンジャーの訪中時（七五年十月二十一日）、もう一回はフォード大統領の訪中時（七五年十二月二日）である。

キッシンジャー一行が書斎にはいると、八一歳の毛沢東はソファに腰かけていたが、王海容《おうかいよう》、唐聞生《とうぶんせい》に助けられて立ちあがった。

キッシンジャーが健康状態を聞くと、毛沢東は頭を指さして「このはたらきは正常で、食べることも寝ることもできる」といい、今度は太ももをたたいて「これはつかいにくい。歩くときに立てない。肺にも病気がある」と説明した。「ようするに私は訪中者のために準備された陳列品にすぎない」と冗談をいった。

部屋を見わたすと、机上にはたくさん本がおいてあり、部屋の対面の机上には注射針や小型の酸素マスクなどがおいてあった。毛沢東いわく、「もうすぐ神に会いにいく。神の招待状をうけとっている」。キッシンジャーが笑いながら「うけとってはなりませぬぞ」という。毛沢東が紙切れに苦労して数文字書いた。王、唐が立ちあがってよむと「ＤＯＣＴＯＲの命令を聞く」と書いてあった。ＤＯＣＴＯＲの命令と書いたのは、キッシンジャー博士と毛嫌いしている主治医の双方をさしていた。

毛沢東は話題をかえて片手で拳骨をつくり「あなた方はこれだ」といった。ついで別の手から小指一本を突きだし「われわれはこれだ」、「あなた方には原爆があるが、われわれにはない」といった。実は中国には一〇年も前から原爆はあるのだが、彼はアメリカの軍事力の強大さを強調したつもりなのだろう。

キッシンジャーが「中国側は軍事力がすべてを決定するわけではないと考えているし、米中双方は共通の相手（ソ連）をもっている」と指摘したところ、毛沢東はまた紙に「ＹＥＳ」と書いた。

毛沢東は台湾問題について「時期が来れば解決できる。おそらく一〇〇年あるいは数百年必要だろう」と述べた。ブッシュはこのとき、中国人がこのような表現を用いるのは外国人にふかい印象をあたえようとしてのことである。彼らは時間と忍耐心という武器を用いて性急な西洋人に対処しようとしている、と判断した。

毛沢東は話しているうちにますます興にのった。頭を動かし、ジェスチャーを示していう。「神はあなた方を助けてくれるが、われわれを助けてくれない。われわれが戦いを好む者であり、共産主義者であるからだ」。

周恩来外交の高評価

国務院総理としての周恩来の活動は、さまざまな分野にわたるが、とりわけきわだっているのは外交活動である。新中国の外交を、周恩来をぬきにして考えることはできないほどである。これは『周恩来外交文選』（外交部・中共中央文献研究室編、中央文献出版社、一九九〇年）におさめられた、八〇篇の講話や談話がよくしめしている。『研究周恩来——外交思想与《と》実践』（裴堅章主編、世界知識出版社、一九八九年）と題する研究書もある。

これらの本から、五四年のジュネーブ会議、平和共存五原則の提起、日中関係正常化、台湾問題と米中関係改善、国連の議席回復問題など、新中国の外交的課題のほとんどすべてにおいて、周恩来が大活躍していたことがわかる。では周恩来外交の核心は何か。

王文博《おうぶんはく》は中仏国交回復の例から、つぎの四ヵ条にまとめている。(1)各国を区別してあつかうこと、はたらきかけをたくさんおこなうこと。(2)相違点を棚あげして、共通点をさがすこと。(3)平等な態度で協議をすすめ、相手側の選択を尊重すること。(4)原則を堅持しつつ、たくみに妥協すること。

(1)ではフランスの立場がアメリカやイギリスとは異なることに着目し、フォール首相の訪中のためにさまざまなはたらきかけをおこなったことをさしている。周恩来は国内において統一戦線づくりにたくみであったが、外交は国際的統一戦線づくりであり、逆にいえば敵陣営に対する各個撃破である。

周恩来の才能と知性に感服した外国人は少なくない。キッシンジャーは、いままでに会った人物のなかでもっともふかい感銘をうけた二、三人のうちの一人にかぞえ、「上品でとてつもなく忍耐づよく、並々ならぬ知性をそなえた繊細な人物」と評している。ハマーショルド（元国連事務総長）も「外交畑でいままで私がであった人物のなかで、もっともすぐれた頭脳の持主」と断言している。

これらの証言を引用しつつ、『周恩来伝』（*Chou, The Story of Zhou Enlai 1898-1976*, Dick Wilson）を書いた

ジャーナリスト、D・ウイルソンはケネディやネールと周恩来をくらべ、「密度の濃さが違っていた。彼は中国古来の徳としての優雅さ、礼儀正しさ、謙虚さを体現していた」と最高級のほめ方をしている。

周恩来の才能が外交面でとくに目立つのは、彼の個性とかかわっているようにおもわれる。周恩来の才能はあたえられた戦略のなかで、どのように戦術を駆使して目的をたっするか、という仕事のすすめ方のなかでもっともよく発揮され、その過程と結果はだれをも感服させるようなたくみさであった。

米中接近への思惑は、脱文革の意図を秘める周恩来と継続革命をねらいつつ方向転換を模索する毛沢東の間に矛盾があるし、また米中間には台湾問題という実にやっかいな争点がひかえていた。これら錯綜した糸のもつれを一刀両断ではなく、根気よくときほぐしていくような仕事を、周恩来は用意周到にすすめて成功させたのである。

毛沢東の江青批判

一九七二年秋、アメリカの女性中国研究者ロクサーヌ・ウィトケ（ニューヨーク州立大学助教授）が訪中した。彼女は中国のウーマン・リブについての本を書く予定で、中国対外友好協会は、鄧穎超（周恩来夫人）、康克清《こうこくせい》（朱徳夫人）など、この分野の先達との会見を予定していた。ところが江青がこの話を聞きつけ、みずから周恩来に電話をかけ、ついに六日間つきあい、六回にわたってしゃべりまくった。

江青の談話記録は十数冊のタイプ稿に整理され、周恩来、張春橋、姚文元のもとに審査のために回された。周恩来は数十万字の原稿をよんだが、機密にかかわる部分があるので毛沢東のもとに回覧し、封印措置をとった。著者ウィトケは『江青同志』の名で出版をすすめていたので、中国側は外交官をつかって版権を買いとり、中国に送った。

毛沢東はたいへん怒り、「孤陋《ころう》にして寡聞《かぶん》、愚昧《ぐまい》にして無知。ただちに政治局をおいだし、袂《たもと》をわかつ」と批語を書いて、周恩来のもとにもどした。とはいえ、毛沢東が怒りはしたものの、実際に江青を処分する決意をかためたものではないと判断した周恩来は、しばし執行を延期するほかなかった。

七四年七月十七日、毛沢東は政治局会議を主宰したさい、面とむかって江青を批判した。「江青同志、君は注意しなさい！　他人は君に不満があっても面とむかってはいいにくい。君はそれを知らない」。夫婦間のこうしたやりとりのあと、毛沢東は在席の政治局委員たちにこう言明した。「聞いたかね。彼女は私を代表していない。彼女は自分を代表できるだけだ。彼女に対しては一をわけて二となす、の態度をとる。一部はよいが、一部はよくない」。

政治局会議での夫婦喧嘩というのも妙なものだが、実際には別居してすでに一〇年であるから、元夫婦の対話である。ここでの議題は、イタリアの映画監督アントニオーニの映画であった。周恩来が許可してこの映画の撮影がおこなわれたが、江青はこれに難クセをつけ周恩来をおとしいれようとしていた。最後に毛沢東はこういった。「彼女は上海幇だ。君たちは注意したまえ。四人の小セクトをつくってはならない」。

四ヵ月後の十一月十二日、毛沢東は江青への書簡にこう批語を書いた。「あまりでしゃばるな。文件を批准してはならない。お前が（黒幕となって）組閣してはならない。お前は怨みを買うことはなはだしい。多数の者と団結しなければならない。申しわたす」「人は己れを知る明をもつことを尊しとする」。

なぜ老人が皇帝たりえたのか

江青は四月二十七日の政治局会議で自己批判し、さらに後日、自己批判書を書いた。これに対して毛沢東は七五年五月三日こう指摘した。「〝四人組〟問題は（七五年）前半に解決できなければ、後半に解決する。今年中に解決できなければ、来年解決する。来年解決できなければ、再来年に解決する」。毛沢東のいう「解決」の意味はよくわからない。ただし、華国鋒はこの批語にもとづいて四人組逮捕を敢行した。

晩年の毛沢東は四人組と周恩来、鄧小平らの間でゆれていた。とくに最後の批語は未練たっぷりであり、解決したいのか、したくないのかよくわからない。毛沢東の老衰ぶりがよくあらわれている。

林彪事件以後、毛沢東は急速に老けこみ、ニクソン訪中前後から外国賓客の接見は、すべて自宅書斎でおこなっている。七三年八月の一〇回党大会には人民大会堂に顔をみせたが、通常の政治局会議はこの部屋にメンバーをよびつける形でおこなわれた。七四年十月から七五年二月まで一一四日間を、故郷の長沙でくらしたのをのぞけば、外出は北戴河へ静養にいく程度であった。

このような老人が権力の座にすわりつづけることができたのはなぜか。制度的には党の主席として、軍隊の指揮権をふくむ権限を一手に掌握していたからである。また、文革をつうじて、毛沢東の権威がほとんど神格化していたこともある。地位をおびやかすライバルは、惨死するか（彭徳懐、劉少奇、林彪など）、あるいは去勢されていた（周恩来）。

ようするに、毛沢東は中南海の厚い壁の外にほとんどでることなく、そこは要人警護の八三四一部隊によって厳重に守られていた。建国の直前、毛沢東自身が集団指導をよびかけていた党内民主主義はすでに片鱗《へんりん》さえなく、彼は皇帝そのものであった。

宰相の不自由な晩年

江青をはじめとする四人組の執拗な攻撃に周恩来はどのように対処したのか。一九七五年三月二十日、周恩来は毛沢東あてに病状を知らせる書簡を書いた。

「……治った瘡蓋《そうがい》がいま腫瘍《しゅよう》になった。良性であれ悪性であれ、手術してとるほかに治療方法はない。政治局の四人の同志（王洪文、葉剣英、鄧小平、張春橋――周恩来原注）は医療組報告を聞き、レントゲン写真とビデオを見て手術に同意している。以上を報告し、主席の批准を求める……」。

宰相の手術ひとつでさえ許可が必要なほど、皇帝の権力は肥大化していた。周恩来は中国人民を革命に動員するために、毛沢東神話の形成に尽力したが、その神話は文革期に決定的に肥大化し、変態し、いまやこのような形で周恩来を呪縛《じゅばく》するにいたっていた。

周恩来は七五年十月に四回目の手術をおこなったが、病状は進む一方であった。見守る葉剣英に対してこう遺言した。「闘争の方法に注意しなければならない。たとえどんなことがあれ、大権を彼らの手に渡してはならない……」。彼らとはむろん四人組をさしていた。

七六年一月八日午前九時五七分、周恩来の心臓が停止した。享年七七歳。停止までの十数時間、周恩来の病状は、不断に毛沢東のもとに報告されていた。このとき毛沢東はベッドに横たわり、『魯迅選集』をよんでいた。正午に昼食をとったあと二時間寝て、午後三時すぎに政治局から逝去訃告の清刷りがとどいた。

孟錦雲は毛沢東の精神状態が悪くないことを見とどけてから、周恩来の訃報をいつものようによみあげた。「中国人民の偉大なプロレタリア階級革命家、傑出した共産主義の戦士周恩来同志は、癌《がん》のために薬石効なく……」。毛沢東はゆっくり目を閉じて眉をかたくし、まもなく涙があふれ、頬にながれ、首にまでながれた。一言も発しなかった。

周恩来の葬儀は、七六年一月十五日午後におこなわれた。車椅子、酸素マスク、いっさいの救急装置などが手配され、毛沢東が葬儀に出席する手筈《てはず》がととのえられていた。しかし十四日夜、毛沢東はすわれないだけでなく、まったく立てないほどの状態だった。

孟錦雲が、周恩来葬儀の件を毛沢東に知らせるべきかどうか指示を求めると、汪東興は「葬儀に出席されたいとの通知を主席にだしていない。君たちは出席の有無を主席にたずねてはならない」。こうして毛沢東は周恩来の葬儀の日時を知らされなかった。

毛沢東の欠席はさまざまの憶測をよんだ。「毛沢東は他のいかなる者にも、自分の威望をこえることをゆるさない」「周恩来が病院からでて四期全人代の政府工作報告をおこなったとき、人民大会堂の爆発的な拍手が数分つづいた。毛沢東は現場でその熱烈な場面をみて、嫉妬の念を禁じえなかった」などなど。これらの憶測について、孟錦雲から晩年の毛沢東を取材した郭金栄《かくきんえい》は、こう書いている。

「晩年の毛沢東がほんとうに嫉妬ぶかくなったとしても、彼の良心、ヒューマニズム、感情が嫉妬によってなくなるものであろうか」。周恩来死後の一時期、毛沢東の顔から笑みが消え、沈黙のつづくことが多かった。

遺骨は祖国の山河にまくべし

七六年一月十五日、周恩来の追悼会のあと、鄧穎超未亡人は身辺の人々、医療関係者などに、「遺骨は祖国の山河にまくこと、そうすれば肥料となり、魚の餌にできる。また遺体は解剖用に献体せよ」と彼がいいのこしたことを明らかにした。遺骨を空中からまいた経緯はこうである。

一月十一日、周恩来の遺体は大衆の見守るなかで、北京西郊の八宝山にて火葬され、遺骨は北京労働人民文化宮の霊安室に安置された。一月十五日午前、二台の紅旗乗用車が中南海西門をでて通県張家湾付近の三間房空港についた。おりたのは空軍副司令員、北京衛戍区司令兼八三四一部隊政治委員であり、会議室に消えた。

そこに待機していた空軍某特運団一大隊副隊長胥従煥《しょじゅうかん》、二中隊飛行員唐学文《とうがくぶん》に対して、張副司令員は、周恩来の遺骨をまく飛行任務を命じ、「この任務は機密性が高い。ごく些細なことも他言無用」と厳命した。

その日の夕刻、王洪文が釣魚台一一号楼から電話で計画の執行を命じた。その頃労働人民文化宮の正門前には数千の市民があつまっており、人ごみの中には私服の警官も多数ふくまれていた。何者かが周恩来の遺骨を強奪しようとしているとのウワサも、公安部にとどいていた。

六時四〇分、一台のベンツが五台のオートバイに守られて文化宮をでると群衆が追うが、これはオトリである。ついで中古のジープが文化宮をでる。護送する偽装警察車があとを追う。ジープはまもなく三間房空港につき、七二二五号機のそばに停車した。三〇×二〇センチの白い布袋四個が飛行機につまれ、離陸した。

機長が王洪文の命令どおりに密雲ダム上空で高度を五〇〇メートルにさげ、農薬散布器のハンドルを回すと、四個ともに密雲ダムに落ちていった。この記述は周恩来の警衛秘書だった高振普の「最後的《の》使命」(『人民日報』一九九一年七月二十一日)によってうらづけられている。

周恩来は遺骨をまくことを遺言して死んだが、ここには周恩来の最晩年の苦悩が象徴されているようにおもわれる。四人組から執拗な攻撃をうけていた周恩来は死後に墓をあばかれるような危険さえ憂慮していたのではないか。「遺骨強奪のウワサ」などは、周恩来後の指導権をめぐって四人組と鄧小平ら実務派との権力闘争がつばぜりあいの段階にあったことを示唆している。

民衆は四人組に対する嫌悪の情と周恩来追悼の念とをかさねて、慈母周恩来をしのんだ。とくに、墓をつくることさえ禁じた周恩来の遺言は民衆の琴線にふれ、清明節の天安門事件(第一次)として爆発した。

老人、毛沢東

毛沢東の晩年、身辺の世話をした若い女性が二人いる。張玉鳳《ちょうぎょくほう》(七一～七六年に毛沢東の生活秘書、機要秘書を務めた)と孟錦雲《もうきんうん》である。張玉鳳は回想録「毛沢東、周恩来二三事」(『炎黄子孫』一九八九年一期)を書いており、孟錦雲の回想は郭金栄『毛沢東的黄昏歳月』(郭金栄著、香港・天地図書、一九九〇年)として一冊の本になっている。

孟錦雲は七五年五月二十四日から七六年九月九日までの四八九日間、日夜つかえた。張玉鳳との四時間おき、六交替シフトである。つまり、毛沢東が寝ているときも起きているときも、たえず張玉鳳か孟錦雲がそばにいる形である。彼女たちは四時間以上つづけて寝ることは許されなかったので、睡眠薬を飲んで寝るのが普通だった。

毛沢東は七四年春に眼病をわずらい、診断したところ「老人性白内障」と診断された。このニュースは極秘にされ、周恩来、汪東興らごく少数の者にしか知らされなかった。七五年八月、本人の同意をえて手術がおこなわれ成功した。

この手術を成功させたのは眼科医唐由之《とうゆうし》である。一時間ちかくの手術の間、毛沢東は京劇『李陵碑』のレコードをかけて気をまぎらした。この手術をうけるよう毛沢東を説得したのは孟錦雲であった。眼の癒えた毛沢東は、孟錦雲がカーキ色のスカートをはいてあらわれたのをとがめて「色がよくない。赤いスカートをはきなさい。赤いバラのような。私がプレゼントしよう」と提案した。孟錦雲がいいつけ通りにしたところ毛沢東はたいへん喜んだ。

あるとき孟錦雲は、美容院にいくがどんな髪型にしたらよいかとたずねた。毛沢東の答えは「短髪がよい。前髪は切りそろえ、後髪はきっちりととのえるとよい」と実に具体的に指示した。後日、毛沢東好みの髪型のイメージは最初の夫人楊開慧のものだとわかった。

孟錦雲が身辺でつかえるようになったとき、毛沢東はすでに病気がちの老人であった。「毎日一三、一四時間はたらき、往々深夜二、三時になってからようやく寝る」生活はもはや過去のものとなっていた。薬を飲み、食事をたべさせてもらい、眠り、本や文件をよんでもらい、決裁する、そういう生活になっていた。

毛沢東は脳系統の病のために食事を飲みこむことが難しく、また手もひどくふるえ、箸ももてないので、張玉鳳が食べさせていた。毛沢東が水や、薬を飲み、果物を食べるときは、孟錦雲が助けるという役割分担であった。

七二年に毛沢東が重病になったさい、別の病院から動員された看護婦兪雅菊《ゆがきく》が静脈注射したところ、少しも痛くなかった。毛沢東は大いに気にいり、以来注射は兪雅菊ときめ、看護婦長にした。

晩年の読書『資治通鑑《しじつがん》』

毛沢東は『資治通鑑』を愛読し、一七回よんだと語り、孟錦雲相手に皇帝論を展開している。いわく「中国の皇帝は面白いね。ある皇帝はデキるが、ある者はまるで大バカだ。だが仕方がないな。皇帝は世襲だから、親父が皇帝なら息子がどんなにバカでも皇帝になる。これは息子をせめてもはじまらない。生まれたら即皇帝なのだから。二、三歳で皇帝になるという笑い話さえある」。

「中国史には三歳の皇帝がいるが、三歳の赤ん坊が車を引いたという話は聞いたことがない。六歳でも車は引けない。皇帝になることと車引きになることと、どちらが難しいとおもうかね。皇帝がバカだと、大臣どもがデタラメをやり、民百姓からかすめとる。民百姓が文句をいうと鎮圧するが、その方法は残酷極《きわ》まる。『資治通鑑』にこう書いてあるよ。当時の刑罰の一つだが、囚人の腹をさいて腸を引っぱって歩かせるものだ。その苛酷さに民百姓が我慢できなくなれば造反だし、皇帝が鎮圧できなくなれば、それでオシマイだ」。

孟錦雲がたずねる。王安石《おうあんせき》と司馬光《しばこう》は仇同士でありながら、友人だったとはどんな意味ですか。毛沢東いわく、「この二人は政治的には仇同士だった。王安石は変法をやろうとしたが、司馬光は反対した。

しかし学問上では二人は良き友であり、たがいに認めあっていた。これは学ぶべきだね。政見を異にするがゆえに人さまの学問を認めないのは、あってはならない」。それが容易じゃないと孟錦雲は文革期の内ゲバの例をもちだす。

毛沢東は説得をこころみたあと持論をくりかえす。「中国には二大史書がある。『史記』と『資治通鑑』だ。ともに才気はあるが政治的に志をえなかった境遇のなかで書かれたものだ。どうやら人が打撃をこうむり、困難にぶつかるのはまんざら悪いことでもなさそうだ。むろん、その人に才気があり、志がある場合の話だがね」。

ここで唐代の武則天《ぶそくてん》の墓碑の話になる。彼女が墓前の石碑に何も刻ませなかった故事は有名だ。私は八七年秋の訪中のさい、この碑の前で同行の人々とその理由を穿鑿《せんさく》しあった記憶がある。白紙のような碑面は、文字に書ききれないほど功徳が大きい意味だと解釈するのが通例である。

毛沢東は「功罪は後人に論評せしめよ」の意と解釈した。中国では由来「棺をおおいて論さだまる」という。毛沢東は武則天に托して、みずからの功罪評価を歴史にゆだねたのかもしれない。

毛沢東は読書が大好きであり、生命の最後の瞬間まで書物を手ばなさなかった。七六年九月七日、毛沢東は危篤《きとく》になり、混迷状態にはいった。このときも意識がもどると、本をよみたいと語った。毛沢東の発音はあいまいで声はかすかだった。慣れている張玉鳳や孟錦雲でさえも聞きとりにくいことがあった。

毛沢東が紙と筆を求め、ふるえる手で書いたのは「三」の文字。孟錦雲はすぐ理解した。「三木の本」であった。当時、日本で三木下ろしがはじまっていた時期で、毛沢東は『三木武夫』(中国で独自に編集した人物紹介であろう）を手にしてうなずいた。

しかしその本をささえるだけの力がすでに失われていた。孟錦雲がささえてやると数分間よんだあと、再び混迷におちいった。これが毛沢東、最後の本であり、よみおえることのなかった唯一の本となった。九月九日のことである。

毛沢東神格化を数字でみる

毛沢東が死んだとき、民衆はどう受けとめたであろうか。「救いの星」が落ちたのであるから、前途への不安を感じたであろう。テレビは泣きじゃくる人々の顔をクローズ・アップした。しかし、漠然とした開放感を感じた人々も少なくなかったはずである。とくに、文革期に毛沢東思想にそむいたカドで批判され、迫害されていた人々はそう感じたようである。

とはいえ、毛沢東はほとんど神格化されていたから、いぜんとして神の祟《たた》りにも似た恐れをいだいていた。中国人はその心理を「余悸《よき》」（事後にまだのこっている恐怖）と表現した。

一九六六年三月から七六年八月までに、全国一八二〇の印刷工場はすべて『毛主席語録』『毛沢東選集』『毛主席詩抄』を印刷する政治的任務をあたえられていた。この一〇年間に『語録』六五億冊、『選集』八・四億セット（すなわち三二・六億冊）、『詩抄』四億冊、大きさの異なる五種類の「毛沢東肖像」二二億枚を印刷した。このほか党政府機関、企業、大学などの付属印刷所で一七億冊が印刷された。

中国の人口を八億として計算すると、一人当り毛沢東バイブル一五冊、毛肖像三枚になる。このために四〇〇万トンの紙を使用し、紙および紙パルプの輸入額は、この一〇年のうち六年間、外貨使用の二位から五位をしめた。

ちなみにキリスト教の『バイブル』は一九世紀から二〇世紀末八〇年代までの一五〇年間に、四〇億冊印刷されただけであるから、毛沢東バイブルは世界記録である。

一九六六年五月から六八年八月までの二年三ヵ月で、全国二万の工場で毛沢東バッジが八〇億個以上製造され、六〇〇〇トンのアルミニウムおよびプラスチックを使用した。ちなみに五〇年代から七〇年代までの三〇年間に、世界中で製造された各種記念章は二五億個にすぎない。八八年のソウル・オリンピックにさいして各国で製造された記念メダルは一・八億個であるから、毛沢東バッジはオリンピック・メダル四四回分に相当する。


（初出：『毛沢東と周恩来』講談社現代新書、「3 皇帝と宰相」、一九九一年一〇月）

中国現代史再考――ロシア革命百年と文革五十年

文革は「五・一六通知」が象徴する破壊、「五・七指示」が象徴する建設、二つの側面を併せもつ。結果だけから「五・七指示」という理念まで否定するのは、その理念に導かれて行動した中国の若者たち、世界中の共鳴者たちを全否定することになる。文革失敗の原因を探ることは必要だが、負の現実を絶対視して文革全体の評価に及ぶならば、それは短絡のそしりをまぬがれない。内戦といってもよい状況におちいった中国ではあるが、ソ連とは違って解体の道を歩むことはなかった。なぜか。複眼的視点で文革の全体像をつかみとらねばならない。

小稿は二つの部分からなる。前半は、徐友漁教授の報告「文革とは何か」(明治大学現代中国研究所ほか編『文化大革命』白水社、所収)についての応答である。後半は文革という隣国の政治運動が日本でどのように受け止められ、影響を与えたかについての同時代の記録である。

一　徐友漁「文革とは何か」に対する応答

徐友漁「文革とは何か」は、たいへん優れた中国政治の分析であり、教えられることが多い。感受性の強い青年時代に文革を体験し、そこで提起された諸問題に誠実に向き合いながら現代を生きている中国知識人の知的営為が率直に語られていることを知って感動した。

「五・七指示」と「五・一六通知」の間——〈文革の起源〉再考

徐友漁は文革期に行われた事象を十カ条挙げている。[*1] これらは一九六六年の「五・一六通知」から一九七一年九月の林彪墜死までの五年間に見られた現象である。中共中央のいわゆる歴史決議にいう文革期は一九六六〜七六年の十年を指すが、徐友漁がここで一九六六〜七一年を文革期としているのは、彼がこの時期こそが文革期であると認識し、一九七一年九月の林彪事件以後は「脱文革期」と認識しているからであろう。

これは妥当な時期区分である。中共中央が一九六六〜七六年を文革期としているのは、この時期についての内容評価を避けて、単にこの時期に「文革と称する動乱」が存在したと記述したのみで、内容に立ち入らない姿勢であることを示唆している。徐友漁が一九六六〜七一年を文革期としているのは、文革の理念あるいは綱領が追求され、徐友漁自身を含めて中国の若者が運動に立ち上がったのは、この時期であったからにほかならない。

さて徐友漁の文革認識の出発点は「五・一六通知」である。これは内容を一瞥すれば明らかだが、いわば「破壊の綱領」であり、「中国の内なるフルシチョフ」打倒を呼びかけたものであった。これとは正反対に、いわゆる「五・七指示」は「建設の綱領」であった。[*2]

私見によれば、文革は破壊と建設の二つの顔をもつが、前者を象徴するのが「五・一六通知」であり、後者を象徴するのが「五・七指示」であった。実際に展開された文革は、ほとんど破壊（フルシチョフ修正主義の打倒）であり、建設の側面（中国のあらゆる組織を共産主義への学校とすること）は、破壊に覆い尽くされた感がある。「不破不立」というスローガンに即していえば、「(ブルジョア的な四旧を)破る」段階で力が尽きてしまい、「(共産主義の理想を)立てる」段階に到達する前に自壊・自滅した。

しかしながら筆者は、隣国にあって、第三者として観察する China Watcher の立場であったことによって、徐友漁のように、運動に直接参加した者とは異なる視点で文革を見てきた。そのような筆者から見ると、「五・七指示」を文革の原点と見るのがより妥当ではないかという見解になる。「五・七指示」

と「五・一六通知」との時間差は、わずか十日間に過ぎない。しかしながら、破壊の側から見るか、建設の側から見るか、これは大きな違いとなる。「五・七指示」を文革の原点と見るならば、毛沢東の掲げた、追求した理想をはっきりと把握できる。しかしながら、「五・一六通知」は「われわれの身辺に眠るフルシチョフ」打倒の呼びかけであり、そこには理想（主義）はない。いま中国内外の大多数の論者は徐友漁報告のように、「五・一六通知」を文革の起点と見る。

筆者はあえてその十日前、「五・七指示」を文革の原点と見たい。政治的目的とそれを達成する手段、政治的意図とその結果（帰結）については、特に失敗した場合に、手段の正当性が問われ、結果からその意図が論じられることが多い。これは当然だが、現代における社会主義運動（の失敗）を論ずる場合に、帝国主義の第三次世界大戦の可能性と、それに対する備えという危機意識を除外することは、対象を客観的に認識する妨げになる恐れがある。

実は「資本主義への移行」と「社会主義への移行」とは、人類史の発展段階という意味では共通する側面をもつが、決定的な相違点のあることを明確に再確認する必要がある。前資本主義から資本主義社会への移行は、共同体に浸透した商品・市場経済がしだいに共同体を解体して市場経済が代替する過程であった。

しかしながら、資本主義社会から社会主義社会への移行は、資本主義経済の胎内に社会主義的要素が生まれて、やがて代替するものではない。社会主義的要素が部分的に生まれたとしても、それは市場経済の力によって絶えず解体される。それゆえ社会主義への移行は「自然に、部分的に」行われるものではなく[*3]、社会主義革命を経て、目的意識的に社会主義的生産関係を構築していかなければならない。目的意識的理念に基づく現実社会に対する実践活動（働きかけ）という基本構造において、「理念と実践」との対立矛盾関係は、いかなる社会運動についても一般に見られることではあるが、社会主義運動や共産主義運動においては、とりわけ理念に導かれた実践活動が重視される本質があり、それは革命対象自体によって決定されるものと認識するのが古典的な社会主義・共産主義像であった。

毛沢東流にいえば、「認識（理論）⇩実践、再認識（理論）⇩再実践」の永続過程になる。毛沢東はこの文脈で共産主義への理念を「五・七指示」というわかりやすい言葉で提起したのであるから、文革はこの理念レベルから議論を始めるのが妥当なやり方である。

「羊頭狗肉」ではなく「竜頭蛇尾」——スターリン没後の社会主義

とはいえ、「羊頭狗肉」は世の習いであり、毛沢東は結局、「五・七指示」という羊頭を掲げて、「奪権闘争」という狗肉を売ったに等しい。「五・七指示」の美辞麗句は、奪権の道具に過ぎず、もともとこれを追求したものではないと断定する評価がいま広く行われている。この風潮に対して私は異議を申し立てる。それはあまりにも、梟雄論的毛沢東解釈に過ぎる。あまりにも一面的な解釈ではないか、と。文革がその理念にもかかわらず、竜頭蛇尾に終わったのは、様々の条件や制約のためであり、竜頭蛇尾という結果だけから即断して「五・七指示」という理念まで否定するのは、その理念に導かれて行動しようとした人々の意志を踏みにじるものではないか。理念においても実践においても、現実の運動過程においては過ちは避けられない。それらはやはり一つひとつ検証する必要があり、「盥の水とともに赤子を流す」類の愚行は避けねばなるまい。

徐友漁の十カ条のうち、「語録を振る個人崇拝」劇や「闘争会」等々、大部分は、毛沢東派紅衛兵あるいは造反派のやったことである。これに対して「血統論」は、文革初期に高級幹部の子弟、実権派子弟が造反派に対抗して、革命に貢献した老幹部の子弟は、紅衛兵として造反活動に参加する資格あり、と主張したものだ。

これらの文革事象のうち徐友漁は「人権侵犯と傷害事件」を特筆して、①軟禁・査問された者四百二十万人、②殺された者百七十二万人（不正常な死、死刑に処せられたものではないが、軟禁査問中に死んだ者は、死刑十三万人の十三倍）、③死刑に処せられた政治犯十三万人――という数字を挙げている。要するに、四百二十万人が査問され、うち半分弱の百七十二万人が死亡させられたが、これは死刑者十三万人の十三倍である。これらはむろん被害者側からの文革告発である。このような「負の現実」がなぜ生まれたのか、それを軽視することは許されないが、これらの「負の現実」を絶対視して、ただちに文革全体の評価に及ぶならば、それは短絡のそしりをまぬかれない。負の側面に覆い尽くされたなかにも、同時に正の側面がないわけではない。

徐友漁は、文革が起きた原因について、①政策対立説（新民主主義論を堅持した劉少奇 vs. 社会主義革命を急ぐ毛沢東）、②権力闘争説――という二つの見方を指摘しつつ、現実の文革は「政策対立と権力闘争」の両面からなると分析しているが、これは妥当な見方だ。

政策対立に決着をつけるのは「路線」闘争であり、これが「権力」闘争の勝敗に帰着するのは古今の革命史に見られる。スターリン没後、毛沢東は国際共産主義運動のナンバーワンを自任し、大躍進運動を発動したが、これは失敗し、飢餓を招き、声望を失った。

経済回復の過程で劉少奇の声望が高まったのは自然な成り行きだ。では、「声望の高い劉少奇」はなぜ敗れたか。その理由として徐友漁は、①大衆が事情を知らなかったこと、②毛沢東は陰謀で劉少奇をペテンにかけた――と分析する。すなわち一九六六年五～六月、毛沢東は北京を離れ（武漢東湖賓館に身を潜め）、劉少奇に日常工作を委ねた。劉少奇は北京大学の騒動について「工作組を派遣するという共産党にとって伝統的なやり方」で処理して、学生の反発を受けた。ここに見られる「学生の反発や抵抗」が自然発生的なものというよりは「中央文革小組により、仕組まれたもの」である事実もいまでは明らかになっている。

シモン・レイの著書は、「西太后が義和団を操縦したやり方」と「毛沢東が紅衛兵を使ったやり方」は似ているとする。[*4] 毛沢東が「自らの統治下で生じた民衆の不満」を「政敵の責任」として相手側になすりつけたと指摘した箇所を徐友漁は引用した。これは西側の人々にとってはわかりやすい説明ではあるが、当時大陸を追われて香港に逃れたカトリック神父[*5]のシニカルな観察であり、その例示により説明することに筆者は違和感を感ずる。

日本では故大宅壮一の「ジャリ革命」の表現が一世を風靡した。[*6] これらは外部世界で広く受け入れられた見方ではあるが、数少ない情報から文革を受け止め、揶揄したものに過ぎない。西側でそのような評価が行われたことは事実だが、これは文革の一断面に過ぎない。

徐友漁は、文革について理想社会を実現するというスローガンを掲げつつ、結果的には「専制政治を強化した政治運動」ととらえる。理想社会づくりという「羊頭」を看板に掲げて、実際には「狗肉」を売る商法、悪徳商法はしばしば見られる。では、毛沢東が「理想社会の実現」を掲げたのは、「専制政治の強化」という目的を隠すためであったのか。私見によれば、ここに文革評価の大きな分岐点がある。「秦の始皇帝の百倍も焚書坑儒した」[*7]とは、毛沢東自身の開き直りだが、専制政治の強化という一つの帰結から文革を総括するのは、一面的な評価ではないか。

毛沢東の発想を内在的に読むならば、これは文革の理想が実現できず、失敗した結果として、「専制政治の強化に帰結した」と受け取るのがよい。「羊頭狗肉」ではなく、まさに「竜頭蛇尾」と私は解する。竜頭を描こうとして、結果的に蛇尾に終わった。革命や社会主義建設とは、元来目的意識的行為であり、理念に導かれて運動を起こす。しかしながら、その運動がただちに成功するとは限らず、往々失敗に終わる。

文革の失敗という現実を腑分けして、原因を探ることは必要だが、ここから「文革理念自体を疑う」見方には賛成できない。毛沢東が「理想社会の実現」を提起したとき、中国内外の人々がこの理念に共鳴し、行動を起こしたのは、当時の国際情勢のもとで、確かにそのスローガンが反帝国主義戦争という時代の要求に適合したからと筆者は見る。当初の共鳴者は次第に、運動過程の推移につれて離れ、やがて失敗につながる。こうして文革が結果的に「専制政治の強化に終わった」と見る事実認識を否定するものではないが、この帰結は当初から意図したものではなく、あくまでも結果論であろう。毛沢東の「五・七指示」に見られる意図（初心）と政治的失敗という帰結を腑分けして検討すべきと考える。

「造反」の様々なる意匠——独立意識から超修正主義まで

文革後の情況を人民・公民・市民の側から見ると、その「独立意識」が強まり、他人の「思考を借りる」のではなく、自ら思考する人々が成長した。これは人々が文革から学んだ最も貴重な政治的体験であるが、これは造反の経験から生まれた。造反を通じて、共産党＝神聖・無謬論が否定され、中央指導部の権威が喪失した。毛沢東はスターリンの権威・亡霊に悩まされつつ、中国革命を進めた。大躍進運動や文革は、毛沢東から見ると、中国独自の道の模索を意味した。そして文革は、中国の若者から見て、毛沢東の権威を含めて「すべては疑い得る」というマルクスの座右の銘を再確認する機会となった。「中国の若者たちが社会主義を疑うことを学んだことが文革の最大の教訓であった」と筆者矢吹は、小著『文化大革命』(講談社現代新書)の結びで書いた。

すなわち、「文革は現実の社会主義に対して、まず修正主義論の角度から疑問を提起し、ついで社会主義の内実を根底から懐疑する精神を植えつけ、中国の近代化を根本的に再考する契機を与えた」、「中国の若者たちは、いま毛沢東型社会主義を反面教師として二一世紀の中国社会のあり方を模索している」と(三二五頁)。

エンゲルスは『空想から科学へ』においていわゆる空想的科学主義とマルクス主義との一線を画すものとして、科学的社会主義論を唱え、そこから前衛党の「科学性」を強調した。その結果「前衛党神話」が人々の思考を束縛するようになった。挫折したとはいえ毛沢東が「五・七指示」に象徴されるような社会主義の理想を再提起することによって、「スターリニズムの神話」を破壊した功績は大きい。

神話批判は毛沢東に始まるのではないが、毛沢東以前のスターリニズム批判は、これに対置する実践運動を欠いていた。毛沢東の場合は、中国的社会主義、あるいは社会主義への中国の道というオルターナティブを具体的に提起したことによって世界の社会主義運動に衝撃を与えた。一九六六年に毛沢東の挑戦を受けて、修正主義あるいは社会帝国主義と断罪されたソ連社会主義体制は、その後二十五年しか維持できず、一九九一年に解体した。

紅衛兵たちの挑戦を受けながら、生き延びた中国社会主義（修正主義）は、ソ連とは違って解体の道を歩むことはなかった。なぜか。計画経済体制の枠組みのなかに「市場経済を密輸入した」ことによる。リーベルマン流の利潤導入を修正主義と呼ぶならば、市場経済を全面的に導入した中国経済は、超修正主義であり、資本主義経済と変わらない。それによって生産力の発展＝経済発展に成功し、米国経済の規模に迫る経済大国に成長した。

中国の歩みは、生産力・生産関係の構図から見ると、次のように説明できよう。

かつて文革期には社会主義的生産関係を一面的に強調する結果、「生産力の発展」を妨げる帰結をもたらした。そこで「貧困の平等」「平均主義」に陥ったと批判され、中国の経済政策は、鄧小平の白猫黒猫論（本書一五六頁五行〜参照）に代替され、生産力重視に軌道を修正した。文革期に「修正主義経済学の元祖」として投獄された経済学者孫冶方[*8]や顧準[*9]の主張した「価値法則」（後述）を名誉回復させ、その調節メカニズムを容認した結果、生産力が勢いよく発展した。この過程で生産関係は、名実ともに「資本・賃労働」関係に再編された。[*10]諸階級間の所得格差は空前に拡大し、その格差は新たな要因として労働者や資本家に対してより高い賃金や利潤を求めて移動するように迫る。一連の自動メカニズムによって資本・賃労働からなる生産関係はますます強化された。こうして、毛沢東時代の「生産関係の一面的強調」から一転して、鄧小平時代には「生産力の一面的強調」へと振り子は大きく揺れた。

徐友漁は「文革への誤解」に基づく郷愁ムードの危険性を警告する。文革が「腐敗をなくし、社会を清掃した」と見るのは誤解だ。中国には「第二の毛沢東を夢見る者」（習近平を指すか）があり、多くの者が「内心の深いところで、プチ毛沢東である」という。この一句は卓抜な警句だ。この種の「中国的心情」をとらえることによって毛沢東は人々を動員できた。民主化運動を構想する側もまた、この心情を巧みにとらえることなくして政治的多数派を形成することはできまい。徐友漁の結論は、総じて文革は「中国の悪夢」であり、習近平のいう「中国の夢」がこの悪夢につながってはならないと結ぶ。

二　隣国日本から見た文化大革命

毛沢東の文革理念——「五・七指示」への共鳴

「五・七指示」は解放軍総後勤部の農業副業生産についての報告に対する批示（コメント付き決裁）として、毛沢東が林彪宛て書簡の形で書いたものである。一九六六年五月十五日に全党に「通知」されたが、その際に歴史的意義をもつ文献であり、マルクス・レーニン主義を画期的に発展させたものと説明された。六六年八月一日付『人民日報』社説（「全国は毛沢東思想の大きな学校になるべきである」）のなかで、その基本的精神が説明された。この社説から当時の「五・七指示」の意義づけが知られる。

「五・七指示」の描いた共産主義モデルは次のようなものだ。仮タイトルをつけて全文を引用する。

①世界大戦の有無にかかわりなく「大きな学校」を作ろう——世界大戦が発生しないという条件のもと

で、軍隊は大きな学校たるべきである。第三次世界大戦という条件のもとにあっても、大きな学校になることができ、戦争をやるほかに各種の工作ができる。第二次世界大戦の八年間、各抗日根拠地でわれわれはそのようにやってきたではないか。

②軍隊は「大きな学校」たれ（共産主義への移行形態としての「大きな学校」）――この大きな学校は、政治を学び、軍事を学び、文化を学ぶ。さらに農業副業生産に従事することができる。若干の中小工場を設立して、自己の必要とする若干の製品、および国家と等価交換する製品を生産することができる。この大きな学校は大衆工作に従事し、工場農村の社会主義教育運動に参加し、社会主義教育運動が終わったら、随時大衆工作をやって、軍と民が永遠に一つになることができる。また随時ブルジョア階級を批判する文化革命の闘争に参加する。こうして軍と学、軍と農、軍と工、軍と民などいくつかを兼ねることができる。むろん配合は適当でなければならず、主従が必要である。農、工、民の三者のうち、ある部隊は一つあるいは二つを兼ねうるが、同時にすべてを兼ねることはできない。こうすれば、数百万の軍隊の役割はたいへん大きくなる。

③労働者のやるべきこと――同様に労働者もこのようにして、工業を主とし、兼ねて軍事、政治、文化を学ぶ。社会主義教育運動をやり、ブルジョア階級を批判しなければならない。条件のあるところではたとえば大慶油田のように、農業副業生産に従事する必要がある。

④農民のやるべきこと――人民公社の農民は農業を主とし（林業、牧畜、漁業を含む）、兼ねて軍事、政治、文化を学ぶ。条件のあるときには集団で小工場を経営し、ブルジョア階級も批判する。

⑤学生のやるべきこと――学生も同じである。学を主とし、兼ねて別のものを学ぶ。文を学ぶばかりで

なく、工を学び、農を学び、軍を学び、ブルジョア階級を批判する。学制は短縮し、教育は革命する必要がある。ブルジョア知識人がわれわれの学校を統治する現象をこれ以上続けさせてはならない。
⑥第三次産業のやるべきこと——商業、サービス業、党政機関工作人員は条件のある場合にはやはりこのようにしなければならない。
⑦この構想の性格について——以上に述べたことは、なんらかの新しい意見だとか、創造発明だとかではなく、多くの人間がすでにやってきたことである。ただ、まだ普及していないだけなのだ。軍隊に至ってはすでに数十年やってきたが、いまもっと発展しただけのことである。

「五・七指示」の内容を分析すると、その核心は「分業の廃棄」である。マルクスは『ゴータ綱領批判』のなかで、分業から解放され、個人が全面的に発展する社会を構想している。毛沢東はここでマルクスにならって、「分業の廃棄」を強く打ち出している。ただし、マルクスは資本主義社会の到達した高度の生産力を前提として分業の廃棄を考えたが、毛沢東の場合は中国の遅れた経済、自然経済を多分に残した段階でそれを提起した点で、とりわけ日本の左翼知識界に衝撃を与えた。生産力の「発展段階を軽視した」点でいえば、毛沢東を空想的社会主義者と見る向きは当時から少なくなかったが、ソ連型社会主義＝スターリニズムが社会主義の理想とははるかに隔たっている現実に失望し、社会主義への展望を見失っていた当時の日本の左翼世界において、毛沢東の文革理念は衝撃をもって受け取られた。

当時の国際情勢──ベトナム戦争から第三世界のゲリラ闘争へ

これにはもう一つ、当時の国際情勢が関わっていた。沈志華教授の新著『最後の天朝』（岩波書店、第七章）は、次のように描く。

▽林彪「人民戦争の勝利万歳」

一九六五年九月三日『人民日報』は林彪署名の「人民戦争の勝利万歳」を掲げ、毛沢東の農村から都市を包囲し、武力で政権を奪取した中国の経験がアジア、アフリカ、ラテンアメリカの革命闘争に「普遍的かつ現実的な意義をもつ」と主張した。中国のゲリラモデルの世界的展開による世界革命の提唱であった。この「革命外交」により、インドネシアで九・三〇事件（軍事クーデタ未遂事件）が起こる。毛沢東は一九六七年一月十七日、マラヤ共産党チェン・ピンに対して「五四年のジュネーブ協定は間違いだ、この会議後に中ソ両党がマラヤ共産党に武装闘争の放棄を求めたのはデタラメ指示であり、武装闘争こそが正しい」と力説した。[*11] 六七年七月二日付『人民日報』はビルマ共産党の六月二十八日声明を全文掲載した。六八年三月二十九日付『人民日報』一面は「毛主席の鉄砲から政権が生まれるという学説の威力は無比である」との見出しでネ・ウィン政権の打倒を呼びかけた。六一〜六五年に第三世界の七十四政党から三百七十四回にわたり千八百九十二人を受け入れ、ゲリラ戦の戦略戦術を指導した。[*12]

▽ゲリラ戦支援

一九七一年タイ共産党のゲリラ戦に協力するため顧問と軍事専門家を派遣し、七二年と七四年にフィリピン共産党に武器を輸送した。[*13] 六七年三月二十日、林彪は軍団長級以上の幹部会議で「中国が倒れなければ、世界は希望がもてる」「中国が赤の海になれば、欧州全体が赤色に染まるに等しい」と演説し、毛沢東はその録音を紅衛兵に聞かせるよう指示した。[*14]

▽世界革命の兵器工場たれ

一九六七年七月七日、毛沢東は「世界革命の兵器工場になるべきだ」と語った。[*15] 六八年五月十六日、毛沢東は「世界革命の中心は北京にある」との表現を批判し、「中国人民が自ら言うべきではない」「世界人民に言わせるのがよい」と指摘した。六六年九月九日、ウィーン駐在中国大使館を批判した紅衛兵の文を評価して「すべての海外駐在機関は革命化を進めよ」と指示した。[*16]

▽中国大使全員召還

一九六七年初めには中国の外国駐在大使は黄華仏大使を除いて全員召還され、大使館員の三分の一も学習のため帰国させられた。[*17] 紅衛兵と造反派により六七年六月十八日インド大使館が破壊され、七月三日ビルマ大使館が破壊され、八月五日インドネシア大使館が破壊され、八月二十二日英臨時大使館焼き討ち事件が発生した。[*18] 毛沢東はのちにスノーとのインタビューで「中国は全面的内戦に突入し、外交部はめちゃくちゃにされ、一カ月半くらいコントロールを完全に失い、その権力は反革命分子の手に握られた」と述べた。[*19] 中ソ両党が分裂してから世界の大半の共産党はソ連側につき、中国共産党との交流を中止した（日共しかり）。

▽中米関係打開。

世界に百以上のマルクス・レーニン主義党が生まれたが、数年後に大半は雲散霧消した。[*20] 一九六九年二月十九日、毛沢東は陳毅、徐向前、聶栄臻、葉剣英の四名の元帥に国際問題を、李富春副首相に国内問題の対策を求めた。七月十一日、陳毅ら四名が署名した「戦争情勢に関する初歩的認識」が周恩来に届けられた。報告書は中国を標的とする戦争が起こる確率は低い、中ソ対立は米中対立よりも深刻と見るものであった。九月十七日、陳毅は「米ソ間の矛盾を利用し中米関係を打開する必要あり」と提言し、[*21]
そこからピンポン外交が始まった。

日本に伝わる文革の衝撃波――「造反有理、帝大解体」

ベトナム反戦への市民意識は世界各地に広まった。特に沖縄基地から海兵隊が派遣される現実を身近に体験した日本においては、ベトナム反戦、ゲリラ戦線のアジア規模での拡大に対する関心は強かった。この結果、毛沢東の文革理念は世界ゲリラ革命という、本来は距離の大きな二つのコンセプトとして一九六六〜六八年の日本に届き、その受容は、たとえば一九六九年一月十八〜十九日の東大安田講堂籠城攻防戦でピークに達した。安田講堂屋上の一角にＭＬ（マルクス・レーニン主義を指す）旗が掲げられたことは、毛沢東の文革理念が日本の過激学生を鼓舞した事実を象徴していた。

しかしながら、日本のいわゆる「七〇年闘争」がピークを越えて低潮、自滅に向かう時点で、中国から伝えられるニュースは、かつては文革の核心と受け取られた「分業・階級廃絶」の理念とは裏腹に、造反派同士、造反派と実権派の武闘による混乱情報であった。やがて毛沢東の後継者に選ばれた林彪将軍の墜死事件が報道され、日本の左翼運動界では誰もが文革の破産、あるいは文革の終焉を認識して、文革について口を閉ざすようになった。

林彪事件と相前後して日本全体をよりいっそう衝撃の渦に巻き込んだのは、ピンポン外交とニクソン訪中であった。ベトナム戦は和睦に近づき、代わって中ソ国境紛争の深刻化という「国際環境の変化」は理解するにしても、仇敵米帝国主義を歓迎する毛沢東の超現実外交に接して、日本の新旧左翼は中国社会主義への幻滅を隠さなかった。旧左翼・日本共産党は一九六六年三月二十八日の毛沢東・宮本顕治首脳会談以後、すでに数年にわたって関係を断絶していたが、その断絶構造はいよいよ定着した。その結果、日中友好協会は二つの組織に分裂し、交流のないまま友好を称する組織がその後も存在し続け、左翼界分裂を象徴した。

一九七一年のニクソンショックを契機とした田中角栄訪中前後から、日中交流は左翼民間交流から、政府間交流ルートに転換した。ここで日中交流の象徴として「パンダ・ブーム」が起こり、国民的話題として語られたが、パンダ人気は、社会主義を志向する人々の中国への関心を逆に薄れさせ、単なる隣国間交流へと変容した。その過程で、中国通で有名な二人の作家、武田泰淳と堀田善衛が「私はもう中国を語らない」と信条告白を行ったことは、新旧左翼に広く受け入れられたように見える。[*22] この潮流に抗して、仮に「中国を語る」者があったとしても、「中国社会主義を語る」ことはほとんどなくなり、とりわけ文革論は封印された。まもなく一九七六年春、周恩来が死去し、秋には毛沢東が死去し、晩年の毛沢東体制(脱文革期の体制)は、四人組逮捕をもって瓦解した。日本人は誰もが文革の終焉と毛沢東時代の終焉を知り、ポスト毛沢東時代における中国の行方に不安を抱いた。

観察者・矢吹から見た文革

▽『文化大革命』と『チャイナ・クライシス』の頃

一九七六年の毛沢東死去から十年を経た一九八六年、華国鋒という「繋ぎのリーダー」は早くも忘れ去られ、復活した鄧小平による脱文革は「改革開放」という新しい旗幟のもとで、本格的に始動していた。文革遺制から脱却する政治的目的を秘めて、文革理念とは裏腹の否定的事実、負の現実がこれでもかといわんばかりに大量に暴露された。とりわけ各地の武闘という惨劇は、紅衛兵や造反労働者がほとんどならず者であり、彼らによる乱暴狼藉が文革の実質だと誇張して伝えられた。ここで、多少なりとも残っていた文革幻想は、完膚なく破壊された。その極致に人食い騒ぎが含まれる。*23

「建国以来の党の若干の歴史問題についての決議」が採択されたのは、一九八一年六月二十七〜二十九日の十一期六中全会だが、そこで「文革十年」(一九六六〜七六)が「挫折と損失」のみと評価され、以後陸続と文革の「負の現実」が日本に伝えられるに及び、文革への幻想や思い入れは、ことごとく打ち砕かれ、一九八六年＝文革二十年を迎えた。

私はこの頃、「文革とは何であったか」について私自身の認識を整理するために、講談社現代新書『文化大革命』を書いた。そこではまず文革の理念を文革派の問題意識に即して説明し、ついで文革の帰結を文革批判派＝実権派の立場に即して記述した。結びは、反右派闘争以来投獄され、一九六八年四月二十九日に上海で銃殺された林昭の最期であった。*24

改革開放の進展とともに、単に経済改革だけではなく政治改革を求める声が次第に大きくなり、一九八九年六月、天安門事件が起こった。[*25] これは文革の造反有理を直接継承するものではなかったが、鄧小平はこのとき、文革の悪夢を想起して、学生の動きを「動乱」と認識して、解放軍に鎮圧を命じた。

この天安門事件に際して、筆者は、仲間とともに[*26]『チャイナ・クライシス』シリーズ全五冊を編集した。[*27] 筆者はもともとスターリンの『経済学教科書』から社会主義経済研究をスタートし、さらにこれを批判した毛沢東『政治経済学を語る』『社会主義建設を語る』を翻訳して、[*28] 中国の社会主義経済を研究する立場から、毛沢東と劉少奇の経済政策における対立とその帰結へと研究を進めた。そこで劉少奇らの経済政策を支える理論が孫冶方や顧準にあることを知った。孫冶方はスターリニズムの経済政策の過ちの根本は「価値法則」を無視した点にあると分析したが、「利潤の名誉回復」を主張し、[*29] これは康生によって「修正主義経済学者リーベルマンよりも、よりいっそうリーベルマン的」と攻撃され、長く投獄された。

▽毛沢東の「主観能動性」哲学と経済原則

毛沢東の「主観能動性」哲学を鼓吹した結果、経済活動を混乱させ、餓死を招いたが、これを経済的土台の上に再建する提案が挫折することによって、経済活動はますます混乱した。いわゆるスターリン論文『ソ連における経済的諸問題』が提起した「諸法則」の核心は、資本主義経済の根底にある価値法則だが、これを尊重しつつ計画経済を行わなければ、主観主義、観念論に陥ることは明らかだ。

毛沢東の人民公社や大躍進政策が失敗したのは、客観的経済原則を無視して、主観能動性の名において、現実から乖離した理念が暴走したことによる。価値法則とは「あらゆる経済社会の経済原則」であるとともに、「資本主義社会における特有の経済法則」として機能するものだ。これを社会主義経済に適用するのは、「価値法則の側面」ではなく「経済原則の側面」である。しかしながら、両者の腑分けは理論的にも実践的にも容易ではない。

▽「経済原則を踏まえた計画経済」と「価値法則に基づいた計画経済」との間

「経済原則を踏まえた計画経済」を樹立せよという主張が、「価値法則に基づいた計画経済」と表現され、それはただちに「資本主義の復活」をはかるものと逆襲された。要するに資本主義経済の価値法則を止揚し、経済原則を重んじた計画経済という政策が現実には、経済原則を無視した主観的観念的計画に堕落して、飢餓を蔓延させた。

中国の場合、上海の名門簿記学校出身の顧準は、簿記会計学と経済活動の関係を学ぶことから出発したので、経済原則[*30]を踏まえた計画経済の意味を最も深く理解していた。そのような優れた経済学者、経済政策論者がその学説のゆえに二度にわたって右派分子とされた。文革期の経済政策は生産力を軽視して、生産関係のみを突出させた。鄧小平の生産力論（白猫黒猫論）は、生産関係一辺倒の間違いを是正する試みであり、これは商品経済・市場経済への転換の転轍機となった。

▽文革から得られた「自主管理社会主義」論

生産手段の私有制改革以後に行われる社会主義的生産過程（労働過程）がなぜ「支配・従属」関係に変化するのかという問題は、様々の角度から日本でも議論が行われていた。ソ連型社会主義の批判として、一方ではユーロ・コミュニズムの潮流があり、他方に文革の提起した生産関係についての新しい解釈が人々の関心を集めた。

このような試みは国の内外にいくつも存在したが、私自身がコミットしたのは「労働者自主管理研究会」であった。この研究会の活動として大内力訪中団が訪中したのは一九七九年四月十六〜三十日であった。大内以外のメンバーは、佐藤経明[*31]（横浜市立大学）、新田俊三（東洋大学）、海原峻（パリ第七大学）、斎藤稔（法政大学）、馬場宏二（東京大学）、中山弘正（明治学院大学）、そして矢吹が秘書長を務めた[*32]。

このメンバーはユーロ・コミュニズムの研究者からソ連東欧研究者まで、各分野の専門家を網羅していて、脱文革から改革開放期に至る中国経済の諸側面をヒアリングし、意見を交換した。論点は多岐にわたり、十分な総括には至らなかったが、文革で提起された生産管理の問題を「労働者自主管理（**autogestion**）」というコンセプトで把握することの意味を探求するという問題意識をメンバーは共有していた。

中国現代史における文革

▽反米毛沢東モデル（一九六六年）から米中対話への大転換

毛沢東の文革モデル（一九六六〜七一年）は、一九七二年のニクソン歓迎を機として中米平和共存路線に転換し、ポスト毛沢東期には既存の計画経済体制に市場経済を密輸入する「社会主義市場経済」なる体制にさらなる大転換を見せた。

中国における市場経済の導入は、ソ連解体以後の世界市場経済の変化[*33]を背景として、中国経済を量的に飛躍的に発展させ、米国に次ぐ経済大国に押し上げた。ただしこれは資本主義的経済発展であり、社会主義という生産関係とは無縁なもの、この「社会主義」という形容句は単なる飾りと見るべきである。

▽計画経済から市場社会主義（Market Socialism）への模索

ロシア革命史研究の専門家渓内謙が『現代社会主義を考える』[*34]を書いた前後から、「現実に存在する社会主義」の実態分析が試みられるようになり、社会主義像の理念から大きくかけ離れた現存社会主義のあり方が具体的に分析されるようになり、ユーロ・コミュニズムや「自主管理社会主義（ユーゴ型など）」などをスターリン型「国家社会主義」に対置する社会主義論が活発化した。

中国の「社会主義市場経済」に対して、筆者は「限りなく資本主義に近い社会主義[*35]」と名付け、その後「限りなく資本主義に近い中国経済」「国家資本主義体制」と認識をより深化させた。より一般的には「ポスト社会主義[*36]」「移行期経済」などの呼称が広く行われた。

▽**Market Socialism** から **Global Capitalism** への道

Market Socialism への道をリードした東欧三カ国（ハンガリー、チェコ、ポーランド）は、ソ連の解体後に、ＥＵに加盟して、**Market Socialism** が Global Capitalism 体制に参加する上での「過渡的、移行期のシステム」にほかならないことを「事後的」に明らかにした。すなわち **Market Socialism** の到達目標は、（Market）Capitalism にほかならず、ここで **Socialism** を付したのは、政治的マヌーバーにほかならないことが事後に明らかになった。

▽共産党指導下の **Market Socialism** は中華民族の復興を目指す

中国の「社会主義市場経済」は、本質的に東欧の Market Socialism と同じだと筆者は見てきたが、ＷＴＯやＩＭＦに参加した後も、そして二十一世紀初頭に習近平体制が成立した後も、政治面では共産党の指導体制を堅持している。ただし、その中国共産党が共産主義を目指す組織か否かは明らかではない。今この政党が掲げているのは、「中華民族の復興」である。民族の「復興自体」が問題なのではない。

復興した民族のその後の行き先が「社会主義なのか、社会帝国主義なのか」、そこが問題である。

主観能動性と価値法則・再論

▽李達の唯物弁証法と毛沢東の主観能動性

帝国主義戦争に抗するゲリラ戦争において、「主観能動性」の要素が大きな、決定的な役割を果たすことはいうまでもない。そして全国的政治権力の奪取後に進める建設（たとえば五カ年計画）においても、その建設が目的意識的な行為であるからには、主観能動性の役割が大きい。

しかしながら、主観能動性の役割を価値法則の客観的な作用を無視するところまで強調すると、客観的な市場経済の原理によって復讐される。毛沢東の主導した大躍進運動が客観的経済原則を無視したことにより、広範な飢餓を引き起こした当時、中国共産党創立以来の党員で、『「実践論」解説』『「矛盾論」解説』の著者である李達（当時武漢大学学長）は、一九五八年に武漢東湖賓館に滞在中の毛沢東を訪ねて主観能動性の一面的な強調により、観念論、主観主義に陥ったと批判した。[37]

文革の前夜一九六四年十一月に哲学者艾思奇[38]が楊献珍[39]を批判する「合二而一」論争が起こったが、これは政治の文脈では、ソ連修正主義と袂を分かつ毛沢東の道を合理化する艾思奇とこれに同意しない楊献珍の論争にほかならない。哲学論争とよぶよりは政治論争そのものであった。

▽「利潤の名誉回復」を提唱した孫冶方と顧準の運命

経済の分野では、毛沢東流の「主観能動性」を価値法則に依拠して批判した二人の経済学者がいる。孫冶方（一九〇八～八三）はモスクワのクートベ〈東方勤労者共産大学〉に学び、一九五六年に価値法則と「利潤の名誉回復」を提唱した。孫冶方は「リーベルマン以上にリーベルマン的だ」と受け取られ投獄された（一九六八〜七五）。

顧準（一九一五〜七四）は、上海の著名な「立信会計事務所」で会計学を学んだ体験からして、経済原則を企業経営の現場から観察する能力を身につけていた。一九五六年に「社会主義制度下の商品生産と価値法則」を書いて主観主義を批判し、経済計画の根拠として価値法則を重んずべきことを指摘して「右派分子」とされ、一九六五年には「極右派」の烙印を押された。

いずれも価値法則を無視した大躍進運動が経済の運営を破壊した現実を理論的に批判するものであった。

政治的には彭徳懐の意見書（一九五九年廬山会議に提出）「大躍進は経済的に引き合わない」とする見解が最も有名だ。大躍進運動は主観能動性の一面的強調が経済原則を破壊したことによって失敗したものであるから、批判者の側に正義があったが、毛沢東は批判者の正義を認めようとせず、文革を発動した。

こうして林彪失脚までは、大躍進批判に対する反批判が組織的に行われ、多くの冤罪事件を引き起こした。毛沢東派による一連の反批判は、毛沢東個人崇拝の熱狂のなかで行われた要素も加わり、異常なものがあり、これを筆者は「文革の狂気」と表現したことがある。

たとえば林昭は一九五七年「右派分子」として投獄されており、その後いかなる政治活動も不可能であった。にもかかわらず、彼女は文革の造反がピークに達した一九六八年春に、反革命分子という新たな罪状で銃殺された。彼女の社会主義への信念は一貫しているにもかかわらず、その罪状だけが「党内右派分子」から「反革命分子」に格上げされた。

冤罪事件の被害者の視点からすると、文革は二度と繰り返してはならない悲劇である。犠牲者から見るならば、そこには正当性のかけらもない。しかしながら、モスクワを司令部とする冷戦体制のもとで、あらゆる造反を封じ込める官僚主義システムが人々を抑圧していた諸矛盾を直視するならば、革命家＝夢想家毛沢東が「継続革命」を提唱したことによって現存する社会主義の欠陥や矛盾を剔抉した功績には否定しがたいものがある。

すなわちスターリニズムが「階級の廃絶」や「人間の解放」という目標から、はるかに隔たっていた現実の社会主義のもとで、毛沢東が打ち出したスターリニズム批判は、世界中に共鳴者を見出した。とはいえ、スターリニズムを批判した毛沢東がスターリニズムを克服できたかといえば、答はノーであろう。ソ連社会主義に見られた否定的な現実は、遺憾ながら毛沢東指導下の中国社会主義についてもあてはまる部分がきわめて多い。この現実を認識して毛沢東は、「官僚階級が人民の頭上にあぐらをかいて、人民にクソ、ショウベンをふりかける」と罵倒した[*40]。

「二十世紀に現存する・現存した」社会主義の総括を語るとき、そこから何を教訓として導くべきか、課題は論者に応じて様々であろう。それは何よりも帝国主義戦争の最中で、この戦争に反対する人々を動員する戦略戦術として提起され、「飢えからの自由と平和への呼びかけ」によって、帝国主義戦争に対しては「辛くも勝利した」。しかしながら、そこで人々に約束した「社会主義の理想」と比べると社会主義体制下で現実に人々の獲得できたものが、約束された目標に到達したとは到底いえないことも明らかだ。

▽二十世紀社会主義の試行錯誤

人類のおよそ三分の一を巻き込んだ「二十世紀社会主義の試行錯誤」を「階級の廃絶」や「人間の解放」という壮大な目標に照らして点検するとき、そこには色濃く深く、帝国主義戦争の負の刻印が刻まれている現実に気づく。それゆえ、二十一世紀の人類の希望は、現存する(現存した)社会主義の止揚から始まるが、それは悪夢から覚めた後の希望にも似て、容易に把握しにくい。

現代資本主義のもとでの新しい飢餓や貧困、失業のあり方は、二十世紀のそれと比べてはるかに複雑であり、革命主体の形成は、はるかに大きな困難が予想される。それはもはや二十世紀型の革命という手段ではなく、漸進的な政治改革に依拠する可能性がより強まったと見てよい。

結びに代えて

現代資本主義経済システムは、すでに様々の福祉政策をビルトインしており、他方、中国の社会主義市場経済も経済発展の帰結として、今後は福祉政策に重点を置く条件あるいは余裕が生まれている。こうして従来は、大きな溝が存在すると見られてきた二つの体制間のイデオロギー的差異がしだいに縮小し、グローバル経済下で融合度を増し、いわゆるconversion theory(両体制間の相互接近、収斂)の要素が強まる反面、いまや宗教や民族主義の新しいナショナリズム対立が前面に飛び出した。米国の影響力の減退は明らかだ。中国経済は米国債を大量に買い支えることによって、いま「チャイメリカ」構造が成立したと筆者は分析している。[*41]

ここでIMFが毎年発表している『貿易の方向(Direction of Trade)』(二〇一五年)を用いて、世界経済を貿易構造から一瞥してみよう。中国は米国に四千百七億ドル輸出し、千百六十一億ドル輸入したので、対米黒字（米国の赤字）は二千九百四十五億ドルであった。トランプが目の仇にしているのは、この数字だ。

中国からEU向けの輸出は三千五百六十五億ドル、EUからの輸入は千八百九十三億ドルである。中国の対EU黒字（EUの赤字）は千六百七十二億ドルである。

中国からASEAN諸国向けの輸出は二千七百八十九億ドル、輸入は千六百五億ドルである。中国の対ASEAN黒字（ASEANの赤字）は千百八十三億ドルである。

以上を総括すると、中国は米国から約三千億ドルの黒字を稼ぎ、EUとASEANから三千億ドル弱の黒字を稼ぎ、二〇一五年に都合六千億ドルの貿易黒字を貯めた。その黒字は直接投資や証券類の買付に当てられるが、最大の投資先は米国の国債（Treasury Bills）の買付である。その残高は二〇一七年二月現在一兆四千億ドルに上る。[*42]

トランプは対中貿易赤字をとらえて不公正なダンピング輸出と非難したが、まもなく非難を止めた。GDPの規模からすると適正な貿易額であり、かつその黒字の行方が米国債の買い支えに用いられているからだ。もし中国がこの米国債を売り払うならば、基軸通貨としてのドルの地位は失われ、米国内でのみ流通する国内通貨に格下げにならざるをえない。このような貿易構造を見ると、米ドルと中国人民元の補完関係により世界経済が成り立つことがわかる。

文革から半世紀を経て、中国はいまこのような地位にある。かつて毛沢東は世界革命の基地として、世界のゲリラ部隊に武器を届けると革命を呼びかけた。[*43] 資本主義対社会主義の冷戦構造で世界経済が分極化の頂点に達した一九六〇年代から経緯を振り返ると、その三十年後にソ連が解体し、中国は市場経済への転換に舵を切り、今日の世界経済構造に収斂した。

ソ連解体当時、一時は「アメリカ経済の一人勝ち」という賛辞が溢れたが、「奢れるアメリカ経済は久しからず」の通りであった。リーマン破産で、本拠地ウォールストリートが占拠される騒ぎに陥った。[*44]この直接行動を指導したグレーバーの著書『負債論』[*45]が資本主義経済の長い終焉過程の始まりを説いて説得的だ。二〇一七年はロシア革命百周年である。この百年史に文革を位置づけると、武闘を含む手段によって人間解放を実現しようとする運動史の中間に位置していたことに気づく。

＊1 徐友漁の十カ条。1大学高校入試停止、2闘争会（対象）、3毛沢東個人崇拝、語録、4旧思想旧文化の破壊、5血統論（高級幹部の紅衛兵）、6革命経験の交流（大串連、無銭旅行）、7江青の様板戯（モデル京劇）、8英国大使館焼き討ち、9中高生の下放（知青下郷）、10林彪事件。

＊2 矢吹晋『文化大革命』講談社現代新書、一九八九年、九二〜九三頁。

＊3 筆者はここで古典的な社会主義の図式を解説したが、第二次大戦後に生まれた構造改革論は、古典的な図式を修正して、資本主義の胎内に社会主義的要素を育てることによって換骨奪胎していくものであった。

＊4 『毛沢東の新しい制服』現代思潮社、一九七三年。

＊5 彼はその後、オーストラリアに移住し、その地のいくつかの大学で中国語教授を務めた。

＊6 「大宅壮一氏らが見た中国　革命いまだ成功せず　対日認識には時代錯誤」読売新聞一九六六年九月二十六日夕刊二面。「【香港・星野特派員二五日】大宅壮一氏を団長に大森実、三鬼陽之助、

藤原弘達、梶山季之氏らからなる「中国ノンフィクション視察団」一行が、二五日香港に帰ってきた。二六日間の大陸旅行で一行が下した中国診断は、前日の自民党議員団とはうって変わったきびしいものである。一行は文化大革命を中国製空想マルクス主義と断じ、新毛体制にしても、いわば毛沢東主席を奪い合うタックル競争の最中で、いまは林彪副主席が主導権を握っているが、先はわからないとして、中国の現状を「革命いまだ成功せず」「歴史的曲がりかど」にあると見ている。〔中略〕大宅「紅衛兵運動は一種のジャリ革命ないしはレジャー革命といえる。外国では大学生がリードするが、こちらは中学、高校生が主体だから、知的レベルが低い。一般民衆はソッポを向いている。それだけに、おとながどう考えているか疑問である。第一に、文化大革命そのものが常識はずれだ。戦争中の国家総動員みたいなものだ。〔中略〕マルクス・レーニン主義と毛沢東主席の関係をいうなら、日蓮と創価学会の池田大作氏の関係といえよう。しかも、第一の敵はソ連で、反米は当て馬と見た。将来、超軍事大国になる可能性がある」」。

＊7　「秦始皇算什麼？　他只坑了四百六十箇儒、我們坑了四万六千箇儒」。一九五八年五月八日「八大第二次会議第一次講話」『毛沢東思想万歳』丁本、一九五頁。

＊8　矢吹晋「孫治方の「スターリン経済学」批判」『二〇〇〇年の中国』論創社、一九八四年、所収。

＊9　矢吹晋「日本から見た文革の衝撃を再考する」『情況』二〇一六年十二月・二〇一七年一月合併号。

＊10　トロツキー派はスターリニズムの官僚制を厳しく批判したが、これをミロバン・ジラスと違って「新しい階級」とは認定しなかった。現代中国においては株式制が公認され、株式保有を通じて生産手段を私的に所有できる。これによって官僚たちは「新しい階級」に成長したと筆者は見ている。矢吹晋『〈中国の時代〉の越え方』白水社、「第三章 デジタル・レーニン主義ノート——計

画・官僚・毛沢東」、二〇二〇年、参照。
＊11　「毛沢東陳平会談記録」宋永毅編『機密檔案中新発現的毛沢東講話』中国国史出版社、二〇一八年七月。
＊12　中国人民解放軍総参謀部『中国人民解放軍軍事工作大事記』上、四五三～四、四五九、四六八～九、四七六頁、一九八八年十二月、内部発行。
＊13　中聯部弁公庁編『中聯部老部領導談党的対外工作』、二〇〇四年四月、内部発行、八三頁。
＊14　馬斉彬・陳文斌等『中国共産党執政四十年――1949～1989』、中共党史資料出版社、一九八九年、二九一頁。
＊15　『毛沢東思想万歳』丁本、三一八～九頁。
＊16　中共中央文献研究室編『建国以来毛沢東文稿 十二冊』中央文献出版社、一九九六年、一二八～九頁。
＊17　楊公素『滄桑九十年――一個外交特使的回憶』海南・海南出版社、一九九一～二頁。馬継森『外交部文革紀実』香港・中文大学出版社、二〇〇三年、六八～九頁。
＊18　『砸爛旧世界――文化大革命的動乱与浩劫（1966―1968）』（中華人民共和国史6）香港・中文大学出版社、二〇〇八年、五六一～四頁。
＊19　前掲『建国以来毛沢東文稿 十三冊』一九九六年、一六三頁。
＊20　前掲『中聯部老部領導談党的対外工作』四二頁。
＊21　金沖及主編『周恩来伝』二三九～四〇頁。
＊22　作家武田泰淳と堀田善衛の対話『私はもう中国を語らない』（朝日新聞社、一九七三年）は、その風潮の代表と見てよい。
＊23　筆者は作家鄭義の書いた『紅色紀念碑』を読み、初めて広西自治区の事件を知り、驚いた。

大躍進期の政策の過ちが飢餓をもたらした事件はスターリンの農業集団化が穀倉ウクライナで飢餓死亡事件をもたらした歴史と同じだが、文革期の広西チワン族自治区の人肉食は、「文化大革命50周年シンポジウム　文革とは何だったのか」（明治大学現代中国研究所主催、二〇一六年十月十六日）における宋永毅報告のように、飢饉による動機ではなく、人肉食による英雄化・自己強化・治病など、呪術的な発想による動機だったことで改めてわれわれを驚かせた。

＊24　矢吹晋『文化大革命』二〇二頁、本書二八九頁に収録。林昭（一九三二年十二月十六日〜一九六八年四月二十九日）は、北京大学在学中の一九五七年右派分子に認定され、文革期に反革命分子として銃殺された。その後四半世紀を経て、土屋昌明の紹介を通じて胡傑の映画『林昭の魂を探して』（DVD版）を知り、改めて深い感動を覚えた。

＊25　文革の造反精神を想起して、中国政治の民主化を求めたもの。

＊26　編集に直接参加したのは、蒼蒼社社主中村公省を中心に、白石和良、村田忠禧、高橋博らだが、ビラや伝単の類を北京で集め、東京にファックスしてくれた編集協力者は大勢いた。その名は、『チャイナ・クライシス』の該当個所に記した。

＊27　蒼蒼社、一九八九〜九〇年。

＊28　『毛沢東　政治経済学を語る――ソ連《政治経済学》読書ノート』現代評論社、一九七四年、『毛沢東　社会主義建設を語る』現代評論社、一九七五年。

＊29　矢吹晋「孫冶方の経済理論と新中国の歩み」『日中経済協会会報』一九八三年四月、のち『二〇〇〇年の中国』論創社、一九八四年、所収。同「孫冶方のスターリン経済学批判」『日高普教授還暦記念論文集』時潮社、一九八四年、のち『二〇〇〇年の中国』論創社、一九八四年、所収。

＊30　ソ連では経済計算ホズラスチョートに基づく原価計算が核心に位置づけられた。

＊31　佐藤の研究成果を富田武は追悼文で、次のように評価している。「佐藤の研究の成果であり、

集約点となったのが一九七五年刊行の『現代の社会主義経済』（岩波新書）である。それは、現実に存在する社会主義を、後進国ロシアとスターリン指導の歪みを伴った「前期的社会主義」と規定したこと、集権的計画経済には企業の裁量や省庁との「取引」の余地があり、労働者の「手抜き」と企業の「温情」を組み込んだパターナリズムが伴うと分析したこと、計画経済の「一つの工場」イメージは幻想であり、市場と価格による自己制御を不可欠とすると明示したことにおいて、社会主義経済研究の到達点を示したものと言える。佐藤自身の歴史に即して言えば、彼の「誘導市場モデル」は社会主義の構造改革案であり、反独占構造改革のベクトルが国家独占資本主義から国家独占社会主義に向けられたものだと理解することができる。佐藤の議論は、一九八〇年代のポーランド「連帯」運動を端緒とする東欧革命とペレストロイカにおいて真価を発揮したが、新自由主義は改革中の社会主義をも押し流してしまった。それだけ国家的社会主義、スターリニズムの原罪とトラウマが大きかったのである。佐藤は、ソ連崩壊後の「社会主義経済学会」改称の議論において「比較経済体制学会」への改称に反対したが（実際はこれに改称）、それは教条的に社会主義に固執する守旧派とは異なり、社会主義の歴史を正負ともに引き受ける意味だった」（『現代の理論』第三号、二〇一四年十二月）。

＊32　『大内力ゼミナール　たにし会の半世紀』たにし会文集編集委員会、二〇〇五年。

＊33　資本主義経済システムが旧ソ連経済圏を包摂したこと。

＊34　渓内謙『現代社会主義を考える――ロシア革命から21世紀へ』岩波新書、一九八八年。

＊35　矢吹晋『チャイナ・シンドローム――限りなく資本主義に近い社会主義』蒼蒼社、一九八六年。

＊36　佐藤経明『ポスト社会主義の経済体制』岩波書店、一九九七年。小林弘二『ポスト社会主義の中国政治』東信堂、二〇〇二年。なお、「リベラル21」のサイトに在ブダペストの経済学者盛田常

夫による追悼記「追悼・佐藤経明教授」がある。http://lib21.blog96.fc2.com/blog-entry-2886.html
＊37　李達（一八九〇～一九六六）は日本の第一高等学校に留学してマルクス主義を学び、中国共産党の創立に参加した古参ボルシェビキである。一九六六年八月紅衛兵の拷問により死去した。武漢大学構内に胸像が立つ。
＊38　一九一〇～六六、当時中央党校副校長。
＊39　一八九六～一九九二、当時中央党校校長。
＊40　「在拡大的中央工作会議上的講話」『毛沢東思想万歳』丁本、邦訳は「一九六二年七千人大会における講話」矢吹晋編訳『毛沢東　社会主義建設を語る』。
＊41　矢吹晋『チャイメリカ——米中結託と日本の進路』花伝社、二〇一二年。
＊42　台湾と香港を含む中華経済圏の数字。Major Foreign Holding of US Treasury Bills. 中国の対日本向け輸出は千三百五十八億ドル、日本からの輸入は千九十二億ドル、中国の黒字（日本の赤字）は二百六十六億ドルである。過去四半世紀、日本経済は平均一％程度の成長しかなく停滞していたのに対して、中国経済は約十％程度の成長を続けてきたので（近年は六～七％に落ちたが）、あっさり日本を抜いて、いまや米国に迫る規模となった。この結果、「衰える日本」のナショナリズムと「勃興する中国」のナショナリズムが激しく衝突している。
＊43　「中国要成為世界革命的兵工廠」（一九六七年七月七日）『毛沢東思想万歳』丁本、六七九～八一頁。
＊44　これはソ連というブレーキ役が失われた結果、資本の暴走に歯止めがかからなかったものと解してよい。不人気なソ連社会主義にも、米帝国主義の暴走への歯止め役という有用性があったことが事後に確認された。
＊45　David Graeber, *Debt: The First 5000 Years*, Melville House Publishing, London, 2011. 邦訳、以文社、

二〇一六年。

〈初出：「中国現代史再考——ロシア革命百年と文革五十年」明治大学中国研究所・石井知章・鈴木賢編『文化大革命〈造反有理〉の現代的地平』白水社、二〇一七年九月、所収。二〇一六年十月一六日、明治大学で行われたシンポジウムの報告稿に加筆したもの。のち矢吹晋『〈中国の時代〉の越え方』白水社、第二章、二〇二〇年八月、所収〉

やぶき すすむ

1938年福島県郡山市生まれ。県立安積高校在学時に朝河貫一を知る。1958年東京大学教養学部に入学し、第2外国語として中国語を学ぶ。1962年東京大学経済学部卒業。東洋経済新報社記者となり、石橋湛山の謦咳に接する。1967年アジア経済研究所研究員、1971～1973年シンガポール南洋大学客員研究員、香港大学客員研究員。1976年横浜市立大学助教授・教授を経て、2004年横浜市立大学名誉教授。現在、21世紀中国総研ディレクター、公益財団法人東洋文庫研究員、朝河貫一博士顕彰協会会長。

著書は単著だけでも40書を超え、共著・編著を合わせると70書をゆうに超える。ここでは本シリーズ「チャイナウォッチ」からははずれる朝河貫一の英文著作を編訳した『ポーツマスから消された男――朝河貫一の日露戦争論』(東信堂、2002年)、『入来文書』(柏書房、2005年)、『大化改新』(同上、2006年)、『朝河貫一比較封建制論集』(同上、2007年)、『中世日本の土地と社会』(同上、2015年)、『明治小史』(『横浜市立大学論叢』、2019年)の6書、朝河を主題とする『朝河貫一とその時代』(花伝社、2007年)、『日本の発見――朝河貫一と歴史学』(同上、2008年)、『天皇制と日本史――朝河貫一から学ぶ』(集広舎、2021年)の3書を挙げておきたい。

チャイナウオッチ
矢吹晋著作選集
1
文化大革命

2022年9月 9 日初版印刷
2022年9月29日初版発行

著者　矢吹晋
発行者　飯島徹
発行所　未知谷
東京都千代田区神田猿楽町 2 丁目 5-9　〒 101-0064
Tel. 03-5281-3751 / Fax. 03-5281-3752
［振替］　00130-4-653627

編者　朝浩之
編集協力　（株）デコ
組版　柏木薫
印刷・製本　モリモト印刷

Publisher Michitani Co, Ltd., Tokyo
Printed in Japan
ISBN 978-4-89642-671-7　C0322

2022年9月29日　日中国交正常化50周年　記念出版

チャイナウオッチ
矢吹晋著作選集
全五巻

第一巻　文化大革命（本書）

以下、続刊

第二巻　天安門事件

第三巻　市場経済

第四巻　日本―中国―米国、台湾

第五巻　電脳社会主義